GCSE FRENCH

Gloria Richards

First published 1982
Revised 1983, 1986, 1987, 1989, 1992, 1994
Reprinted 1993, 1995 (twice), 1996

Letts Educational
Aldine House
Aldine Place
London W12 8AW
0181 740 2266

British Library Cataloguing in Publication Data
A CIP record for this book is available from the British Library.

ISBN 1 85758 305 1

Printed in Great Britain by Ashford Colour Press, Gosport, Hants

Letts Educational is the trading name of BPP (Letts Educational) Ltd

PREFACE

This book is designed as a revision aid for all candidates studying for the GCSE examination in French. It has been written after analysing the requirements of the new Examining Groups in England, Northern Ireland, Scotland and Wales. The emphasis is on thorough revision followed by plenty of practice in those skills which will be tested in the GCSE French examinations. All examining groups will have tests in speaking, reading, listening and writing. You will not have to take all the tests that are set but will take a combination of papers in order to gain the maximum number of marks at your particular level.

All the people involved in the preparation of this revision aid have many years' experience of teaching and examining. They have also been closely involved in the preparation and moderation of the new syllabuses for the GCSE examinations. Follow the advice given in this book carefully and work consistently in the months leading up to your examination. In this way, you will be well prepared to show the examiners what you *know*, *understand* and *can do*.

Gloria D. Richards

Acknowledgements

I wish to express my thanks to the following people for their help in producing this book:

Joan Delin, Richard Lees and Keith Way, who acted as consultants; my husband, Vaughan Richards, and my father, Samuel Blythe Farnsworth, for the photographs; the staff of Letts for their guidance and professional help; and above all my husband and daughter for their continuing support and encouragement.

The author and publishers would like to thank the following Examining Groups for their permission to reproduce questions from past papers:
Midland Examining Group
Northern Examinations and Assessment Board
Northern Ireland Council for the Curriculum Examinations and Assessment
Scottish Examination Board
Southern Examining Group
University of London Examinations and Assessment Council
Welsh Joint Education Committee

The author wishes to point out that the answers given to the specimen GCSE questions are entirely her own suggestions, and that the Examining Groups accept no responsibility whatsoever for their accuracy or method of working.

The permission of HMSO to reprint extracts from the National Criteria is gratefully acknowledged. Acknowledgement is also due to the Théâtre National de Paris, to FUAJ (the French Youth Hostel Association) and to Autoroute du Sud de la France for permission to reprint extracts from their leaflets.

INTRODUCTION AND GUIDE TO USING THIS BOOK

The aim of this book is to help you to prepare as fully as possible for the GCSE French examination. Its main objective is to help you to revise and practise those skills which will be tested in the examination. The key to success in French examinations lies in the thorough preparation and practice of certain skills–speaking, listening, reading, writing. Check the analysis table of syllabuses to see which combination of tests you will have to do to achieve the grade for which you are aiming.

The Core Material in this book aims to cover the syllabus content of all GCSE examining groups. It includes Vocabulary Topics, Structures and Grammar, Notions and Functions as well as specimen questions. All examining groups will set tests in speaking, listening, reading and writing. The various combinations of tests for the different levels of each examining group follow the analysis table of syllabuses. Check your section carefully to make sure that you will be attempting those tests which you know you can do well in order to gain the maximum number of marks at your level.

Specimen answers are given at the back of the book to help you with many of the questions set in this book. Some of the tests in the writing section (those of a highly individual nature) do not have answers because almost all answers would be different. However, in order to practise this type of question, you could perhaps do them for 'extra homework' and ask your teacher to mark them for you.

If, when checking your answers at the back of the book, you find that you have made a lot of mistakes (e.g., grammatical, vocabulary, etc.) go back to the relevant core section and relearn that section. Always try the self-test units to make sure that you have really understood the section that you have been learning. Keep practising until you make very few mistakes.

Practice is a very important part of any revision programme. Too many candidates do not do justice to themselves because they lack practice in answering the various types of question. You should set aside a predetermined period of time each week, not only to revise your topics, but also to practise answers.

Remember . . .

REVISE THOROUGHLY.

PRACTISE CAREFULLY.

CONTENTS

GCSE FRENCH

One of the most significant innovations in the GCSE examinations is 'that candidates across the ability range are given opportunities to demonstrate their knowledge, abilities and achievements: that is, to show what they know, understand and can do.' In other words there is ONE examination for all candidates, but with differentiated papers. Candidates of different abilities will take different papers, but in some instances with a common element. You will need to check carefully the French syllabus for your own particular examining group to see which combination of tests you will need to take to achieve the maximum number of marks at your particular level. On pages vii and viii is a summary of GCSE differentiated papers and weightings.

Pupils being prepared for the GCSE examination in French will be trained 'to use French effectively for the purposes of practical communication.' The emphasis therefore is on acquiring certain skills to form a sound base for the present and future use of the language. The GCSE examination has certain common-core assessment objectives in the three skill areas of listening, reading and speaking. There are also additional assessment objectives which include basic writing and higher level objectives in speaking, listening, reading and also writing. The compulsory element of coursework will in most cases consist of an oral assessment. The maximum grade available to a candidate entered for only the common-core basic level tests is given in the table on page viii. Each additional test will increase your chances of gaining a higher grade but you must remember that a very high overall level of competence will be required to achieve the maximum available grade. Candidates aiming for the higher level grades will also have to perform well at the basic level. It is expected that candidates will attempt a wider range of tests than the minimum number required for any particular grade. Always consult the syllabus of your own examination board to check which tests you will have to do.

Differentiation

In the GCSE examination marks will be awarded for a candidate's *positive* achievements (i.e., for showing what he/she knows, understands and can do). Differentiation means that candidates across the ability range will be given opportunities to demonstrate their knowledge, abilities and achievements at different levels. GCE O-level/CSE examinations, for the most part, highlighted relative failure at tasks. By setting differentiated papers, the GCSE examining groups hope to reverse this situation by marking positively the candidate's achievement across a range of tests.

Analysis of examination weightings

Test	ULEAC	MEG	NEAB	NICCEA	SEB	SEG	WJEC
Listening	25%	see syllabus for details	25%	25%	25%	25%	25%
Reading	25%	see syllabus for details	25%	25%	25%	25%	25%
Speaking	25%	see syllabus for details	25%	25%	50%	25%	25%
Writing	25%	see syllabus for details	25%	25%	Op at C endorsement	25%	25%

Key: C = credit level

Analysis of examination syllabuses: listening

Sources	ULEAC	MEG	NEAB	NICCEA	SEB	SEG	WJEC
Messages	B/H	B/H	B/H	B/H	F/G/C	G/Ex	B/H
Conversations	B/H	B/H	B/H	B/H	F/G/C	G/Ex	B/H
Public announcements	B/H	B/H	B/H	B/H	F/G/C	G/Ex	B/H
Directions/instructions	B/H	B/H	B/H	B/H	F/G/C	G/Ex	B/H
TV/radio	H	B/H	H	B/H	F/G/C	G/Ex	B/H
Interviews	B/H	B/H	H	H	F/G/C	Ex	B/H
Multiple-choice		●	●	Op			

Key: F = foundation level G = general level B = basic level C = credit level Ex = extended level H = higher level Op = optional

Analysis of examination syllabuses: speaking

Task	ULEAC	MEG	NEAB	NICCEA	SEB	SEG	WJEC
Role-play	B/H	B/H	B/H	B/H	F/G/C	G/Ex	B/H
Conversation	B/H	B/H	B/H	B/H	F/G/C	G/Ex	B/H
Written/visual stimuli		H	Op:B/H				
Teacher examiner	●	●	●	●	●	●	●
External moderation	●	●	●	●	●	●	●

Key: F = foundation level G = general level B = basic level C = credit level Ex = extended level H = higher level Op = optional

Analysis of examination syllabuses: reading

Sources	ULEAC	MEG	NEAB	NICCEA	SEB	SEG	WJEC
Adverts	B/H	B/H	B/H	B/H	F/G/C	G/Ex	B/H
Brochures/leaflets	B/H	B/H	B/H	B/H	F/G/C	G/Ex	B/H
Correspondence	B/H	B/H	B/H	B/H	F/G/C	G/Ex	B/H
Labels/menus	B/H	B/H	B/H	B/H	F/G/C	G/Ex	B/H
Magazines/newspapers	B/H	H	H	H	F/G/C	G/Ex	H
Time-tables	B/H	B/H	B/H	B/H	F/G/C	G/Ex	B/H
Public notices/signs	B/H	B/H	B/H	B/H	F/G/C	G/Ex	B/H
Book extracts					F/G/C	G/Ex	
Multiple-choice		●	●	Op			

Key: F = foundation level G = general level B = basic level C = credit level Ex = extended level H = higher level Op = optional

Analysis of examination syllabuses: writing

Task	ULEAC	MEG	NEAB	NICCEA	SEB	SEG	WJEC
Cards/notes/messages	B/H	B	B	B		G/Ex	B
Letters	B/H	B/H	B/H	B/H		G/Ex	B/H
Accounts/visual stimuli	H	H	H	H		Ex	H
Form-filling	B/H						
Prepared assignments					Op		
Dictionaries allowed					●		

Key: F = foundation level G = general level B = basic level C = credit level Ex = extended level H = higher level Op = optional

Grade combinations/general outline

Board	Grade G	F	E	D	C	B	A
ULEAC	BL+BR+BS	BL+BR+BS	BL+BR+BS	BL+BR+BS+1 other	BL+BR+BS+ BW+1 other	BL+BR+BS+ BW+HW+1 other	BL+BR+BS+BW+ HW+2 or 3 others
MEG	BL+BR+BS	BL+BR+BS	BL+BR+BS	BL+BR+BS+1 other	BL+BR+BS+ BW+1 other	BL+BR+BS+ BW+HW+1 other	BL+BR+BS+BW+ HW+2 others
NEAB	BL+BR+BS	BL+BR+BS	BL+BR+BS	BL+BR+BS+1 other	BL+BR+BS+ BW+1 other	BL+BR+BS+ BW+HW+1 other	BL+BR+BS+BW+ HW+2 others
NICCEA	BL+BR+BS	BL+BR+BS	BL+BR+BS	BL+BR+BS+1 other	BL+BR+BS+ BW+1 other	BL+BR+BS+ BW+HW+1 other	BL+BR+BS+BW+ HW+2 others
SEB*	**7** Foundation	**6** Foundation	**5** Foundation/general	**4** General	**3** General	**2** General/credit	**1** Credit
SEG	GL+GR+GS	GL+GR+GS	GL+GR+GS	GL+GR+GS+1 other	GL+GR+GS+GW+ 1 other	NS (but will include tests as Extended)	NS (but will include tests as Extended)
WJEC	BL+BR+BS	BL+BR+BS	BL+BR+BS	BL+BR+BS+1 other	BL+BR+BS+ BW+1 other	BL+BR+BS+ BW+HW+1 other	BL+BR+BS+BW+ HW+2 others

Key BL=basic listening BR=basic reading BS=basic speaking BW=basic writing HL=higher listening HR=higher reading HS=higher speaking HW=higher writing EXL=extended listening EXR=extended reading EXS=extended speaking EXW=extended writing GL=general listening GR=general reading GS=general speaking GW=general writing NS=not specified

*Check all SEB syllabuses for detailed descriptions.

Examination Boards: Addresses

To obtain syllabuses, past examination papers and further details, write to your Examining Group.

MEG **Midland Examining Group**

1 Hills Road
Cambridge
CB1 2EU

Tel: 01223 553311

NEAB **Northern Examinations and Assessment Board**

12 Harter Street
Manchester
M1 6HL

Tel: 0161 953 1180

NICCEA **Northern Ireland Council for the Curriculum Examinations and Assessment**

Beechill House
42 Beechill Road
Belfast
BT8 4RS

Tel: 01232 704666

SEB **Scottish Examination Board**

Ironmills Road
Dalkeith
Midlothian
EH22 1LE

Tel: 0131 663 6601

SEG **Southern Examining Group**

Stag Hill House
Guildford
GU2 5XJ

Tel: 01483 506506

ULEAC **University of London Examinations and Assessment Council**

Stewart House
32 Russell Square
London
WC1B 5DN

Tel: 0171 331 4000

WJEC **Welsh Joint Education Committee**

245 Western Avenue
Cardiff
CF5 2YX

Tel: 01222 265000

1 STRUCTURES AND GRAMMAR REVISION

Here is an extract from the National Criteria/French for GCSE.

AIMS

- to develop the ability to use French effectively for purposes of practical communication,
- to form a sound base of the skills, language and attitudes required for further study, work and leisure,
- to develop an awareness of the nature of language and language learning,
- to promote learning skills of a more general application (e.g. analysis, memorizing, drawing of inferences) . . .

In order to achieve these aims, students need to learn and revise thoroughly all that they have been taught in preparation for the GCSE examination.

The ability to use the structures and grammar of the language is essential in order to communicate effectively. However extensive your range of vocabulary may be, you will not be able to understand or to be understood with any degree of accuracy unless you have a good working knowledge of the basic sentence structures and grammatical features of the language. Thorough revision and practice of these features will increase your confidence and provide you with a sound base for the examination.

Begin your revision programme in plenty of time so that you will be able to cover all the grammar revision sections which you know that you will need, and then do the grammar tests. These short tests are designed to find out if you have grasped the grammatical points. If at the end of any test you are still unsure of the points tested, revise the section again and then re-do the test.

1 ARTICLES

Remember these points:

(a) The definite articles (**le**, **la**, **l'**, **les**=the) are used more frequently in French than they are in English. Remember to use them in such expressions as:
Children like ice cream. **Les** enfants aiment **les** glaces.
Poor Mary has forgotten her book. **La** pauvre Marie a oublié son livre.
He prefers red wine to white wine. Il préfère **le** vin rouge **au** vin blanc.

(b) When preceded by the preposition **à**, the forms of the definite article are:
au, **à la**, **à l'**, **aux**.

When preceded by the preposition **de**, the forms are:
du, **de la**, **de l'**, **des**.

(c) The indefinite articles (**un**, **une**, **des**=a, some) are omitted when giving people's occupations:
My father is an engineer. Mon père est ingénieur.
Her brothers are students. Ses frères sont étudiants.

(d) The partitive articles (**du, de la, de l', des**=some) are contracted to **de** or **d'** in the following instances:

(i) After a negative:
J'ai des pommes. Je n'ai pas **de** pommes.
Il a de l'argent. Il n'a pas **d'**argent.
N.B. also: J'ai une voiture. Je n'ai pas **de** voiture.

(ii) When an adjective precedes the noun:
des livres; **de** gros livres
des robes; **de** jolies robes

2 NOUNS

Making nouns plural

As in English, the plurals of nouns in French are normally formed by adding 's' to the singular noun, e.g. un garçon, des garçons.

However, there are several important exceptions to this rule which you will be expected to know. Check carefully the following plural forms which do not follow the normal rule:

l'animal (m)	les animaux	*animal(s)*
le bijou	les bijoux	*jewel(s)*
le bois	les bois	*wood(s)*
le cadeau	les cadeaux	*present(s)*
le caillou	les cailloux	*pebble(s)*
le chapeau	les chapeaux	*hat(s)*
le château	les châteaux	*castle(s)*
le cheval	les chevaux	*horse(s)*
le chou	les choux	*cabbage(s)*
le ciel	les cieux	*sky/heaven* *skies/heavens*
l'eau (f)	les eaux	*water(s)*
le feu	les feux	*fire(s)* (pl. also=*traffic-lights*)
le fils	les fils	*son(s)*
le gâteau	les gâteaux	*cake(s)*
le genou	les genoux	*knee(s)*
le hibou	les hiboux	*owl(s)*
le jeu	les jeux	*game(s)*
le journal	les journaux	*newspaper(s)*
le mal	les maux	*evil(s)/harm(s)/hurt(s)*
le nez	les nez	*nose(s)*
l'œil (m)	les yeux	*eye(s)*
l'oiseau (m)	les oiseaux	*bird(s)*
l'os (m)	les os	*bone(s)*
le prix	les prix	*price(s)/prize(s)*
le tableau	les tableaux	*picture(s)*
le temps	les temps	*time(s)/weather(s)*
le timbre-poste	les timbres-poste	*postage stamp(s)*
le travail	les travaux	*works*

N.B. also: madame — **mes**dames
mademoiselle — **mes**demoiselles
monsieur — **mes**sieurs

Family names do *not* change in French when they are used in the plural:
We are going to the Gavarins. Nous allons chez les Gavarin.

3 ADJECTIVES

(a) When you are writing in French, you must pay special attention to the ending of words. Adjectives in English have the same form in the singular and the plural.

e.g. *singular:* the little boy
plural: the little boys

In French, you must check the endings of *all* words, especially adjectives.
e.g. *singular:* le petit garçon
plural: les petits garçons

(b) Another important difference between English and French is the position of adjectives. In English, adjectives precede the noun:
the white house; the intelligent girl

In French, all but a few common adjectives are placed *after* the noun:
la maison **blanche**; la fille **intelligente**

These are the adjectives which **do** precede the noun in French; try to memorise them:

beau bon excellent gentil grand gros jeune joli long mauvais même (=*same*) meilleur nouveau petit vieux vilain

Some adjectives change their meaning according to their position:

un **cher** ami	*a dear friend*
un vin **cher**	*an expensive wine*
un **ancien** élève	*a former pupil*
un bâtiment **ancien**	*an old building*
mes **propres** mains	*my own hands*
mes mains **propres**	*my clean hands*

(c) The spelling of adjectives in French changes according to the gender of the noun they are describing, as well as according to whether the noun is singular or plural:
le **vieux** livre
la **vieille** maison

An adjective is normally made feminine by the addition of 'e'.
e.g. joli/jolie

When a word already ends in 'e' it does not change.
e.g. jeune (m *and* f)

There are also a number of adjectives which have irregular feminine forms. These must be learnt:

Masculine singular	*Feminine singular*	
ancien	ancienne	*old*
bas	basse	*low*
beau	belle	*beautiful*
blanc	blanche	*white*
bon	bonne	*good*
bref	brève	*brief*
cher	chère	*dear*
doux	douce	*sweet*
épais	épaisse	*thick*
entier	entière	*entire/whole*
faux	fausse	*false*
favori	favorite	*favourite*
fou	folle	*mad*
frais	fraîche	*fresh*

Masculine singular	*Feminine singular*	
gentil	gentille	*nice*
gras	grasse	*fat*
gros	grosse	*big*
jaloux	jalouse	*jealous*
long	longue	*long*
neuf	neuve	*brand new*
nouveau	nouvelle	*new*
premier	première	*first*
public	publique	*public*
roux	rousse	*auburn, russet*
sec	sèche	*dry*
secret	secrète	*secret*
vieux	vieille	*old*
vif	vive	*lively*

Note also the forms **bel**, **nouvel**, **vieil**. These are used before masculine singular words beginning with a vowel or 'h'.
e.g. un **bel** homme
un **nouvel** élève
un **vieil** autobus

4 INDEFINITE ADJECTIVES

(a) Autre(s), other
Les autres élèves sont sages. *The other pupils are good.*
J'ai une autre robe rouge. *I have another red dress.*

(b) Chaque, each
chaque élève, *each pupil*
chaque maison, *each house*

(c) Même(s), same
Nous avons vu le même film. *We saw the same film.*
Ils ont les mêmes disques. *They have the same records.*

(d) Plusieurs, several
J'ai acheté plusieurs livres. *I have bought several books.*

(e) Quelque(s), some
pendant quelque temps, *for some time*
Quelques élèves sont arrivés. *Some pupils have arrived.*

(f) Tel, **telle**, **tels**, **telles**, such
Pay special attention to the position of this word.
un tel homme, *such a man*
une telle femme, *such a woman*
de tels hommes, *such men*
de telles femmes, *such women*

(g) **Tout**, **toute**, **toutes**, all (+article)
tout le fromage, *all the cheese*
toute la famille, *all the family*
tous les garçons, *all the boys*
toutes les jeunes filles, *all the girls*

5 COMPARATIVE AND SUPERLATIVE OF ADJECTIVES

(a) The comparative and superlative forms of adjectives are quite simple when the adjective precedes the noun:

more, **plus** the most, **le (la, les) plus**	less, **moins** the least, **le (la, les) moins**	as, **aussi**
stronger, plus fort *the strongest*, le plus fort la plus forte les plus fort(e)s	*less strong*, moins fort *the least strong*, le moins fort la moins forte les moins fort(e)s	*as strong*, aussi fort

In all three cases **que** is used to complete the comparison. It can mean *as* or *than.*
Pierre est plus fort que Jean. *Peter is stronger* than *John.*
Les lions sont aussi forts que les tigres. *Lions are as strong* as *tigers.*

Be particularly careful with:

better, **meilleur** — un meilleur élève, *a better pupil*
best, **le meilleur** — le meilleur élève, *the best pupil*

(b) When an adjective follows the noun, it keeps the same position when it is made comparative or superlative:
une histoire plus amusante, *a more interesting story*
In the superlative, the definite article must be repeated after the noun:
l'histoire **la** plus amusante, *the most interesting story*

(c) 'In' with a superlative is translated by **de**:
L'élève le plus intelligent **de** la classe. *The most intelligent pupil in the class.*

6 DEMONSTRATIVE ADJECTIVES

masculine	*feminine*	*plural*
ce	cette	ces

There is a special masculine singular form which is used before a vowel or 'h': **cet**.

These adjectives correspond to the English *this, that/these, those.*

ce livre	*this book, that book*
cet homme	*this man, that man*
cette maison	*this house, that house*
ces élèves	*these pupils, those pupils*

-ci and **-là** may be added for extra emphasis:

ce livre-ci, *this book (here)*
ce livre-là, *that book (there)*, etc.

7 POSSESSIVE ADJECTIVES

	masculine	*feminine*	*plural*
my	mon	ma	mes
your	ton	ta	tes
his/her	son	sa	ses
our	notre	notre	nos
your	votre	votre	vos
their	leur	leur	leurs

(a) Before a singular feminine noun beginning with a vowel or 'h', use **mon**, **ton**, **son**:
son amie, *his(her) girlfriend*
ton histoire, *your story*
mon auto, *my car*

(b) **son**=his *or* her
sa =his *or* her

The difference in usage depends on the gender of the possession and *not* on the gender of the owner:
sa maman, *his mother* or *her mother*
son stylo, *his pen* or *her pen*

8 ADVERBS

(a) Adverbs of manner are normally formed by adding **-ment** to the feminine form of the adjective:
heureuse (f), *happy* → **heureusement**, *happily*
douce (f), *sweet, gentle* → **doucement,** *sweetly, gently*

As usual, there are exceptions to this rule. Here are some of the more common ones:

constamment *constantly*	mal *badly*
énormément *enormously*	précisément *precisely*
évidemment *evidently*	profondément *deeply*
gentiment *nicely*	vraiment *truly, really*

Note the irregular form **mal**.

Of all the adverbs which candidates misspell, the word **vite** (*quickly*) is the word which is most frequently misspelt. **Vite** is now the only spelling of this word. It does *not* have the same ending as the other adverbs above.

(b) One of the most important things to remember about adverbs in French is their position in relation to the verb. In English, we often place the adverb before the verb. In French, the adverb *never* comes between the subject and the verb of a sentence. The normal position for the adverb in French is *after* the verb.
e.g. Je vais **souvent** à Paris. *I often go to Paris.*

When using the perfect tense, however, the adverb is nearly always placed between the auxiliary and the past participle.
e.g. J'ai **trop** mangé. *I've eaten too much.*

Occasionally, the adverb in French is placed at the beginning of a sentence, but there are hidden dangers here, especially with such words as **aussi** and **ainsi** (*thus*). It is better, therefore, to keep to the general rule of placing the adverb after the verb.

(c) Adverbial **tout**
Tout=all, altogether, quite. When used before an adjective, **tout** does not agree with the adjective unless the adjective is feminine and begins with a consonant:

Elle est toute seule. *She is all alone.*
Elles étaient tout émues. *They (f) were quite moved.*

9 COMPARATIVE AND SUPERLATIVE OF ADVERBS

These are formed in a similar way to the comparatives and superlatives of adjectives, except that, because they are adverbs, they are invariable. There are no feminine or plural forms of the article.

e.g. Marie chante **le plus fort**. *Mary sings the loudest.*

Note also: best, **mieux**, the best, **le mieux**
e.g. Elle chante le mieux. *She sings the best.*

10 PERSONAL PRONOUNS

(a) Subject pronouns

singular	*plural*
1 je	nous
2 tu	vous
3 il/elle/on	ils/elles

Remember that **on** is a third person singular pronoun, so the verb must agree with it:
On **va** en ville,
even though in translation we might use another personal form:
They/we are going to town.

(b) Object pronouns

The normal positions are:

1	2	3	4	5	
me					
te	le				
(se)	la	lui			
nous	les	leur	y	en	verb
vous					
(se)					

Je te le donne. *I give it to you.*
Il m'en a parlé. *He talked to me about it.*
Nous les y enverrons. *We'll send them there.*

The object pronouns always keep to this order, except in *affirmative commands.*
In affirmative commands:
(i) The object pronouns follow the verb and are joined to the verb by hyphens.
(ii) Columns 1 and 2 change place.
(iii) Me becomes **moi**, and **te** becomes **toi**, except before **en** when they become **m'en** and **t'en**.

Examples:
Affirmative statement: *I have given some to him.* Je **lui en** ai donné.
Negative statement: *I have not given any to him.* Je ne **lui en** ai pas donné.
Affirmative command: *Give some to him.* Donnez-**lui-en**.
Negative command: *Don't give any to him.* Ne **lui en** donnez pas.
Affirmative command: *Give them to me.* Donnez-**les-moi**.
Affirmative command: *Give me some.* Donnez-**m'en**.

11 POSSESSIVE PRONOUNS

These correspond to the English 'mine', 'yours', 'his', etc.

	singular		*plural*	
	masculine	*feminine*	*masculine*	*feminine*
mine	le mien	la mienne	les miens	les miennes
yours	le tien	la tienne	les tiens	les tiennes
his/hers	le sien	la sienne	les siens	les siennes
ours	le nôtre	la nôtre	les nôtres	les nôtres
yours	le vôtre	la vôtre	les vôtres	les vôtres
theirs	le leur	la leur	les leurs	les leurs

Usage
Où est ton billet? Voici **le mien**. *Where is your ticket? Here is mine.*
Je n'ai pas de voiture. Pouvons-nous y aller dans **la vôtre**?
I haven't a car. Can we go there in yours?

In this last sentence 'yours'=your car. Since 'car' is feminine in French (**la voiture**), the feminine possessive pronoun must be used irrespective of the gender of the possessor.

Possession may also be expressed in the following way:
A qui est ce stylo? Il est **à** moi. *Whose pen is this? It's mine.*

12 DEMONSTRATIVE PRONOUNS

These pronouns are used to say '*this one/that one*', and in the plural, '*these ones/those ones*'.

singular		*plural*	
masculine	*feminine*	*masculine*	*feminine*
celui	celle	ceux	celles

If you wish to stress 'this/these' or 'that/those', then the endings **-ci** or **-là** respectively may be added:

Voici deux livres. Celui-ci est à moi. Celui-là est à Natalie.
Here are two books. This one (here) is mine. That one (there) is Natalie's.
Ces chaussures sont à 400F, mais celles-là sont à 350F.
These shoes cost 400F, but those cost 350F.

Always check carefully the gender of the pronouns you are using.

Ceci/cela (this/that)
Ecoutez ceci. *Listen to this.*
Qui a dit cela? *Who said that?*

Cela is often shortened to **ça**:
Qui a dit ça? *Who said that?*
Ça, c'est vrai. *That's true.*

13 DISJUNCTIVE PRONOUNS

These pronouns are also sometimes called 'emphatic' or 'stressed' pronouns.

moi	*me/I*	nous	*us/we*
toi	*you*	vous	*you*
lui	*him/he*	eux	*them (m)/they*
elle	*her/she*	elles	*them (f)/they*

The word **-même** may be added to the above words to translate **-self**:

moi-même *myself*, toi-même *yourself, etc.*

Note also **soi-même**, *oneself.* Use this when you are using **on**.
On peut le faire soi-même. *One can do it oneself.*

Disjunctive pronouns should be used:

(a) After prepositions:
devant moi, *in front of me*
sans eux, *without them*
chez elle, *at her house*

(b) To emphasize a pronoun at the beginning of a sentence:
Moi, je l'ai fait. I *did it.*
Lui, il est venu. He *came.*

(c) When a pronoun stands alone:
Qui l'a fait?–Moi. *Who did it?–I did.*

(d) In comparisons:
Vous êtes plus intelligent que moi. *You are more intelligent than I.*
Il est aussi grand que toi. *He is as tall as you.*

(e) With **c'est** and **ce sont**:
C'est vous. *It's you.*
Ce sont elles. *It's them (f).*
Ce sont is used only with the third person plural.

14 RELATIVE PRONOUNS

(a) **qui** who, which (*subject*)
que whom, that (*object*)
dont whose, of whom, of which
Voici les enfants qui sont sages. *Here are the children who are good.*
Voici les enfants que vous n'aimez pas. *Here are the children whom you don't like.*
Voici le livre dont vous avez besoin. *Here is the book which you need.*

(b) **ce qui** that which (*subject*)/what
ce que that which (*object*)/what
ce dont that of which/what
Dites-moi ce qui est arrivé. *Tell me what has happened.*
Dites-moi ce que vous avez fait. *Tell me what you did.*
Dites-moi ce dont vous avez besoin. *Tell me what you need.*

(c) m. **lequel** (the . . .) which
f. **laquelle** (the . . .) which
m.pl. **lesquels** (the . . .) which
f.pl. **lesquelles** (the . . .) which

These relative pronouns are used with prepositions:
Voilà la table sur laquelle vous trouverez vos livres.
There is the table on which you will find your books.
Regardez cette maison devant laquelle il y a un agent de police.

Look at that house in front of which there is a policeman.
The above relative pronouns combine with **à** and **de** to become:

m.	**auquel**	**duquel**
f.	**à laquelle**	**de laquelle**
m.pl.	**auxquels**	**desquels**
f.pl.	**auxquelles**	**desquelles**

Nous irons au jardin public au milieu duquel se trouve un petit lac.
We shall go to the park in the middle of which there is a little lake.
Ce sont des choses auxquelles je ne pense pas.
They are things I don't think about. (penser **à**=to think about)

Lequel etc. may be used on their own as questions:
J'ai rapporté un de vos livres.–Lequel?
I've brought back one of your books.–Which one?
Puis-je emprunter une de tes cravates?–Laquelle?
May I borrow one of your ties?–Which one?

15 INDEFINITE PRONOUNS

autre, other
J'ai vendu quelques livres mais je garderai **les autres.**
I have sold some books but I shall keep the others.

chacun(e), each one
Regardez ces voitures. **Chacune** est d'occasion.
Look at those cars. Each one is second-hand.

N'importe is a very useful indefinite pronoun:
n'importe qui, anybody
N'importe qui peut le faire. *Anybody can do it.*
n'importe quoi, anything
Rapportez n'importe quoi. *Bring back anything.*
n'importe quel(le)(s), any
Vous le trouverez dans n'importe quelle épicerie. *You will find it at any grocer's.*

plusieurs, several
As-tu des disques? Oui, j'en ai plusieurs. *Have you any records? Yes, I have several.*

quelqu'un, someone
Attendez-vous quelqu'un? *Are you waiting for someone?*
quelques-un(e)(s), some, a few
Quelques-uns de vos élèves sont paresseux. *Some of your pupils are lazy.*

tout, everything
Il connaît tout. *He knows everything.*

tout le monde, everybody
Tout le monde est arrivé. *Everybody has arrived.*

16 CONJUNCTIONS

car, for (because)
Do not confuse this with the preposition **pour**. If you wish to use the word 'for' meaning 'because', remember to use **car**.

Il a dû rentrer à la maison à pied **car** il avait perdu la clé de sa voiture.
He had to walk home for he had lost his car key.
Car is an alternative to **parce que** (because).

comme, as
Faites **comme** vous voulez. *Do as you like.*

depuis que, since (*time*)
Il a commencé à neiger **depuis que** je suis sorti.
It has begun to snow since I went out.

donc, so (*reason*)
Do not use this word at the beginning of a sentence, but it may introduce a clause.
Il est malade, *donc* il est resté à la maison.
He is ill, so he stayed at home.

lorsque, **quand**, when
Be very careful when using these conjunctions. The future tense is frequently needed in French after these two conjunctions where in English we use the present tense:
Je te téléphonerai quand je serai à Paris.
I shall telephone you when I am in Paris. (i.e. *when I shall be in Paris*)
Similarly, the future perfect is used where in English we use the perfect tense:
Je viendrai quand **j'aurai fini** mon travail.
I shall come when I have finished my work. (i.e. *when I shall have finished my work*)

NB **Dès que** and **aussitôt que** (as soon as) follow the same rule.
Dès qu'il sera à la maison, je te téléphonerai.
As soon as he is at home, I shall telephone you.

parce que, because
Il n'a pas réussi parce qu'il n'a pas travaillé.
He didn't succeed because he didn't work.
NB there is *no* hyphen between these two words.

puisque, since (*reason*)
Il travaille dur puisqu'il désire réussir.
He is working hard since he wants to succeed.

pendant que, during, while
Pendant qu'il lisait son journal, on a sonné à la porte.
While he was reading his newspaper, someone rang the door-bell.

tandis que, while, whilst (*contrast*)
Christophe a bien travaillé tandis que Pierre n'a rien fait.
Christopher has worked well while Peter has done nothing.

17 PREPOSITIONS

One of the most important things to remember as far as prepositions are concerned is that frequently there is no one single word in French which will translate a particular word in English. Pupils in the early stages of learning French often ask such questions as 'How do you translate "in"?' There are of course several ways of translating 'in', e.g. **dans**, **en**, **à**, etc. Usually only one of these will be appropriate in the particular circumstances. Below are some guidelines for the use of some everyday prepositions.

About

à peu près, approximately
J'ai à peu près cinquante livres. *I have about fifty books.*

à propos de, concerning
Je voudrais vous parler à propos de votre visite. *I should like to speak to you about your visit.*

au sujet de, on the subject of (similar to **à propos de**)
Il parlait au sujet des vacances. *He was speaking about the holidays.*

de quoi, of what
De quoi parles-tu? *What are you speaking about?*

environ
J'arriverai à dix heures environ. *I shall arrive about ten o'clock.*

vers (similar to **environ**)
Nous partirons vers deux heures. *We shall leave about two o'clock.*

Along

le long de
Il marchait le long du quai. *He was walking along the platform.*

avancer, to move along
Avancez, messieurs, s'il vous plaît. *Move along, gentlemen, please.*

dans
Il marchait dans la rue. *He was walking along the street.*

sur
La voiture roulait vite sur la route. *The car was going quickly along the road.*

NB for *along with* use **avec**:
Marie est allée au supermarché avec Suzanne. *Mary went to the supermarket along with Susan.*

Among(st)

parmi
Il a caché le trésor parmi les rochers. *He hid the treasure among the rocks.*

entre
Nous étions entre amis. *We were among friends.*

Before

avant
Venez avant midi. *Come before noon.*

déjà (already)
Je l'ai déjà vu. *I've seen it before.*

devant (place)
Tenez-vous devant la classe. *Stand before the class.*

By

à
Je viendrai à vélo. *I'll come by bike.*

de
La vieille dame descendait la rue, suivie d'un voleur. *The old lady went down the street, followed by a thief.*

en
J'y suis allé en auto. *I went there by car.*

par
Les enfants ont été punis par leur mère. *The children have been punished by their mother.*

près de (=near)
Asseyez-vous près du feu. *Sit by the fire.*

For

depuis

Depuis is used with the *present* tense to express 'has/have been . . .' in a time clause:
J'apprends le français depuis cinq ans. *I have been learning French for five years.*
Il est ici depuis trois jours. *He has been here for three days.*

Similarly the *imperfect* tense is used to express 'had been . . .':
Il habitait Paris depuis deux ans. *He had been living in Paris for two years.*
Nous l'attendions depuis deux heures. *We had been waiting for him for two hours.*

pendant (=during)
Nous avons travaillé pendant trois heures. *We have worked for three hours.*

pour
For future or pre-arranged time:
Nous serons là pour trois semaines. *We shall be there for three weeks.*

In

à
Les enfants sont à l'école. *The children are in school.*

Other useful expressions:
à l'intérieur, *inside*
à Londres, *in London*
à la mode, *in fashion*
au lit, *in bed*
au soleil, *in the sun*
à voix haute, *in a loud voice*

dans
Ils sont dans la salle à manger. *They are in the dining-room.*

de
Elle s'habille de noir. *She dresses in black.*

en
J'habite en France. *I live in France.*
Vous y arriverez en quatre heures. *You will get there in four hours.*
Elle s'habille en pantalon. *She dresses in trousers.*

sous
J'aime marcher sous la pluie. *I like walking in the rain.*

sur
Un sur vingt a un magnétoscope. *One in twenty has a video tape-recorder.*

On

à
à droite, *on the right*
à gauche, *on the left*
à pied, *on foot*
Nous allons à l'école à pied. *We go to school on foot.*
à son retour, *on his/her return*
A son retour, il est allé la voir. *On his return he went to see her.*

dans
Je l'ai rencontré dans l'autobus. *I met him on the bus.*

de
d'un côté, *on one side*
de l'autre côté, *on the other side*

en
en vacances, *on holiday*
en vente, *on sale*

par
par une belle journée d'été, *on a fine summer's day*

sur
sur la table, *on the table*
This is the most obvious translation of 'on'; but, as is shown above, there are other words which must be used in certain circumstances.
Remember that with dates, 'on' is *not* translated:
Elle est venue lundi. *She came on Monday.*

Out

dans
Il a pris une lettre dans le tiroir. *He took a letter out of the drawer.*

Dans is used here because we think of what the object was *in* just before it was taken out.

hors
hors de danger, *out of danger*
hors d'haleine, *out of breath*
hors de la maison, *out of the house*
hors de vue, *out of sight*

par
Elle regardait par la fenêtre. *She was looking out of the window.*

sur
See also 'in'.
neuf sur dix, *nine out of ten.*

Over

au-dessus
Il a tiré au-dessus de ma tête. *He fired over my head.*

par-dessus
J'ai sauté par-dessus le mur. *I jumped over the wall.*

d'en face, over the way (i.e. opposite)
Elle habite la maison d'en face. *She lives in the house over the way.*

plus de (more than)
J'ai plus de mille francs. *I have over a thousand francs.*

sur
Mettez la couverture sur le lit. *Put the blanket over the bed.*

Since

depuis
See also 'for'.
Il n'a rien fait depuis son arrivée. *He has done nothing since he arrived.*

Until

jusqu'à
Nous y resterons jusqu'à minuit. *We shall stay there until midnight.*

If you wish to use a clause following 'until', remember that you must then use **jusqu'à ce que**+subjunctive.
Je resterai ici jusqu'à ce qu'il vienne. *I shall stay here until he comes.*
à demain , until tomorrow

Translation of 'up, down, in, out' with a verb of motion

In sentences such as:
He ran into the house,
She ran down the street,

it is better to change the preposition into a verb:
Il **est entré** dans la maison en courant.
Elle **a descendu** la rue en courant.

You will notice that the verb in the original sentence has now become a present participle+**en**. Remember that **descendre** (which is normally conjugated with *être* in the perfect tense) is here conjugated with **avoir** as the verb has a direct object, 'la rue'.

As you can see from the above examples, there is no simple way of translating one French word with a single corresponding word in English. You must have a sure knowledge of individual French phrases and of the different ways of expressing even simple words like 'in' and 'on' if you are to achieve 'Frenchness' in both oral and written work. Careful reading of French passages will help you to become more aware of French expressions. Try to read a few lines of good French each day and make a note of, *and learn*, as many useful phrases as possible.

18 VERBS

The most important part of any sentence is the verb. In almost all examinations, the incorrect use of verbs is heavily penalised. You must make sure, therefore that you revise the sections on verbs carefully. The main tenses which you must be able to use are: *present, future, imperfect, conditional, perfect* and *pluperfect*. These are the main tenses that you will be expected to use to speak and write accurately.

There are also other tenses which you will be required to know at the Higher level, but mainly for recognition purposes. These are the past historic, the future and conditional perfect, and, occasionally, the simpler forms of the present subjunctive. You must check to see which tenses are specified by your Examining Group for active use and which will be for recognition purposes only.

French verbs are more difficult to learn than English verbs because each verb has several different forms. English verbs usually have no more than two or three different forms in each tense, e.g.:

I go,	you go,	he goes,	she goes,	we go,	you go,	they go
1	1	2	2	1	1	1

French verbs, however, can have as many as six different forms, e.g.:

je vais,	tu vas,	il va,	elle va,	nous allons,	vous allez,	ils vont,	elles vont
1	2	3	3	4	5	6	6

You must set time aside each week to revise verbs carefully. You must learn all the forms of each verb, paying particular attention to spelling.

The other main difficulty with French verbs is that there are many common irregular verbs which have to be learnt separately as they do not fit into the normal verb patterns. This, too, takes time to check thoroughly.

The sections that follow cover the main types of regular verb and the main irregular verbs in the tenses which you will be expected to know. Always remember that the correct spelling (including the correct use of accents) is *very* important.

Many verbs are regular and conform to the patterns given below for the various tenses.
There are three main types of regular verb, usually referred to by the last two letters of the present infinitive.
Type 1: **-er** verbs, e.g. donn**er** (to give)
Type 2: **-ir** verbs, e.g. fin**ir** (to finish)
Type 3: **-re** verbs, e.g. vend**re** (to sell)

Remember that each type has different endings. Check these endings carefully.

19 THE PRESENT TENSE

Type 1: regular -er verbs

The majority of **-er** verbs in French follow this pattern:

donner–to give

je donn**e**	I give
tu donn**es**	you (*singular*) give
il donn**e**	he gives
elle donn**e**	she gives
nous donn**ons**	we give
vous donn**ez**	you (*plural or polite singular form*) give
ils donn**ent**	they give (*masculine form*)
elles donn**ent**	they give (*feminine form*)

You will see that the endings for type 1 regular verbs are:
-e, **-es**, **-e**, **-e**, **-ons**, **-ez**, **-ent**, **-ent**.

These are added to the stem of the verb, i.e. the infinitive **donner** minus the **-er** ending. Other regular verbs follow the same pattern:

regarder→je regard**e**
arriver →j'arriv**e***
parler →je parl**e**

Irregular -er verbs

The most common irregular **-er** verbs which may occur are listed below. Check each one carefully. Not every verb has the same degree of irregularity.

For example, the verb **manger** (to eat) has only one irregularity in the present tense, which is the addition of 'e' in the **nous** form, i.e. nous man**ge**ons. The 'e' is added to keep the 'g' sound soft.

Similarly the verb **commencer** requires a cedilla (¸) in the **nous** form, to keep the 'c' sound soft: nous commen**ç**ons.

The pattern of the following verbs is more irregular:

jeter–to throw	**appeler**–to call
je je**tt**e	j'appe**ll**e
tu je**tt**es	tu appe**ll**es
il je**tt**e	il appe**ll**e
elle je**tt**e	elle appe**ll**e
nous jetons	nous appelons
vous jetez	vous appelez
ils je**tt**ent	ils appe**ll**ent
elles je**tt**ent	elles appe**ll**ent

You will see that the actual endings of the present tense of **jeter** and **appeler** are the same as those for the regular **-er** verbs. The irregularity occurs in the doubling of the consonant.

Some other **-er** verbs are irregular because of the addition or changes of accents, e.g. **espérer**, **répéter**, **acheter**, **lever**, **mener**. The irregularities in all these verbs occur in the singular and the third person plural forms. Try to be as accurate in your use of accents as you would be with spelling.

espérer–to hope	**répéter**–to repeat	**acheter**–to buy
j'esp**è**re	je rép**è**te	j'ach**è**te
tu esp**è**res	tu rép**è**tes	tu ach**è**tes
il esp**è**re	il rép**è**te	il ach**è**te
elle esp**è**re	elle rép**è**te	elle ach**è**te
nous espérons	nous répétons	nous achetons
vous espérez	vous répétez	vous achetez
ils esp**è**rent	ils rép**è**tent	ils ach**è**tent
elles esp**è**rent	elles rép**è**tent	elles ach**è**tent

lever–to lift	**mener**–to lead
je l**è**ve	je m**è**ne
tu l**è**ves	tu m**è**nes
il l**è**ve	il m**è**ne
elle l**è**ve	elle m**è**ne
nous levons	nous menons
vous levez	vous menez
ils l**è**vent	ils m**è**nent
elles l**è**vent	elles m**è**nent

* When speaking and writing French remember to omit the 'e' of **je** when it is followed by a vowel or 'h'. NB especially **j'habite**.

-er verbs whose infinitives end in **-oyer** or **-uyer** change the 'y' to 'i' in the singular and the third person plural forms:

envoyer – to send	**ennuyer** – to annoy
j'envo**i**e	j'ennu**i**e
tu envo**i**es	tu ennu**i**es
il envo**i**e	il ennu**i**e
elle envo**i**e	elle ennu**i**e
nous envoyons	nous ennuyons
vous envoyez	vous ennuyez
ils envo**i**ent	ils ennu**i**ent
elles envo**i**ent	elles ennu**i**ent

Type 2: regular -ir verbs

The endings for the present tense of these verbs are:
-is, -is, -it, it, -issons, issez, -issent, -issent

These are added to the stem of the verb, i.e. the present infinitive minus the **-ir**.

finir – to finish

je finis	nous finissons
tu finis	vous finissez
il finit	ils finissent
elle finit	elles finissent

Irregular -ir verbs

There are several important irregular **-ir** verbs which do not follow the above pattern, e.g.:

courir – to run	**dormir** – to sleep	**fuir** – to flee
je cours	je dors	je fuis
tu cours	tu dors	tu fuis
il court	il dort	il fuit
elle court	elle dort	elle fuit
nous courons	nous dormons	nous fuyons
vous courez	vous dormez	vous fuyez
ils courent	ils dorment	ils fuient
elles courent	elles dorment	elles fuient

ouvrir[1] – to open	**partir**[2] – to leave	**venir**[3] – to come
j'ouvre	je pars	je viens
tu ouvres	tu pars	tu viens
il ouvre	il part	il vient
elle ouvre	elle part	elle vient
nous ouvrons	nous partons	nous venons
vous ouvrez	vous partez	vous venez
ils ouvrent	ils partent	ils viennent
elles ouvrent	elles partent	elles viennent

Type 3: regular -re verbs

Regular **-re** verbs have the following endings added to the stem:
-s, -s, -, -, -ons, -ez, -ent, ent.

vendre – to sell

je vends	nous vendons
tu vends	vous vendez
il vend	ils vendent
elle vend	elles vendent

Irregular -re verbs

The verb **être** is the most irregular of **-re** verbs:

être – to be

je suis	nous sommes
tu es	vous êtes
il est	ils sont
elle est	elles sont

[1] Although **ouvrir** is an **-ir** verb, it acts like an **-er** verb in the present tense. Other verbs which are like **ouvrir** include: **couvrir** (to cover), **cueillir** (to pick), **découvrir** (to discover), **offrir** (to offer).
[2] The verb **sortir** has the same pattern as **partir**: je sors, il sort, vous sortez, etc.
[3] The verbs **devenir** (to become), **tenir** (to hold), and **retenir** (to hold back) have the same pattern as **venir**: je deviens, il retient, nous tenons, etc.

Listed below are some of the more common irregular **-re** verbs.

battre – to beat
je bats
tu bats
il bat
elle bat
nous battons
vous battez
ils battent
elles battent

boire – to drink
je bois
tu bois
il boit
elle boit
nous buvons
vous buvez
ils boivent
elles boivent

conduire – to drive
je conduis
tu conduis
il conduit
elle conduit
nous conduisons
vous conduisez
ils conduisent
elles conduisent

connaître – to know
je connais
tu connais
il connaît
elle connaît
nous connaissons
vous connaissez
ils connaissent
elles connaissent

craindre – to fear
je crains
tu crains
il craint
elle craint
nous craignons
vous craignez
ils craignent
elles craignent

croire – to believe
je crois
tu crois
il croit
elle croit
nous croyons
vous croyez
ils croient
elles croient

dire – to say
je dis
tu dis
il dit
elle dit
nous disons
vous dites
ils disent
elles disent

écrire – to write
j'écris
tu écris
il écrit
elle écrit
nous écrivons
vous écrivez
ils écrivent
elles écrivent

faire – to do, make
je fais
tu fais
il fait
elle fait
nous faisons
vous faites
ils font
elles font

lire – to read
je lis
tu lis
il lit
elle lit
nous lisons
vous lisez
ils lisent
elles lisent

mettre – to put
je mets
tu mets
il met
elle met
nous mettons
vous mettez
ils mettent
elles mettent

prendre – to take
je prends
tu prends
il prend
elle prend
nous prenons
vous prenez
ils prennent
elles prennent

rire – to laugh
je ris
tu ris
il rit
elle rit
nous rions
vous riez
ils rient
elles rient

suivre – to follow
je suis[1]
tu suis
il suit
elle suit
nous suivons
vous suivez
ils suivent
elles suivent

vivre – to live
je vis[2]
tu vis[2]
il vit[2]
elle vit[2]
nous vivons
vous vivez
ils vivent
elles vivent

Verbs ending in -oir

In addition to the three main types of verb, there is a fourth group, the infinitives of which end in **-oir**. All of these verbs are irregular. The more common ones are listed below.

avoir – to have
j'ai
tu as
il a
elle a
nous avons
vous avez
ils ont
elles ont

s'asseoir – to sit down
je m'assieds
tu t'assieds
il s'assied
elle s'assied
nous nous asseyons
vous vous asseyez
ils s'asseyent
elles s'asseyent

devoir – to owe
je dois
tu dois
il doit
elle doit
nous devons
vous devez
il doivent
elles doivent

falloir – to be necessary
3rd person singular only:
il faut – it is necessary

pleuvoir – to rain
3rd person singular only:
il pleut – it is raining

[1] Although this part of the verb has the same spelling as the first person singular, present tense of the verb **être** (to be), the sense of the rest of the sentence will indicate which verb is being used.

[2] These forms have the same spelling as the past historic tense of the verb **voir** (to see). Once again, the sense of the sentence will indicate which verb and tense are being used.

pouvoir–to be able
je peux
tu peux
il peut
elle peut
nous pouvons
vous pouvez
ils peuvent
elles peuvent

savoir–to know
je sais
tu sais
il sait
elle sait
nous savons
vous savez
ils savent
elles savent

vouloir–to want
je veux
tu veux
il veut
elle veut
nous voulons
vous voulez
ils veulent
elles veulent

recevoir–to receive
je reçois
tu reçois
il reçoit
elle reçoit
nous recevons
vous recevez
ils reçoivent
elles reçoivent

voir–to see
je vois
tu vois
il voit
elle voit
nous voyons
vous voyez
ils voient
elles voient

Reflexive verbs

In addition to the above verbs, you will need to revise the present tense of reflexive verbs. The present tense endings of these follow the patterns already given. The difference is that an extra pronoun, called a reflexive pronoun, precedes the verb.

se coucher–to go to bed

je **me** couche	nous **nous** couchons
tu **te** couches	vous **vous** couchez
il **se** couche	ils **se** couchent
elle **se** couche	elles **se** couchent

20 THE FUTURE TENSE

When you are talking about something which is going to happen in the future, you can often avoid using the future tense by using the present tense of **aller** plus an infinitive:

Je **vais acheter** des chaussures samedi prochain. *I will (am going to) buy some shoes next Saturday.*

Using the verb **aller** plus an infinitive instead of the future tense will often add a touch of 'Frenchness' to your speech. However, you must still be able to recognize and use the correct forms of the future tense.

All verbs have the same endings in the future tense in French. They are:
-ai, **-as**, **-a**, **-a**, **-ons**, **-ez**, **-ont**, **-ont**.

Type 1: -er verbs

The future endings are added to the whole of the infinitive:

donner

je donnerai–*I shall give*	nous donnerons
tu donneras	vous donnerez
il donnera	ils donneront
elle donnera	elles donneront

Type 2: -ir verbs

The future endings are added to the whole of the infinitive:

finir

je finirai–*I shall finish*	nous finirons
tu finiras	vous finirez
il finira	ils finiront
elle finira	elles finiront

Type 3: -re verbs

The final 'e' of the infinitive is omitted, before adding the appropriate endings:

vendre

je vendrai–*I shall sell*	nous vendrons
tu vendras	vous vendrez
il vendra	ils vendront
elle vendra	elles vendront

The future tense of irregular verbs

Listed below are the future tenses of the common irregular verbs, which you will be expected to know. The endings are the same as for all other verbs in the future tense, but you must check carefully the spellings of these irregular verbs.

acheter	j'achèterai	*I shall buy*	faire	je ferai	*I shall do*
aller	j'irai	*I shall go*	falloir	il faudra	*it will be necessary*
apercevoir	j'apercevrai	*I shall perceive, notice*	jeter	je jetterai	*I shall throw*
			mourir	je mourrai	*I shall die*
appeler	j'appellerai	*I shall call*	pleuvoir	il pleuvra	*it will rain*
s'asseoir	je m'assiérai	*I shall sit down*	pouvoir	je pourrai	*I shall be able*
avoir	j'aurai	*I shall have*	recevoir	je recevrai	*I shall receive*
courir	je courrai	*I shall run*	répéter	je répéterai	*I shall repeat*
cueillir	je cueillerai	*I shall pick*	savoir	je saurai	*I shall know*
devoir	je devrai	*I shall owe, I shall have to*	tenir	je tiendrai	*I shall hold*
			venir	je viendrai	*I shall come*
envoyer	j'enverrai	*I shall send*	voir	je verrai	*I shall see*
être	je serai	*I shall be*	vouloir	je voudrai	*I shall want*

21 THE IMPERFECT TENSE

This tense is *one* of the past tenses in French. You must remember that it is not the only past tense. As its name suggests, it is an 'unfinished' tense and should not be used for completed actions.

The imperfect endings are:
-ais, **-ais**, **-ait**, **-ait**, **-ions**, **-iez**, **-aient**, **-aient**.

Except for the verb **être**, the imperfect tense is always formed from the stem of the first person plural of the present tense.

e.g. nous **donn**ons → je donnais *I was giving*
nous **finiss**ons → je finissais *I was finishing*
nous **vend**ons → je vendais *I was selling*
nous **all**ons → j'allais *I was going*

Examples of verbs in the imperfect tense:

finir	**aller**
je finissais—*I was finishing*	j'allais—*I was going*
tu finissais	tu allais
il finissait	il allait
elle finissait	elle allait
nous finissions	nous allions
vous finissiez	vous alliez
ils finissaient	ils allaient
elles finissaient	elles allaient

The verb **être** is the only verb whose imperfect tense is *not* formed in the above way. The imperfect tense of **être** is as follows:

être

j'étais—*I was*	nous étions
tu étais	vous étiez
il était	ils étaient
elle était	elles étaient

You must be very careful in your use of the imperfect tense. The following English expressions can all be translated by the imperfect tense:

I went
I was going
I used to go
I would go
} **j'allais**

(a) *I went* to town every Saturday. **J'allais** en ville tous les samedis.
Here 'went' signifies a repeated action in the past which should be translated by the imperfect tense.

(b) *I was going* to telephone you later. **J'allais** te téléphoner plus tard.

(c) *I used to go* to their house every day. **J'allais** chez eux chaque jour.
Here the action is a repeated action in the past as in **(a)**. The imperfect tense is therefore required.

(d) *I would go* (= used to go) to town on Fridays. **J'allais** en ville le vendredi.
Even the word 'would' may need to be translated by the imperfect tense if it means 'used to'. Remember that 'would' is translated by the conditional tense (see below) when you wish to suggest a condition.

22 THE CONDITIONAL TENSE

For most candidates, this tense will be for recognition purposes only. Candidates may wish, however, to include this tense in their oral exam or in the free composition section. The formation of this tense is really an amalgamation of the stem of the future tense and the endings of the imperfect tense.

Future		**Conditional**	
je serai	*I shall be*	je ser**ais**	*I should be*
j'aurai	*I shall have*	j'aur**ais**	*I should have*
je finirai	*I shall finish*	je finir**ais**	*I should finish*
je voudrai	*I shall want*	je voudr**ais**	*I should like (want)*

Je voudrais is one of the most useful examples of the conditional tense in French. It is used constantly, especially when shopping or asking for something (e.g. booking a hotel room or campsite, asking the way, etc.). For further examples see the role-play section.

Here is an example of a verb in the conditional tense:

vouloir

je voudrais–*I should like (want, wish)*	nous voudrions
tu voudrais	vous voudriez
il voudrait	ils voudraient
elle voudrait	elles voudraient

There are no exceptions in the formation of the conditional tense. All verbs follow the above rule.

The conditional implies that something *would* happen if something else did. It is often used after or before a clause beginning with **si** (if), which is in the imperfect tense:

S'il faisait beau, j'irais à la piscine.
If the weather were fine, I would go to the swimming pool.
Elle viendrait avec nous, si elle avait assez d'argent.
She would come with us if she had enough money.

23 THE PERFECT TENSE

Candidates will need to use this tense in almost all sections of the examination. All Examining Groups include a knowledge of the perfect tense in their syllabuses. You should therefore pay special attention to this tense when revising. More marks are lost through the incorrect use of this tense than for any other single reason.

In French the perfect tense has two main forms:

1 Those verbs which are conjugated with **être.**
2 Those verbs which are conjugated with **avoir** (this is by far the largest group).

1 Verbs conjugated with 'être'

(a) The verbs in the following list are all conjugated with **être**. It is not difficult to learn this list as there are only sixteen verbs.

aller	*to go*	partir	*to leave*
arriver	*to arrive*	rentrer	*to go back*
descendre	*to go down*	rester	*to stay*
devenir	*to become*	retourner	*to return*
entrer	*to enter*	revenir	*to come back*
monter	*to go up*	sortir	*to go out*
mourir	*to die*	tomber	*to fall*
naître	*to be born*	venir	*to come*

Because the above verbs are conjugated with **être**, the past participles will agree with the subject of the verb.

arriver

je suis arrivé(e)–*I have arrived, I arrived*	nous sommes arrivé(e)s
tu es arrivé(e)	vous êtes arrivé(e)(s)
il est arrivé	ils sont arrivés
elle est arrivée	elles sont arrivées

The past participles of all the **-er** verbs in the list above will also end in **-é**:

aller	je suis allé(e)	*I went*
entrer	je suis entré(e)	*I entered*
monter	je suis monté(e)	*I went up*
rentrer	je suis rentré(e)	*I went back*
rester	je suis resté(e)	*I stayed*
retourner	je suis retourné(e)	*I returned*
tomber	je suis tombé(e)	*I fell*

The past participle endings for the other verbs in the list are as follows:

descendre	je suis descendu(e)	*I went down*
devenir	je suis devenu(e)	*I became*
revenir	je suis revenu(e)	*I came back*
venir	je suis venu(e)	*I came*
partir	je suis parti(e)	*I left*
sortir	je suis sorti(e)	*I went out*
mourir	il est mort, elle est morte	*he died, she died*
naître	je suis né(e)	*I was born*

(b) *Reflexive verbs*
All reflexive verbs are conjugated with **être**. For example:

se laver

je me suis lavé(e)–*I washed myself*	nous nous sommes lavé(e)s
tu t'es lavé(e)	vous vous êtes lavé(e)(s)
il s'est lavé	ils se sont lavés
elle s'est lavée	elles se sont lavées

Note the use of **t'** and **s'** before the vowel in the **tu** and **il/elle** forms.

Other reflexive verbs follow this pattern. The only variation will be in the past participle when the verb is not an **-er** verb. For example:

s'asseoir	je me suis assis(e)	*I sat down*
se souvenir	je me suis souvenu(e)	*I remembered*
se taire	je me suis tu(e)	*I became silent*

Special note

In certain cases the ending of the past participle does *not* agree with the reflexive pronoun. This happens when the verb is followed by a direct object. For example:
Elle s'est lavée. *She washed herself.*

Here the past participle agrees with the reflexive pronoun. But:
Elle s'est lavé les mains. *She washed her hands.*

Here the verb is followed by a direct object and the past participle does *not* agree.

2 Verbs conjugated with 'avoir'

Except for the categories given in **1(a)** and **1(b)** above, all other verbs in French are conjugated with **avoir** in the perfect tense. Remember that the past participles of these verbs do *not* agree with the subject of the verb.

donner	**finir**
j'ai donné–*I have given, I gave*	j'ai fini–*I have finished, I finished*
tu as donné	tu as fini
il a donné	il a fini
elle a donné	elle a fini
nous avons donné	nous avons fini
vous avez donné	vous avez fini
ils ont donné	ils ont fini
elles ont donné	elles ont fini

3 -re verbs

Vendre

j'ai vendu–*I have sold, I sold*	nous avons vendu
tu as vendu	vous avez vendu
il a vendu	ils ont vendu
elle a vendu	elles ont vendu

In addition to the three main types of verb listed above, there are many irregular verbs which have irregular past participles. These irregular verbs are still conjugated in the normal way with **'avoir'**, but it is very important that you know the exact form of the irregular past participle.

Given below are some of the more common irregular verbs, in the perfect tense, which you will be expected to know.

avoir	j'ai eu	*I had, I have had*
boire	j'ai bu	*I drank, I have drunk*
conduire	j'ai conduit	*I drove, I have driven*
connaître	j'ai connu	*I knew, I have known*
courir	j'ai couru	*I ran, I have run*
craindre	j'ai craint	*I feared, I have feared*
croire	j'ai cru	*I believed, I have believed*
devoir	j'ai dû	*I had to (owed), I have had to (have owed)*

dire	j'ai dit	*I said, I have said*
écrire	j'ai écrit	*I wrote, I have written*
être	j'ai été	*I have been, I was*
faire	j'ai fait	*I made, I did, etc.*
falloir	il a fallu	*It has been necessary, it was necessary*
lire	j'ai lu	*I read, I have read*
mettre	j'ai mis	*I put, I have put*
ouvrir	j'ai ouvert	*I opened, I have opened*
pleuvoir	il a plu	*It rained, it has rained*
pouvoir	j'ai pu	*I have been able, I was able*
prendre	j'ai pris	*I took, I have taken*
recevoir	j'ai reçu	*I received, I have received*
rire	j'ai ri	*I laughed, I have laughed*
savoir	j'ai su	*I knew, I have known*
suivre	j'ai suivi	*I followed, I have followed*
tenir	j'ai tenu	*I held, I have held*
vivre	j'ai vécu	*I lived, I have lived*
voir	j'ai vu	*I saw, I have seen*
vouloir	j'ai voulu	*I wanted, I have wanted*

Special note

In certain circumstances, the verbs in **1(a)** which are normally conjugated with **être** may be conjugated with **avoir**. This change occurs when the verb has a direct object. For example:
Il a descendu l'escalier. *He went down the stairs.*
Elle a sorti un billet de 100 francs. *She took out a 100 franc note.*

Preceding direct object agreements

Although verbs conjugated with **avoir** in the perfect tense never agree with the subject of the verb, there are occasions when the past participle does agree with the *direct object* when this direct object *precedes* the verb. For example:

1(a) J'ai vu **la maison**.
Here the direct object follows the verb. Therefore, no agreement is made.

1(b) Voici **la maison** que j'ai achetée.
Here the direct object precedes the verb. Therefore, an agreement is made by adding 'e' (since **maison** is feminine) to the past participle.

2(a) J'ai acheté **ces livres**.
No agreement is made as the direct object follows the verb.

2(b) J'ai vu ces livres. Je **les** ai achetés.
The agreement is made here since the direct object **les** precedes the verb.

24 THE PLUPERFECT, FUTURE PERFECT AND CONDITIONAL PERFECT TENSES

When listening to spoken French, or reading French you will need to recognize the following tenses:

(a) the pluperfect tense
(b) the future perfect tense
(c) the conditional perfect tense.

These tenses are formed from the imperfect, future and conditional tenses of **avoir** and **être** plus the past participle of the required verb. If a verb is conjugated with **avoir** in the perfect tense, then it will be conjugated with **avoir** in the tenses given above. Similarly, those verbs which are conjugated with **être** in the perfect tense will still be conjugated with **être** in the above tenses. For example:

Perfect:	j'**ai** fini	*I (have) finished*
Pluperfect:	j'**avais** fini	*I had finished*
Future perfect:	j'**aurai** fini	*I shall have finished*
Conditional perfect:	j'**aurais** fini	*I should have finished*
Perfect:	je **suis** allé(e)	*I went, I have gone*
Pluperfect:	j'**étais** allé(e)	*I had gone*
Future perfect:	je **serai** allé(e)	*I shall have gone*
Conditional perfect:	je **serais** allé(e)	*I should have gone*
Perfect:	je me **suis** lavé(e)	*I (have) washed myself*
Pluperfect:	je m'**étais** lavé(e)	*I had washed myself*
Future perfect:	je me **serai** lavé(e)	*I shall have washed myself*
Conditional perfect:	je me **serais** lavé(e)	*I should have washed myself*

Given below are complete examples of:

The pluperfect tense	**The future perfect tense**	**The conditional perfect tense**
aller	**finir**	**se laver**
j'étais allé(e)	j'aurai fini	je me serais lavé(e)
–I had gone	*–I shall have finished*	*–I should have washed myself*
tu étais allé(e)	tu auras fini	tu te serais lavé(e)
il était allé	il aura fini	il se serait lavé
elle était allée	elle aura fini	elle se serait lavée
nous étions allé(e)s	nous aurons fini	nous nous serions lavé(e)s
vous étiez allé(e)(s)	vous aurez fini	vous vous seriez lavé(e)(s)
ils étaient allés	ils auront fini	ils se seraient lavés
elles étaient allées	elles auront fini	elles se seraient lavées

25 THE PAST HISTORIC TENSE

The past historic tense is sometimes used in written French instead of the perfect tense. The past historic tense will only be required for recognition purposes, if at all. Some forms of the past historic tense are very different from the form of the infinitive and may cause you difficulty if you have not revised this tense carefully. Check the syllabus of your Examining Group to see if this tense is required.

Type 1: -er verbs

The past historic endings added to the stem of the verb are:
-ai, -as, -a, -a, -âmes, -âtes, -èrent, -èrent.

donner

je donnai–*I gave*	nous donnâmes
tu donnas	vous donnâtes
il donna	ils donnèrent
ella donna	elles donnèrent

Type 2: -ir verbs

The past historic endings added to the stem of the verb are:
-is, -is, -it, -it, -îmes, -îtes, -irent, irent.

finir

je finis–*I finished*	nous finîmes
tu finis	vous finîtes
il finit	ils finirent
elle finit	elles finirent

You will notice that the singular form of the past historic tense of **-ir** verbs resembles the present tense of the verb. However, by looking carefully at the passage of French with which you are dealing, you will know which tense is being used. The meaning of the passage or the tense of the other verbs used will help you to decide.

Type 3: -re verbs

Type 3 verbs have the same endings in the past historic tense as Type 2 verbs.

vendre

je vendis–*I sold*	nous vendîmes
tu vendis	vous vendîtes
il vendit	ils vendirent
elle vendit	eles vendirent

The past historic of irregular verbs

(a) The following verbs have the same endings as Type 2 and Type 3 verbs above, but the stems of the verbs in the past historic are irregular.

s'asseoir	je m'assis	*I sat down*
conduire	je conduisis	*I drove*
craindre	je craignis	*I feared*
dire	je dis	*I said*
écrire	j'écrivis	*I wrote*
faire	je fis	*I made*
joindre	je joignis	*I joined*
mettre	je mis	*I put*
plaindre	je plaignis	*I pitied*
prendre	je pris	*I took*
produire	je produisis	*I produced*
rire	je ris	*I laughed*
voir	je vis	*I saw*

(b) In the past historic tense certain irregular verbs have the following endings:
-us, -us, -ut, -ut, -ûmes, -ûtes, -urent, -urent.

apercevoir	j'aperçus	*I noticed*
avoir	j'eus	*I had*
boire	je bus	*I drank*
connaître	je connus	*I knew*
courir	je courus	*I ran*
croire	je crus	*I believed*
devoir	je dus	*I had to*
être	je fus	*I was*
falloir	il fallut	*it was necessary*
lire	je lus	*I read*
mourir	il mourut	*he died*
paraître	je parus	*I appeared*
plaire	je plus	*I pleased*
pleuvoir	il plut	*it rained*
pouvoir	je pus	*I was* able*
recevoir	je reçus	*I received*
savoir	je sus	*I knew*
se taire	je me tus	*I became silent*
vivre	je vécus	*I lived*
vouloir	je voulus	*I wanted*

Here is an example of a verb in the past historic tense with the above endings:

avoir

j'eus–*I had*	nous eûmes
tu eus	vous eûtes
il eut	ils eurent
elle eut	elles eurent

The verbs **tenir** and **venir** and their compounds (e.g. **revenir, retenir**) have special past historic forms which must be learned separately.

tenir	**venir**
je tins–*I held*	je vins–*I came*
tu tins	tu vins
il tint	il vint
elle tint	elle vint
nous tînmes	nous vînmes
vous tîntes	vous vîntes
ils tinrent	ils vinrent
elles tinrent	elles vinrent

The past historic tense is translated into English in the same way as the perfect tense. The difference between them is that the perfect tense is used when speaking or writing a letter about what has happened in the past, and the past historic tense is used for a literary, narrative account of events in the past.

26 THE SUBJUNCTIVE

The subjunctive will rarely be required at GCSE level. However, an easy subjunctive may occur in a passage of French for comprehension purposes and Higher-level candidates may wish to use the subjunctive in their writing test, if appropriate.

The present subjunctive is formed from the third person plural, present indicative:

donner	ils donnent → **je donne**
finir	ils finissent → **je finisse**
vendre	ils vendent → **je vende**

The endings for the present subjunctive are:
-e, -es, -e, -e, ions, -iez, -ent, -ent.

finir

je finisse	nous finissions
tu finisses	vous finissiez
il finisse	ils finissent
elle finisse	elles finissent

There are also several irregular verbs whose subjunctive you may need to recognize:

aller	→ j'aille, nous allions, ils aillent
avoir	→ j'aie, il ait, nous ayons, ils aient
être	→ je sois, nous soyons, ils soient
faire	→ je fasse, etc.

*Care must be taken to differentiate between this and the continuous past tense: the imperfect.

pouvoir → je puisse, etc.
savoir → je sache, etc.
vouloir → je veuille, nous voulions, ils veuillent

Given below are some of the constructions which require the use of the subjunctive:

(a) il faut que . . . *it is necessary that . . .*
Il faut que vous travailliez. *You must work.*

(b) bien que . . . *although . . .*
quoique . . . *although . . .*
afin que . . . *in order that . . .*
avant que . . . *before . . .*
jusqu'à ce que . . . *until . . .*
Je veux vous parler avant que vous sortiez.
I want to speak to you before you go out.

Bien que le temps soit mauvais, nous allons sortir.
Although the weather is bad we are going to go out.

(c) vouloir que . . . *to wish that . . . (to want)*
préférer que . . . *to prefer that . . .*
regretter que . . . *to regret that . . .(to be sorry that . . .)*
Je veux que vous restiez. *I want you to stay.*
Je regrette que vous soyez malade. *I am sorry that you are ill.*

(d) il est possible (impossible) que . . . *it is possible (impossible) that . . .*
douter que . . . *to doubt that . . .*
Il est impossible qu'il réussisse. *It is impossible for him to succeed.*

There are other tenses of the subjunctive mood and other occasions when the subjunctive is required, but they are not required at this level.

27 THE PASSIVE

The passive in French is formed as in English, using a suitable tense of 'to be' (**être**) plus the past participle of the verb required:
Il **a été mordu** par un chien. *He has been bitten by a dog*

However, most French people prefer to avoid using the passive by making the verb active in some way. There are a number of ways of doing this:

(a) The agent of a passive sentence can become the subject of an active sentence:
Un chien l'a mordu. *A dog bit him.*

(b) Where the agent is not mentioned, **on** can be used as the subject:
On a vendu cette maison. *This house has been sold.*

(c) Sometimes a reflexive verb can be used:
Les cigarettes se vendent ici. *Cigarettes are sold here.*

Caution

In writing, it is very tempting for candidates to use the passive in French to try to translate their thoughts which are often in the passive in English (e.g. she is called, I am bored, they were saved, etc.). It is always very easy for an examiner to recognize those candidates who have thought out their sentences in English and then tried to translate them into French in the writing section. Their compositions will be littered with passive-type English sentences clumsily translated word for word into French. The result is a very poor non-French composition. Always try to use a known French construction in your answers and avoid the passive in French where possible.

Beware of English sentences which contain a passive, such as 'He is called Peter' which should be translated with a reflexive verb:
Il **s'appelle** Pierre.

28 THE IMPERATIVE

(a) Commands in French are formed from the **tu**, **nous**, and **vous** forms of the present tense of verbs, omitting the pronouns. For example:
finis! *finish!* (singular)
finissons! *let us finish!*
finissez! *finish!* (plural)

(b) **-er** verbs omit the **'s'** in the second person singular imperative:
tu portes → **porte** *carry*
tu vas → **va** *go*
NB the second person singular imperative of **aller** retains the **'s'** when followed by **'y'**:
Vas-y *Go on/go there.*

(c) The following verbs have irregular imperatives:
avoir → aie, ayons, ayez
être → sois, soyons, soyez
savoir → sache, sachons, sachez
vouloir → veuille, veuillons, veuillez

(d) The reflexive pronoun is retained in the imperative of reflexive verbs and follows the rules for object pronouns, i.e. in the affirmative, the pronoun follows the verb and is joined to the verb by a hyphen; the pronoun **te** becomes **toi**.
Dépêche-toi! *Hurry up!*

But in a negative command, the pronoun keeps its original position and spelling:
Ne te dépêche pas! *Don't hurry!*

Here are examples of all three imperatives in the affirmative and in the negative:

se lever–to get up
Lève-toi. Ne te lève pas.
Levons-nous. Ne nous levons pas.
Levez-vous. Ne vous levez pas.

29 THE PRESENT PARTICIPLE

The present participle (e.g. going, looking, selling) is normally formed by adding **-ant** to the stem of the first person plural of the present tense:

aller	nous allons	→ **allant**	*going*
regarder	nous regardons	→ **regardant**	*looking*
finir	nous finissons	→ **finissant**	*finishing*
vendre	nous vendons	→ **vendant**	*selling*
dire	nous disons	→ **disant**	*saying*

The following irregular verbs do *not* form the present participle from the stem of the first person plural of the present tense:

avoir	**ayant**	*having*
être	**étant**	*being*
savoir	**sachant**	*knowing*

Do not, however, try to use the present participle in such expressions as 'I am going', 'they are eating', etc. Expressions such as these should be translated by the present tense–**je vais, ils mangent**, etc.

A present participle is not finite (i.e. not complete in itself). It should be used in such expressions as:
He went home singing. Il est rentré **en chantant.**
Seeing that she was ill, he telephoned the doctor.
Voyant qu'elle était malade, il a téléphoné au médecin.

The use of **en** + present participle, as in the first example above, is one that you are very likely to need. It is a frequent testing point in prose composition and you should also be able to incorporate it into free composition.

En + present participle can also mean 'by/on/when doing . . .':
En rentrant à la maison il a trouvé ses clés. *On returning home he found his keys.*
En travaillant dur, ils ont réussi. *By working hard, they succeeded.*

Check carefully the following examples where a present participle is used in English but *not* in French:

(a) He left *without saying* goodbye.
Il est parti **sans dire** au revoir.

(b) I shall have breakfast *before leaving.*
Je prendrai le petit déjeuner **avant de partir.**

(c) *Instead of working,* he went to play football.
Au lieu de travailler, il est allé jouer au football.

Note the use of the infinitive in the above three sentences. Do not be misled by the English present participle.

(d) *After getting up* late, we missed the bus.
Après nous être levés en retard, nous avons manqué l'autobus.

Note the use of the perfect infinitive after **après**. This construction needs special care because of the reflexive verb. The subject of the main part of the sentence (**nous**) dictates which reflexive pronoun must be used before **être.**

(e) I saw some boys *fishing* in the river.
J'ai vu des garçons **qui pêchaient** dans la rivière.

You must check very carefully before using a present participle in French to see if, in fact, you need to use a present participle construction, or if, as in the cases above, you need to use a different construction.

30 VERBS FOLLOWED BY PREPOSITIONS

Some verbs in French can be directly followed by an infinitive:
Je sais nager. *I can swim*
Tu veux venir? *Do you want to come?*

Many, however, require the addition of a preposition before the following infinitive. Try to learn as many of the following as possible:

aider à *to help to . . .*
apprendre à *to learn to . . .*
s'attendre à *to expect to . . .*
commencer à *to begin to . . .*
consentir à *to agree to . . .*
continuer à *to continue to . . .*
se décider à *to make up one's mind to . . .*
forcer à *to compel to . . .*
hésiter à *to hesitate to . . .*
inviter à *to invite to . . .*
se mettre à *to begin to . . .*
obliger à *to oblige to . . .*
ressembler à *to look like . . .*
réussir à *to succeed in . . .*
s'arrêter de *to stop (doing)*
avoir l'intention de *to intend to . . .*
avoir peur de *to be afraid of (doing)*
avoir besoin de *to need to . . .*
cesser de *to stop (doing)*
décider de *to decide to . . .*
défendre de *to forbid to . . .*
demander de *to ask to . . .*
dire de *to tell to . . .*
empêcher de *to prevent from . . .*
essayer de *to try to . . .*
faire semblant de *to pretend to . . .*
finir de *to finish (doing)*
menacer de *to threaten . . .*
offrir de *to offer to . . .*
ordonner de *to order to . . .*
oublier de *to forget to . . .*
permettre de *to allow to . . .*
prier de *to beg to . . .*
promettre de *to promise to . . .*
refuser de *to refuse to . . .*
regretter de *to be sorry for . . .*

Certain other words apart from verbs also require a preposition before a following infinitive:

beaucoup à (faire) *a lot to (do)*
le dernier à *the last to . . .*
prêt à *ready to . . .*
le premier à *the first to . . .*
rien à *nothing to . . .*
certain de *certain to . . .*
content de *pleased to . . .*
le droit de *the right to . . .*
étonné de *surprised to . . .*
heureux de *happy to . . .*
obligé de *obliged to . . .*
l'occasion de *the opportunity to . . .*
la permission de *the permission to . . .*
surpris de *surprised to . . .*
le temps de *the time to . . .*

Note also the preposition **pour** before an infinitive:
Je suis allé en ville **pour** rencontrer des amis. *I went to town to meet some friends.*
Il est trop malade **pour** venir. *He is too ill to come.*
Vous êtes assez intelligent **pour** comprendre. *You are intelligent enough to understand.*

Some verbs need the preposition **à** before an indirect object:

acheter à quelqu'un *to buy from someone*
cacher à quelqu'un *to hide from someone*
conseiller à quelqu'un *to advise someone*
défendre à quelqu'un *to forbid someone*
donner à quelqu'un *to give someone*
dire à quelqu'un *to tell someone*
emprunter à quelqu'un *to borrow from someone*
envoyer à quelqu'un *to send (to) someone*
se fier à quelqu'un *to trust someone*
montrer à quelqu'un *to show (to) someone*
obéir à quelqu'un *to obey someone*
offrir à quelqu'un *to offer (to) someone*
ordonner à quelqu'un *to order someone*
penser à quelqu'un *to think about someone*
plaire à quelqu'un *to please someone*
prendre à quelqu'un *to take from someone*
prêter à quelqu'un *to lend someone*
promettre à quelqu'un *to promise someone*
raconter à quelqu'un *to tell someone*
répondre à quelqu'un *to reply to someone*
réfléchir à quelque chose *to think (ponder) about something*
ressembler à quelqu'un *to resemble someone*
voler à quelqu'un *to steal from someone*

Some verbs need the preposition **de** before an object:

s'approcher de *to approach . . .*
dépendre de *to depend on . . .*
jouir de *to enjoy . . .*
se moquer de *to make fun of . . .*
remercier de *to thank for . . .*
se servir de *to use . . .*
se souvenir de *to remember . . .*

31 IMPERSONAL VERBS

You should be able to use the following accurately:

(a) **Il y a** + all tenses
Il y a beaucoup de monde en ville. *There are a lot of people in town.*
Il y avait une grande foule devant la mairie. *There was a large crowd in front of the town hall.*
Il y a eu un accident. *There has been an accident.*
Il y aura un jour de congé la semaine prochaine. *There will be a day's holiday next week.*

(b) **Il faut** it is necessary
Il fallait it was necessary (*continuous*)
Il a fallu it was necessary (*event*)
Il faudra it will be necessary
Il me faut rentrer. *I must go home.*
Il lui fallait travailler dur. *He had to work hard.*
Il m'a fallu acheter une nouvelle robe. *I had to buy a new dress.*

Remember that you may use **devoir** (*to have to*) in sentences similar to those above, but with a personal subject:
J'ai dû acheter une nouvelle robe.

For **Il faut que** . . . see section 26 on the subjunctive (p. 22).

(c) **Il reste** . . . there remains . . .
Il me reste vingt francs. *I have twenty francs left.*
Il restait . . . there remained . . .
Il lui restait deux pommes. *He had two apples left.*

You should be able to recognize the following impersonal verbs:

(a) **Il s'agit de** . . . It is a question of . . .
De quoi s'agit-il? Il s'agit d'un vol. *What's it about? It's about a theft.*

(b) **Il vaut mieux** . . . It's better . . .
Il vaut mieux rentrer tout de suite. *It's better to return home straightaway.*

32 TENSES WITH 'SI'

Check the following rule carefully.
Si + present tense . . ., (future).
Si + imperfect tense . . ., (conditional).
Si + pluperfect tense . . ., (conditional perfect).

(a) S'il vient, je te téléphonerai. *If he comes, I shall telephone you.*

(b) S'il venait, je te téléphonerais. *If he were to come, I should telephone you.*

(c) S'il était venu, je t'aurais téléphoné. *If he had come, I should have telephoned you.*

33 VENIR DE

This expression means 'to have just' (done something).

Remember to use the *present* tense in such expressions as:
I have just arrived. **Je viens** d'arriver.

Use the *imperfect* tense in such expressions as:
They had just gone out. **Ils venaient de** sortir.

34 NEGATIVES

ne . . . pas (*not*)
ne . . . point (*not at all*)
ne . . . jamais (*never*)
ne . . . personne (*nobody*)
ne . . . plus (*no more, no longer*)
ne . . . que (*only*)
ne . . . rien (*nothing*)

Check carefully
ne . . . aucun (*not one, not any*)
ne . . . guère (*scarcely*)
ne . . . ni . . . ni . . . (*neither . . . nor*)
ne . . . nulle part (*nowhere*)

The position of the negative in the sentence

(a) Present tense:
Je **ne joue pas** au tennis. *I don't play tennis.*

(b) Perfect tense:
Je **n'**ai **pas** joué au tennis. *I didn't play tennis.*
NB exception with 'ne . . . personne':
Je **n'**ai vu **personne.** *I saw nobody.*

(c) Reflexive verbs:
Je **ne** me lève **pas** de bonne heure. *I don't get up early.*
Je **ne** me suis **pas** levé de bonne heure. *I didn't get up early.*

(d) With object pronouns:
Je **ne** le vois **pas.** *I don't (can't) see him (it).*
Je **ne** l'ai **pas** vu. *I didn't see him (it).*

Remember that certain negatives may be inverted to become the subject of a sentence:
Rien n'est arrivé. *Nothing has happened.*
Personne n'a gagné. *Nobody won.*
Aucun avion **n'**a décollé. *No plane took off.*

Words like **rien, personne** and **jamais** may be used on their own:
Qu'a-t-il vu? **Rien.** *What did he see? Nothing.*
Y êtes-vous allés? **Jamais.** *Did you ever go there? Never.*
Qui avez-vous vu? **Personne.** *Whom did you see? Nobody.*

Combination of negatives

(a) Plus before **rien**:
Ils ne font plus rien. *They no longer do anything.*

(b) Jamais before **rien**:
Il ne nous donnent jamais rien. *They never give us anything.*

(c) Plus before **personne**:
Je n'y recontre plus personne. *I don't meet anyone there now.*

(d) Jamais before **personne**:
Je n'y recontre jamais personne. *I never meet anyone there.*

Negatives before an infinitive

Except for **ne . . . personne**, both parts of the negative precede the present infinitive:
J'ai décidé de **ne jamais** revenir. *I decided never to return.*
J'ai décidé de **ne** voir **personne**. *I decided to see nobody.*

Remember that **si**=*yes* after a negative question or statement:
Ne l'avez-vous pas vu? Si, je l'ai vu. *Haven't you seen it (him)? Yes, I've seen it (him).*

N'est-ce pas?

This is a most useful phrase which translates a variety of negative expressions at the end of questions, e.g. . . . haven't we? . . . didn't they? . . . wasn't he? . . . can't she? etc.

Nous avons réussi, n'est-ce pas? *We succeeded, didn't we?*
Ils ont gagné, n'est-ce pas? *They won, didn't they?*
Il était malade, n'est-ce pas? *He was ill, wasn't he?*
Elle peut venir, n'est-ce pas? *She can come, can't she?*

35 QUESTIONS

There are various ways of asking a question in French.

(a) One of the easiest ways is to use **Est-ce que** . . . at the beginning of the sentence:
Est-ce qu'il vient? *Is he coming?*

(b) Except for the first person singular of many verbs, inversion may be used:
Vient-il? *Is he coming?*

(c) Vocal intonation is frequently used in conversation:
Il vient? *Is he coming?*

Care must be taken when a noun is the subject of a question. Remember that, in writing, a pronoun should also be used:
Votre frère est-il à la maison? *Is your brother at home?*

In conversation, however, vocal intonation might be used:
Votre frère est à la maison?

Words used to introduce questions

(a) Qui?
Qui est-ce qui? } Who?

Both of the above are used as the *subject* of the question:

Qui a dit cela?
Qui est-ce qui a dit cela? } *Who said that?*

(b) Qui?
Qui est-ce que? } Whom?

These two forms are used as the *object* of the sentence:

Qui as-tu vu?
Qui est-ce que tu as vu? } *Whom did you see?*

Note that when **est-ce** is used in any question-form the verb and subject are not inverted.

(c) **Qu'est-ce qui?** What? (as the subject)
Qu'est-ce qui est arrivé? *What has happened?*

(d) **Que?** / **Qu'est-ce que?** } What? (as the object)

Qu'as-tu vu? / Qu'est-ce que tu as vu } *What have you seen?*

(e) m. **Quel** + noun / f. **Quelle** + noun / m.pl. **Quels** + noun / f.pl. **Quelles** + noun } What? which?

Quels livres? *What (which) books?*
Quelle maison? *What (which) house?*

(f) **Où?** Where?
Où habitez-vous? *Where do you live?*
Combien? How much?
Combien as-tu gagné? *How much did you earn (win)?*
Comment? How?
Comment vas-tu? *How are you?*
Pourquoi? Why?
Pourquoi es-tu venu? *Why did you come?*
Quand? When?
Quand rentres-tu? *When are you going back (home)?*

36 INVERSION

Remember that inversion is required in the following circumstances:

(a) After direct speech:
'Asseyez-vous', a-t-il dit. *'Sit down,' he said.*

(b) After **peut-être** at the beginning of a sentence:
Peut-être viendra-t-il. *Perhaps he will come.*
However, inversion can be avoided by using **peut-être que**:
Peut-être qu'il viendra.

(c) In certain subordinate clauses:
Voici la maison où habite ma grand'mère. *Here is the house where my grandmother lives.*

(d) Note also the translation of the following English inversion:
Qu'elle est jolie! *How pretty she is!*

2 FUNCTIONS

Given below is a list of the *functions* which a candidate should be able to carry out, with examples of useful expressions.

1 Asking for/giving advice and help

Advice: Excusez-moi, Monsieur/Madame, pourriez-vous me dire . . .?
Je vous conseille de . . . (conseiller=*to advise*)
Help: Excusez-moi, Monsieur/Madame, pourriez-vous m'aider? Puis-je vous aider?

For emergencies: AU SECOURS!

2 Seeking accommodation

See **vocabulary topic areas: hotel** and **camping** (p. 36).

Hotel: Vous avez des chambres libres, Monsieur/Madame?
Camping: Vous avez une place libre pour une tente, Monsieur/Madame?

3 Agreeing/disagreeing

Agreeing: D'accord. Je veux bien. Moi aussi.

Disagreeing: Pas du tout. Je ne suis pas d'accord. Non, merci.

4 Apologizing

(Oh) Pardon! Excusez-moi! Je regrette . . .

5 Responding to apologies

Ça ne fait rien. Ne t'en fais pas. Ne vous en faites pas.

6 Expressing appreciation

For a meal: C'est vraiment délicieux.

General: C'est bien agréable. (C'est) formidable! Génial! C'est bien amusant.
C'est bien intéressant. Ça me plaît beaucoup. Je l'aime bien.

7 Attracting attention

Pardon, Monsieur/Madame. Excusez-moi, Monsieur/Madame. Dis donc! Dites donc! (*I say!*)

In case of fire: AU FEU!
To summon help: AU SECOURS!
To stop a thief: AU VOLEUR!

8 Simple banking procedures

See **vocabulary topic areas** and **role-play** (pp. 47 and 72).

To change a travellers' cheque: Je voudrais toucher un chèque de voyage.
To change money: Je voudrais changer . . . (e.g., des livres sterling) en francs.

9 Expressing certainty/uncertainty

Je suis certain(e) que . . . Je ne suis pas certain(e). Je suis sûr(e) que . . . Je doute que . . .*

10 Congratulating

Bravo! Formidable! Félicitations!

11 Seeking/giving directions

Pour aller à . . ., s'il vous plaît? Il faut tourner à droite/à gauche. Allez tout droit. (*straight on*)
Prenez la première rue à droite/à gauche. Allez jusqu'à. . . . (*as far as*)

* Avoid this expression unless you know how to use the subjunctive.

12 Expressing disappointment

C'est dommage. Je suis vraiment déçu(e).

13 Expressing fear/worry

J'ai peur (de . . .) Je crains que . . .*

Je m'inquiète de . . . Cela m'inquiète. Ne vous en faites pas! (*Don't worry!*)

14 Forgetting/remembering

J'ai oublié de . . . N'oublie pas de . . . /N'oubliez pas de . . .
Donne(z) mon bon souvenir à . . . (*Remember me to . . .*)

15 Expressing hope

Je l'espère bien. J'espère que . . .

16 Seeking/giving information

Pourriez-vous me dire . . .? Y a-t-il . . .? A quelle heure . . .? etc.

Voici . . . Voilà . . . Il faut . . . D'abord . . .

17 Expressing intention

Je vais (+ infinitive) Je compte (+ infinitive) J'ai l'intention de . . .

18 Expressing interest/lack of interest

Je m'intéresse beaucoup à . . . Je me passionne pour . . . C'est bien intéressant.

Je n'aime pas tellement . . . Cela ne m'intéresse pas beaucoup.

19 Giving/accepting invitations

Veux-tu . . .?/Voulez-vous . . .? Je t'invite à . . ./Je vous invite à . . .

Je veux bien. Oui, merci. Avec plaisir.

20 Introducing/greeting people

Voici . . . Je te/vous présente . . . Permettez-moi de vous présenter . . .

Enchanté(e), Monsieur/Madame. Bonjour, Monsieur/Madame. Salut (Eve-Marie).

21 Taking leave of people

Au revoir, Monsieur/Madame. A bientôt. (*See you soon*) A demain. (*See you tomorrow*)
A la semaine prochaine. (*See you next week*)

22 Expressing likes/dislikes

J'aime bien . . .

Je n'aime pas du tout . . . Je déteste . . .

23 Expressing need/necessity

J'ai besoin de . . . Je dois . . . Il me faut . . .

24 Offering

Puis-je . . .? Je peux . . .? Permets-moi de . . ./Permettez-moi de . . .
Tu permets?/Vous permettez? Veux-tu . . .?/Voulez-vous . . .?

25 Ordering

Donne moi . . ./Donnez-moi . . . Je voudrais . . .

26 Asking for/giving permission

See also **offering**, section 24.

C'est possible? Il est possible de . . .?

Avec plaisir. Bien sûr. D'accord.

* Avoid this expression unless you know how to use the subjunctive + **ne**.

27 Expressing possibility/impossibility

C'est possible. On peut . . . Peut-être.

Ce n'est pas possible. C'est impossible.

28 Expressing preference

J'aime mieux . . . Je préfère . . .

29 Refusing

Je regrette mais je ne peux pas accepter. Non merci. Je ne veux pas.

30 Expressing regret

Je regrette . . . Je suis désolé.

31 Reporting

On m'a dit que . . . On dit que . . .

32 Requesting

Peut-on . . .? Puis-je . . .? C'est possible? . . . s'il te plaît?/. . . s'il vous plaît?

33 Expressing satisfaction/dissatisfaction

J'en suis très content(e). Très bien. Ça va bien.

Ça ne va pas (du tout). Je n'en suis pas content(e) (du tout).

34 Socializing

Agreed, all right!	D'accord.
Cheer up!	Courage!
Come now!	Allons donc! Voyons donc!
Good morning **Good afternoon**	Bonjour
Goodbye	Au revoir
Good evening	Bonsoir
Good night	Bonne nuit
Good health!	A votre santé!
Good luck!	Bonne chance!
Happy birthday!	Bon anniversaire!
Happy Christmas!	Joyeux Noël!
Happy New Year!	Bonne Année!
How are you?	Comment vas-tu?/Comment allez-vous?
Have a good trip!	Bon voyage!
Have a good meal!	Bon appétit!
Sleep well!	Dors bien!/Dormez bien!

35 Expressing surprise

Tiens!/Tenez! Quelle idée! Quelle surprise! Ça m'étonne(ra) beaucoup. Vraiment?

36 Expressing sympathy

Quel dommage! Je suis désolé(e). Mes condoléances. (*For a bereavement*)

37 Expressing thanks/gratitude

Merci beaucoup/bien. Je te/vous remercie de . . . J'en suis très reconnaissant.

38 Acknowledging thanks

Tu es/vous êtes bien aimable. Je t'en prie./Je vous en prie. De rien.

39 Expressing understanding/misunderstanding

Ah oui, je comprends. D'accord. Je regrette mais je ne comprends pas.
Je n'ai pas bien compris.

40 Warning

Attention! Il est interdit de . . . Il ne faut pas . . . Prenez garde!

3 NOTIONS

1 DIRECTION/DISTANCE LA DIRECTION/LA DISTANCE

bottom (*end*) le fond
corner le coin
in the distance au loin
in the direction of du côté de
east l'est (m)
elsewhere ailleurs
end le bout
everywhere partout
far loin
here ici
in front devant
inside dedans, à l'intérieur
kilometre le kilomètre
left gauche
on/to the left à gauche
long (de) long
lower (*e.g. floor*) inférieur
metre le mètre
mile le mille
near (tout) près
near to près de
neighbouring voisin
next to à côté de, auprès de
north le nord
nowhere nulle part
outside dehors, à l'extérieur
place le lieu, l'endroit (m)
right droite
on/to the right à droite
side le côté
on all sides de tous côtés
on one side d'un côté
on the other side de l'autre côté
situated (at) situé à
somewhere quelque part
south le sud
space l'espace (m)
straight on tout droit
there là
here and there çà et là
over there là-bas
up there là-haut
upper (*e.g. floor*) (à l'étage supérieur)
west l'ouest (m)
wide (de) large
NB La maison se trouve **à** 3 kms de l'école.
Le jardin a 30 mètres **de long.**
Le jardin a 25 mètres **de large.**
Le bâtiment a 20 mètres **de haut.**
Le jardin **est long de** 30 mètres.
Le jardin **est large de** 25 mètres.
Le bâtiment **est haut de** 20 mètres.

2 PLACE/POSITION LES ENDROITS/LES SITUATIONS

before devant
behind derrière
bottom le bas, le fond
centre le centre
elsewhere ailleurs
end le bout, l'extrémité (f)
everywhere partout
here and there çà et là
inside dedans, à l'intérieur (m)
middle le centre, le milieu
nearby tout près
nowhere nulle part
on sur
outside dehors, à l'extérieur (m)
over dessus, par-dessus
place l'endroit (m); le lieu (un bel endroit: son lieu de naissance)
side le côté
space l'espace (m)
together ensemble
top le haut
under sous, au-dessous de

3 QUALITY LA QUALITÉ

See **Grammar section: adjectives** and **adverbs** (pp. 2-5)

Colours Les couleurs
black noir
blue bleu
brown brun
dark foncé
dark brown marron (invariable)
green vert
grey gris
light clair
orange orange
pink rose
purple pourpre
red rouge
red (of hair) roux
white blanc/blanche
yellow jaune
NB When using a compound adjective of colour (e.g. light blue, dark green) do NOT make the adjectives agree with the noun.

e.g. la robe **verte**
but: la robe **vert foncé**

Materials Les matières
acrylic acrylique
bronze le bronze (e.g., de bronze/en bronze de cuivre/en cuivre etc.)
copper le cuivre
cotton le coton
glass le verre
gold l'or (m)
lace la dentelle
lead le plomb
leather le cuir
metal le métal
nylon le nylon

ovenproof (plat) allant au four
silver l'argent (m)
stainless steel l'acier inoxydable (m)
wood le bois
wool la laine

4 NUMBER/QUANTITY LES NOMBRES/LES QUANTITÉS

1 un
2 deux
3 trois
4 quatre
5 cinq
6 six
7 sept
8 huit
9 neuf
10 dix
11 onze
12 douze
13 treize
14 quatorze
15 quinze
16 seize
17 dix-sept
18 dix-huit
19 dix-neuf
20 vingt
21 vingt et un
22 vingt-deux, etc.
30 trente
31 trente et un
32 trente-deux, etc.
40 quarante
41 quarante et un
42 quarante-deux, etc.
50 cinquante
51 cinquante et un
52 cinquante-deux, etc.
60 soixante
61 soixante et un
62 soixante-deux, etc.
70 soixante-dix
71 soixante et onze
72 soixante-douze, etc.
80 quatre-vingts
81 quatre-vingt-un, etc.
90 quatre-vingt-dix
91 quatre-vingt-onze, etc.
99 quatre-vingt-dix-neuf
100 cent
200 deux cents
300 trois cents
301 trois cent un
450 quatre cent cinquante

NB The 's' is omitted in the plural hundreds when another number follows.

1000 mille
3000 trois mille
NB An 's' is never added to **mille** (=*thousand*)
Milles=*miles*
1,000,000 un million

about 10 une dizaine (de)
about 20 une vingtaine (de)
about 100 une centaine (de)
a dozen une douzaine (de)
a quarter un quart
a half une moitié
half demi(e)
three-quarters trois-quarts
a third un tiers
two-thirds deux tiers
a fifth un cinquième, etc.

1 kilo=1000g=2.2 lb
1 litre=1¾ pints

first premier, première
second second, deuxième
third troisième, etc.

Note particularly the spelling of **cinquième** and **neuvième**.

When expressing the date, remember to use:
le premier avril *the first of April*
le trois décembre *the third of December*
le vingt-trois février *the twenty-third of February, etc.*

Expressions of quantity

a bar of . . . une tablette (de chocolat)
un lingot (d'or) (*gold*)
un pain (de savon) (*soap*)
a bottle of . . . une bouteille de . . .
a box of . . . une boîte de . . .
enough of . . . assez de . . .
a jar of . . . un pot de . . .
a kilo of . . . un kilo de . . .
a little of . . . un peu de . . .
so much of . . . tant de
too much of . . . trop de . . .
a packet of . . . un paquet de . . .
a pound of . . . un demi-kilo de . . . une livre de . . .
a tin of . . . une boîte de . . .

5 EMOTIONS/FEELINGS LES ÉMOTIONS/LES SENTIMENTS

to admire admirer
to be afraid avoir peur
anger la colère
to get angry se mettre en colère; se fâcher
to annoy ennuyer
anxiety l'inquiétude (f)
to be anxious s'inquiéter
to boast se vanter
to bore ennuyer
boredom l'ennui (m)
care le soin: (*worry*) le souci
to care for, to look after soigner
confidence la confiance
to complain se plaindre
to console consoler
to cry pleurer
to delight enchanter, charmer, ravir
despair le désespoir
to despise mépriser
to disappoint décevoir
to discourage décourager
to disturb déranger
doubt le doute
to doubt douter
to encourage encourager
to endure supporter
to enjoy jouir de

to enjoy (doing something) se plaire à (faire quelque chose)
to enjoy oneself s'amuser
enthusiasm l'enthousiasme (m)
envy l'envie (f)
NB avoir envie de *to feel like (doing . . .)*
to expect s'attendre à
to fear craindre
fear la crainte, la peur
to forgive pardonner à
friendship l'amitié (f)
to frighten effrayer; faire peur à
frightened effrayé
grateful reconnaissant
gratitude la reconnaissance
groan le gémissement
to groan gémir
happy heureux (m), heureuse (f)
to hate détester
hatred la haine
to hope espérer
hope l'espoir (m)
horror l'horreur (f)
to be interested in s'intéresser à
joy la joie
to laugh at se moquer de
laughter les rires (mpl)
to laugh rire
to like, love aimer
love l'amour (m)
to mistrust se méfier de
to be in a good mood être de bonne humeur
to be in a bad mood être de mauvaise humeur
nice *(of a person)* sympathique, aimable, gentil(le)
to pity plaindre
pity la pitié
What a pity! Quel dommage!
to please plaire à
pleasure le plaisir
to prefer aimer mieux, préférer
pride l'orgueil (m)
proud fier (m), fière (f)
to relieve soulager
sad triste
sadness la tristesse
to satisfy satisfaire à
to scold gronder
shame la honte
to be ashamed avoir honte (de)
to shout crier
shudder le frémissement
to shudder frémir, frissonner
to sigh soupirer
to sob sangloter
to be sorry regretter
to suffer souffrir
surprise la surprise, l'étonnement
to surprise étonner, surprendre
to be surprised s'étonner
to suspect soupçonner
sympathy la compassion, la sympathie
tears les larmes (fpl)
to burst into tears fondre en larmes
to tease taquiner
terror la terreur
to terrify effrayer, épouvanter, terrifier
to thank remercier
to threaten menacer
to trouble gêner
to trust se fier à
to warn avertir, prévenir
to welcome accueillir

6 TIME L'HEURE/LE TEMPS

after après
at first d'abord
at last enfin
again de nouveau, encore une fois
ago il y a
already déjà
always toujours
at once aussitôt, tout de suite
before avant
to begin commencer
beginning le commencement, le début
century le siècle
clock la pendule (*house*); l'horloge (f) (*public building*)
day le jour, la journée
day before la veille
day before yesterday avant-hier
early de bonne heure
end la fin
to end finir, terminer
eve la veille
evening le soir, la soirée
formerly jadis
fortnight quinze jours, une quinzaine
from time to time de temps de temps
future l'avenir (m)
in the future à l'avenir
half an hour une demi-heure
hour l'heure (f)
immediately immédiatement, tout de suite
to last durer
late tard, en retard
later plus tard
midday midi (m)
midnight minuit (m)
minute la minute
moment le moment, l'instant (m)
month le mois
morning le matin, la matinée
next prochain (*adj.*); ensuite (*adv.*)
never ne . . . jamais
night la nuit
at nightfall à la nuit tombante, à la tombée de la nuit
now de nos jours; maintenant
often souvent
once une fois
to pass (*of time*) s'écouler
in the past autrefois
period (*of time*) l'époque (f)
precisely (à cinq heures) précises
at present à présent, actuellement
presently tout à l'heure
previously auparavant
a quarter of an hour un quart d'heure
quickly vite
rarely rarement
to remain rester

second la seconde
since depuis
soon bientôt
so soon si tôt
a stay un séjour
still encore, toujours
straightaway immédiatement, tout de suite
suddenly tout à coup
time *(by the clock)* l'heure (f)
time *(occasion)* la fois
a long time longtemps
during this time pendant ce temps
in time à temps
then puis
today aujourd'hui
tomorrow demain
up till now jusqu'ici
usually d'habitude
week la semaine
weekend le weekend
when quand, lorsque
year l'an (m), l'année (f)
yesterday hier
yesterday morning hier matin
yesterday evening hier soir
every day tous les jours
every afternoon tous les après-midi
every evening tous les soirs
every morning tous les matins
every month tous les mois
every week toutes les semaines
every year tous les ans
the next day le lendemain
the next morning le lendemain matin
next week la semaine prochaine
next month le mois prochain
last month le mois dernier
last week la semaine dernière

7 DATES/FESTIVALS LES DATES/LES FÊTES

anniversary; birthday l'anniversaire (m); la fête
birthday party la réunion d'anniversaire
bank holiday la fête légale, le jour férié
baptism le baptême
Christmas Noël (m)
at Christmas à Noël
congratulations félicitations (fpl)
to congratulate féliciter
Easter Pâques (m)
first of April le jour des poissons d'avril
first of May la fête du muguet; la fête du travail
Hallowe'en la veille de la Toussaint
14th July la Fête Nationale
Shrove Tuesday le mardi gras
New Year's Day le Jour de l'An
New Year's Eve la veille du Jour de l'An
wedding le mariage; les noces (fpl)

Days of the week Les jours de la semaine
Sunday dimanche
Monday lundi
Tuesday mardi
Wednesday mercredi
Thursday jeudi
Friday vendredi
Saturday samedi

All the days of the week in French are masculine, and are written with small letters.

on Monday lundi
on Mondays le lundi
Never use **'sur'** with days of the week

Months of the year Les mois de l'année
January janvier
February février
March mars
April avril
May mai
June juin
July juillet
August août
September septembre
October octobre
November novembre
December décembre

All the months of the year in French are masculine, and are written with small letters.

in January en janvier, au mois de janvier.

4 VOCABULARY TOPIC AREAS

The following lists contain key words for a number of topics which will be of use to you when preparing for the GCSE examination in French. Try to learn a set number of key words each week from each section. You must begin this preparation work well in advance of the GCSE exam in order to increase your knowledge and confidence in the subject. Vocabulary learning cannot be left until the last minute. These vocabulary topic lists are all based on the everyday subjects which may be included in the examination. Remember that your success depends on . . .

PREPARATION PRACTICE REVISION

CAFÉ/HOTEL/RESTAURANT LE CAFÉ/L'HÔTEL/LE RESTAURANT

See also **Food** and **Drink**

aperitif un apéritif
bar (counter) le comptoir
with bathroom avec salle de bains
bill (hotel) la note
bill (restaurant) l'addition (f)
boarding-house la pension
boarder le(la) pensionnaire
full-board la pension complète
half-board la demi-pension
breakfast le petit déjeuner
chambermaid la femme de chambre
cook le cuisinier, la cuisinière
head cook le chef de cuisine
cover charge le couvert
cup la tasse
dessert le dessert
dining-room la salle à manger
dinner le dîner
dish le plat
drink la boisson
to drink boire
to eat manger
fork la fourchette
glass le verre
guest un(e) invité(e)
hotelier un hôtelier
inn une auberge
inn-keeper un aubergiste
lift un ascenseur
lunch le déjeuner
to have lunch déjeuner
(to have a meal) prendre un repas
manager le patron
menu le menu, la carte
napkin la serviette
to order commander
plate une assiette
proprietor le patron
pub le bistrot, le cabaret, l'estaminet (m)
room la chambre
double-room la chambre à deux personnes
single room une chambre à un lit
service charge included service compris
shower la douche
spoon la cuiller
stairs l'escalier (m)
supper le souper
table cloth la nappe
to lay the table mettre le couvert
tea (drink) le thé
tea (meal) le goûter
waiter le garçon
head waiter le maître d'hôtel
waitress la serveuse
VAT la TVA (taxe à la valeur ajoutée)

CAMPING LE CAMPING

to boil faire bouillir
to go camping faire du camping
camp bed le lit de camp
camping equipment le matérial de camping
camp fire le feu de camp
camping gas le camping-gaz
camping stove le réchaud
campsite le terrain de camping
to cook faire cuire
dustbin la poubelle
full complet/complète
gamesroom la salle de jeux
ground sheet le tapis de sol
hammer le marteau
lantern la lanterne
(tent) **peg** le piquet
pitch un emplacement
to pitch a tent dresser/monter la tente
reception la réception, le bureau d'acceuil
rucksack le sac à dos
shower la douche
sleeping-bag le sac de couchage
tent la tente
to take down the tent démonter la tente
torch la torche électrique
water-container le bidon à eau

CLOTHES LES VÊTEMENTS/LES HABITS

apron le tablier
belt la ceinture
beret le béret
blazer le blazer
blouse le chemisier
boot la botte, la bottine
braces les bretelles (fpl)
button le bouton
cap le casque, le képi (police, army)
cardigan le tricot, la veste
cashmere le cachemire

coat le manteau
cotton le coton
dress la robe
dressing-gown la robe de chambre
dressmaker le couturier, la couturière
dungarees les bleus (mpl), la salopette
embroidery la broderie
fur la fourrure
glove le gant
handkerchief le mouchoir
hat le chapeau
helmet le casque
jacket le veston, la veste
jeans le blue-jean
lace la dentelle
leather le cuir
linen le lin
made-to-measure sur mesure
material l'étoffe (f), le tissu
nightdress la chemise de nuit
nylon le nylon
overcoat le pardessus
overall la blouse
pinafore dress la chasuble
plastic la (matière) plastique
pocket la poche
pullover le pull (over)
pyjamas le pyjama
rags les haillons (mpl)
raincoat un imperméable
ready-made prêt-à-porter
sandal la sandale
scarf une écharpe (long), le foulard (square)
shirt la chemise
shoe la chaussure, le soulier
shorts le short
silk la soie
size la taille
collar size l'encolure (f)
shoe size la pointure
skirt la jupe
sleeve la manche
slipper la pantoufle
sock la chaussette
stocking le bas
suit le complet, le costume, le tailleur
sweater le chandail
terylene le térylène, le tergal
tie la cravate
tights le collant
trainers les baskets (mpl)
trousers le pantalon
short trousers la culotte
trouser-suit un ensemble-pantalon
velvet le velours
waistcoat le gilet
windcheater le blouson
wool la laine

COUNTRIES/NATIONALITIES LES PAYS ET LES NATIONALITÉS

Countries	**Les pays**	**Inhabitants/Les habitants**
America	l'Amérique (f)	un(e) Américain(e)
Asia	l'Asie (f)	un(e) Asiatique
Austria	l'Autriche (f)	un(e) Autrichien(ne)
Belgium	la Belgique	un(e) Belge
Canada	le Canada	un(e) Canadien(ne)
China	la Chine	un(e) Chinois(e)
Denmark	le Danemark	un(e)Danois(e)
England	l'Angleterre (f)	un(e) Anglais(e)
Europe	l'Europe (f)	un(e) Européen(ne)
Germany	l'Allemagne (f)	un(e) Allemand(e)
Great Britain	la Grande-Bretagne	un(e) Britannique
Greece	la Grèce	un Grec, une Grecque
Holland	la Hollande	un(e) Hollandais(e)
India	l'Inde (f)	un(e) Indien(ne)
Italy	l'Italie (f)	un(e) Italien(ne)
Ireland	l'Irlande (f)	un(e) Irlandais(e)
Japan	le Japon	un(e) Japonais(e)
Luxembourg	le Luxembourg	un(e) Luxembourgeois(e)
Mexico	le Mexique	un(e) Mexicain(e)
Netherlands	les Pays Bas (mpl)	un(e) Néerlandais(e)
New Zealand	la Nouvelle Zelande	un(e) Néozélandais(e)
Norway	la Norvège	un(e) Norvégien(ne)
Poland	la Pologne	un(e) Polonais(e)
Portugal	le Portugal	un(e) Portugais(e)
Russia	la Russie	un(e) Russe
Scotland	l'Écosse (f)	un(e) Écossais(e)
S Africa	l'Afrique (f) du Sud	un(e) Sud-Africain(e)
Spain	l'Espagne (f)	un(e) Espagnol(e)
Sweden	la Suède	un(e) Suédois(e)
Switzerland	la Suisse	un Suisse, une Suissesse
UK	le Royaume-Uni	un(e) habitant(e) du Royaume-Uni
USA	les États-Unis (mpl)	un(e) Américain(e)
Wales	le Pays de Galles	un(e) Gallois(e)

COUNTRYSIDE LA CAMPAGNE

bank (of a river) le bord, la rive
bird un oiseau
e.g., **blackbird** le merle
crow le corbeau
cuckoo le coucou
dove la colombe
duck le canard
eagle un aigle
feather la plume
kingfisher le martin-pêcheur
nest le nid
nightingale le rossignol
owl le hibou, la chouette
robin le rouge-gorge
skylark une alouette
sparrow le moineau
swallow une hirondelle
swan le cygne
thrush la grive
bridge le pont
cave la caverne
cottage la chaumière
countryman le paysan
countrywoman la paysanne
current le courant
farm la ferme
e.g., **barley** l'orge (f)
barn la grange
cart la charrette
cattle le bétail
combine-harvester la moissonneuse-batteuse
corn le blé
cowshed une étable
crop la récolte
dairy la laiterie
farmer le fermier
farmer's wife la fermière
farmyard la basse-cour
fertilizer l'engrais (m)
flock le troupeau
fork la fourche
gate la barrière
goose une oie
harvest la moisson
hay le foin
hen la poule
henhouse le poulailler
loft le grenier
milk le lait
mill le moulin
oats l'avoine (f)
orchard le verger
pigsty la porcherie
plough la charrue
to plough labourer
to reap faucher
shepherd le berger
to sow semer
stable une écurie
straw la paille
tractor le tracteur
turkey le dindon, la dinde
field le champ, la prairie, le pré
to flow couler
flower la fleur
e.g., **buttercup** le bouton d'or
clover le trèfle
daisy la marguerite
dandelion le pissenlit
nettle une ortie
thistle le chardon
wild flowers les fleurs sauvages
forest la forêt
hamlet le hameau
hayrick la meule de foin
hill la colline
insect un insecte
e.g., **ant** la fourmi
bee une abeille
butterfly le papillon
cicada la cigale
fly la mouche
grasshopper la sauterelle
mosquito le moustique
spider une araignée
wasp la guêpe
lake le lac
landscape le paysage
mountain la montagne
mud la boue
path le sentier, le chemin
pebble le caillou (pl: cailloux)
picnic le pique-nique
to picnic pique-niquer
pond un étang, la mare
river le fleuve, la rivière
road la route
slope la pente
spring (water) la source
stone la pierre
stream le ruisseau
tree un arbre
e.g., **ash** le frêne
beech le hêtre
branch la branche
bush le buisson
(horse) **chestnut** le marronnier
(sweet) **chestnut** le châtaignier
copse le taillis
elm un orme
fir le sapin
hawthorn l'aubépine (f)
hedge la haie
holly le houx
ivy le lierre
lime le tilleul
oak le chêne
pine le pin
poplar le peuplier
trunk le tronc
willow le saule
wood le bois
valley la vallée
village le village
waterfall la cascade, la fontaine
wooded boisé

DAILY ROUTINE LA ROUTINE JOURNALIÈRE

to get up se lever
to have a shower prendre une douche

to have a bath prendre un bain
to get washed se laver
to brush one's teeth se brosser les dents
to go down(stairs) descendre (l'escalier)
to go into the kitchen aller dans la cuisine
to have breakfast prendre le petit déjeuner
to leave for school partir pour l'école
to catch the bus attraper l'autobus
to arrive at school arriver a l'école
to chat with one's friends bavarder avec ses amis
to go to class aller en classe
to have lunch in the canteen déjeuner à la cantine
to go back to class retourner en classe
to go back home rentrer à la maison
to have tea prendre le goûter
to do homework faire les devoirs
to watch television regarder la télévision
to have supper souper
to go out sortir
to go to bed se coucher
to go to sleep s'endormir

EDUCATION L'ENSEIGNEMENT

art le dessin
assembly l'assemblée (f)
biology la biologie
chemistry la chimie
civics l'instruction civique (f)
commerce le commerce
computer science l'informatique (f)
corporal punishment le châtiment corporel
to take a course suivre un cours
craft les travaux pratiques
detention la colle (fam.)/la retenue
domestic science les arts ménagers/les études ménagères
to draw dessiner
economics l'économie politique (f)
English l'anglais (m)
essay une composition/une rédaction/une dissertation
exam un examen
to take an exam passer un examen
to pass an exam réussir/être reçu à un examen
experiment une expérience
free period la perme
geography la géographie
geology la géologie
German l'allemand (m)
Greek le grec
gymnasium la salle de gymnastique
gymnastics la gymnastique
head le directeur/la directrice (primary school) le proviseur (secondary school)
deputy **head** (pastoral) le censeur
history l'histoire (f)
home economics les cours ménagers (mpl)
Italian l'italien
laboratory le laboratoire
Latin le latin
to learn apprendre
lesson la leçon/le cours
maths les mathématiques
metalwork le travail des métaux
music la musique
natural science les sciences naturelles
nursery school l'école maternelle
PE l'éducation physique (f)
physics la physique
private school une école privée/une école libre
Russian le russe
scripture les études religieuses (fpl)
secondary school le collège, le lycée
sewing la couture
shorthand/typing la sténodactylographie
social sciences les sciences humaines (fpl)
Spanish l'espagnol (m)
studies les études (fpl)
to study étudier
supervisor le surveillant
to swot potasser/piocher (e.g mon français)
teacher (primary school) un instituteur/une institutrice, (secondary school) un professeur
technical drawing le dessin industriel
time-table un emploi du temps
translation la version
uniform l'uniforme scolaire (m)
university l'université (f)
Welsh le gallois
woodwork le travail du bois

FOOD/DRINK LA NOURRITURE/LES BOISSONS

bacon le bacon/le lard
beef le boeuf
beer la bière
pint of **beer** un demi
bread le pain
bread roll le petit pain
butter le beurre
cake le gâteau (pl: les gâteaux)
champagne le champagne
cheese le fromage
chips les (pommes) frites (fpl)
chocolate le chocolat
chop la côtelette
cider le cidre
coffee le café
cream la crème
crescent roll le croissant
crisps les chips (mpl), les pommes (fpl) chip
crumb la miette
egg un oeuf
fish le poisson
fruit le fruit
e.g. **apple** la pomme
apricot un abricot
banana la banane
blackberry la mure
cherry la cerise
(red) **currant** la groseille
gooseberry la groseille à maquereau
grapefruit le pamplemousse
grapes les raisins (mpl)
lemon le citron
melon le melon

orange une orange
peach la pêche
pear la poire
pineapple un ananas
plum la prune
raspberry la framboise
rhubarb la rhubarbe
strawberry la fraise
fruit juice le jus de fruit
ham le jambon
ice cream la glace
jam la confiture
lamb l'agneau (m)
lemonade la limonade
lemon squash le citron pressé
marmalade la confiture d'oranges
meat la viande
milk le lait
mushroom le champignon
mustard la moutarde
omelette une omelette
pancake la crêpe
pepper le poivre
pork le porc
potato la pomme de terre
preserves les conserves (fpl)
roast le rôti
salt le sel
sandwich le sandwich
sausage la saucisse (large), le saucisson (small)
slice la tranche
snail un escargot
soup le potage, la soupe
starter un hors d'oeuvre
steak le bifteck, le steak
e.g., **well cooked** bien cuit
medium à point
rare saignant
sugar le sucre
tea (drink) le thé
tea (meal) le goûter
toast le pain grillé
today's speciality (in a restaurant) le plat du jour
trout la truite
veal le veau
vegetables les légumes (mpl)
e.g., **artichoke** un artichaut
asparagus les asperges (fpl)
bean le haricot
runner bean le haricot vert
beetroot la betterave
Brussels sprouts les choux (mpl) de Bruxelles
cabbage le chou
carrot la carotte
cauliflower le chou-fleur
celery le céleri
cress le cresson
cucumber le concombre
garlic l'ail (m)
leek le poireau
lettuce la laitue
onion un oignon
parsley le persil
parsnip le panais
peas les petits pois (mpl)
potato la pomme de terre
radish le radis
salad la salade
spinach les épinards (mpl)
sweetcorn le maïs
tomato la tomate
turnip le navet
vinegar le vinaigre
water l'eau (f)
mineral/spa water l'eau minérale
wine le vin (e.g. rouge, blanc, rosé)
table wine le vin de pays, ordinaire, vin de table
guaranteed vintage appellation contrôlée
yoghurt le yaourt
flavoured **yoghurt** le yaourt parfumé

HEALTH/ILLNESS
LA SANTÉ/LES MALADIES

ambulance une ambulance
antiseptic cream la crème antiseptique
aspirin l'aspirine (f)
bandage/dressing le pansement
to be better aller mieux
to feel better se sentir mieux
to be cold avoir froid
to be hot avoir chaud
to be hungry avoir faim
to be thirsty avoir soif
blind aveugle
blindness la cécité
(a) **boil** un furoncle
bruise un bleu
to bruise se faire un bleu (se meurtrir)
to burn (oneself) se brûler
capsule (tablet) le cachet
chemist le pharmacien
chemist's shop la pharmacie
chicken-pox la varicelle
a cold un rhume
to catch cold prendre froid, attraper un rhume, s'enrhumer
to have a cold être enrhumé(e)
cough la toux
to cough tousser
to cure/heal guérir
to be cured/healed se guérir
to cut (se) couper
deaf sourd(e)
deafness la surdité
diarrhoea la diarrhée
dizzy (e.g. *I feel dizzy*) La tête me tourne
doctor le médecin
dumb muet(te)
dumbness (physical) le mutisme
to faint s'évanouir
to fall ill tomber malade
to feel ill se sentir souffrant(e)
first aid post le poste de secours
'flu la grippe
German measles la rubéole
harm/injury le mal
headache le mal de tête
to have a headache avoir mal à la tête
health la santé
to be in bad health se porter mal
to be in good health se porter bien

help l'aide (f), le secours
to have hiccups avoir le hoquet
to hurt oneself se blesser, se faire mal
ill malade
to be ill être malade
illness la maladie
to look after soigner
measles la rougeole
medicine le médicament
misfortune le malheur
mumps les oreillons (mpl)
nurse un infirmier, une infirmière
pain la douleur
prescription une ordonnance
pulse le pouls
to take one's pulse tâter le pouls
to recover se remettre, récupérer
serious grave
to be sick vomir
to feel sick avoir mal au coeur
to be air sick avoir le mal de l'air
to be sea sick avoir le mal de mer
to sneeze éternuer
spots les boutons (mpl)
to sprain se fouler, se faire une entorse
sticking plaster le sparadrap
sting la piqure
to be stung être piqué par . . .
(e.g., **une abeille** bee
une guêpe wasp
un frelon hornet
un moustique mosquito)
sunstroke un coup de soleil
swollen enflé
tablet le comprimé
to have a high temperature avoir de la fièvre
bad tooth la dent gâtée
to have a tummy upset avoir une crise de foie
to be fit and well être en forme
wound une blessure
to wound (se) blesser
NB also 'to hurt' in various parts of the body: **avoir mal à . . .**
e.g., **avoir mal au bras** to have a pain in the arm
avoir mal aux dents to have toothache
avoir mal au dos to have backache
avoir mal à l'oreille to have earache, **etc.**

HUMAN BODY
LE CORPS HUMAIN

ankle la cheville
arm le bras
back le dos
beard la barbe
blood le sang
bone un os
breath l'haleine (f), le souffle
cheek la joue
chest la poitrine
chin le menton
complexion le teint
ear une oreille
elbow le coude
eye(s) un oeil, les yeux (mpl)
eyebrow le sourcil
eyelash le cil
eyelid la paupière
face la figure, le visage
finger le doigt
fist le poing
flesh la chair
foot le pied
forehead le front
hair les cheveux (mpl)
hand la main
head la tête
heart le coeur
heel le talon
hip la hanche
knee(s) le(s) genou(x)
leg la jambe
lip la lèvre
lung le poumon
moustache la (les) moustache(s)
mouth la bouche
nail un ongle
neck le cou
nose le nez
shoulder une épaule
skin la peau
stomach l'estomac (m), le ventre
thigh la cuisse
throat la gorge
thumb le pouce
tongue la langue
toe un orteil
tooth la dent
voice la voix
waist la taille
wrinkle la ride
wrist le poignet

ACCIDENT/INJURY
LES ACCIDENTS

ambulance l'ambulance (f)
to bandage bander
to break briser/casser
to break one's arm/leg se casser le bras /la jambe
to bump into heurter
to collide (with a person) heurter
to collide (with a vehicle) heurter/entrer en collision avec
to crush écraser
to be crushed s'écraser/être écrasé(e)
to cut (e.g. one's finger) se couper (le doigt)
to damage abîmer
to drown (se) noyer
a fatal accident un accident mortel
Help! Au secours!
to help aider
to hit frapper
to hurt (se) faire mal à
to injure (se) blesser
to jostle/push bousculer
to knock down/over renverser
a motor accident un accident de voiture
to have (e.g. a leg) **in plaster** avoir (la jambe) dans le plâtre
a road accident un accident de la route

a serious accident un accident grave
to be shipwrecked faire naufrage
to sprain se fouler
stretcher le brancard
to be stung by . . . être piqué par . . .
to tear déchirer
to trap (se) coincer
to twist one's ankle se fouler la cheville/se faire une entorse

HOME LA MAISON

attic le grenier
basement le sous-sol
bathroom la salle de bains
bedroom la chambre à coucher
bell la sonnette
block of flats un immeuble
bolt le verrou
building le bâtiment
bungalow le bungalow, le pavillon
caretaker le (la) concierge
caretaker's room / **porter's lodge** la loge (du concierge)
ceiling le plafond
cellar la cave
central heating le chauffage central
to clean nettoyer
corridor le couloir
cupboard une armoire, le placard
curtains les rideaux (mpl)
dining-room la salle à manger
door la porte
entrance-hall une entrée
flat un appartement
council flat une HLM (Habitation à Loyer Modéré)
floor le plancher
floor (i.e. storey) un étage
front door la porte d'entrée
furniture les meubles (mpl)
garage le garage
gate la grille, la porte
ground floor le rez-de-chaussée
guest room la chambre d'amis
household le ménage
key la clé, la clef
kitchen la cuisine
landing le palier
lavatory le cabinet de toilette
lift un ascenseur
living-room la salle de séjour
lock la serrure
to lock fermer à clé
lounge le salon
to overlook donner sur
rent le loyer
to rent louer
roof le toit
room la pièce, la salle, la chambre (*bedroom*)
second home une résidence secondaire
shutter le contrevent, le volet
stairs un escalier
study le cabinet de travail
tenant le (la) locataire
threshold le seuil
utility/laundry room la buanderie
villa une villa
wall le mur
window la fenêtre
window-sill le rebord de la fenêtre
yard la cour

Bathroom La salle de bains

bath la salle de bains
to bathe se baigner
bidet le bidet
razor-point la prise du rasoir
shower la douche
soap le savon
sponge une éponge
tap le robinet
toothbrush la brosse à dents
toothpaste le dentrifice
towel la serviette (de toilette)
washbasin le lavabo

Bedroom La chambre (à coucher)

alarm clock le réveil
bed le lit
bedside-table la table de chevet
bedside lamp la lampe de chevet
blanket la couverture
bolster le traversin
chest of drawers la commode
comb le peigne
drawer le tiroir
dressing-table la table de toilette
duvet le duvet
hairbrush la brosse à cheveux
hand mirror la glace
to make one's bed faire son lit
mattress le matelas
mirror la glace, le miroir
pillow un oreiller
rug la descente de lit
sheet le drap
shelf le rayon
wardrobe une armoire, la garde-robe, la penderie

Dining-room La salle à manger

chair la chaise
cup la tasse
fork la fourchette
glass le verre
knife le couteau
to lay the table mettre le couvert
mustard la moutarde
napkin la serviette
oil l'huile (f)
pepper le poivre
place-setting le couvert
plate une assiette
salt le sel
saucer la soucoupe
sideboard le buffet
silver (adj.) d'argent, en argent
spoon la cuiller
stainless steel (adj.) d'acier inoxydable, en acier inoxydable, (frequently) en inox
table la table
tablecloth la nappe
tray le plateau
vinegar le vinaigre

Kitchen La cuisine

broom le balai
bucket le seau
coffee-pot la cafetière
cooker la cuisinière
dishwasher le lave-vaisselle
duster le torchon
electric mixer le batteur (électrique)
freezer le congélateur
fridge le frigo, le réfrigérateur
frying pan la poêle
iron le fer à repasser
to iron repasser
to do the ironing faire le repassage
jug la cruche (large), le cruchon (small), le pot
kettle la bouilloire
micro-wave oven le four à micro-ondes
oven le four
pressure-cooker un auto-cuiseur
saucepan la casserole
sink un évier
spin-dryer une essoreuse
stew-pan la marmite
stool le tabouret
stove le fourneau, le poêle
tap le robinet
teapot la théière
vacuum-cleaner un aspirateur
to wash clothes faire la lessive
washing-machine la machine à laver
to wash dishes faire la vaisselle

Living-room/lounge Le salon/la salle de séjour

armchair le fauteuil
bookcase la bibliothèque
carpet le tapis
clock la pendule
curtains les rideaux (mpl)
cushion le coussin
hi-fi la chaîne hi-fi
nest of tables la table gigogne
occasional table la petite table de salon
picture le tableau
radio la radio
transistor radio le transistor
record-player un électrophone, le tourne-disque(s)
settee le canapé
shelf le rayon
standard lamp le lampadaire
stereo le système stéréo
tape-recorder le magnétophone
TV le poste de télévision, le téléviseur
video-recorder le magnétoscope

Garden Le jardin

bench le banc
to dig bêcher
flower la fleur
e.g., **carnation** un oeillet
  clover le trèfle
  daisy la marguerite
  daffodil la jonquille
  hyacinth la jacinthe
  pansy la pensée
  rose la rose
  rose bush le rosier
  tulip la tulipe
  wallflower la giroflée des murailles
flowerbed la plate-bande, le parterre
foliage le feuillage
fork la fourche
grass l'herbe (f)
greenhouse la serre
to grow pousser (intransitive), cultiver (transitive)
hedge la haie
kitchen garden le jardin potager
ladder une échelle
lawn le gazon, la pelouse
lawn-mower la tondeuse
leaf la feuille
path une allée
plant la plante
rake le rateau
seed la graine
see-saw la balançoire
spade la bêche
sundial le cadran solaire
(child's) **swing** la balançoire
tree un arbre
e.g. **ash** le frêne
  beech le hêtre
  chestnut (horse) le marronnier
  chestnut (sweet) le châtaignier
  elm un orme
  fir le sapin
  hawthorn une aubépine
  holly le houx
  ivy le lierre
  lime le tilleul
  oak le chêne
  plane tree le platane
  poplar le peuplier
  willow le saule
  yew un if
vegetables les légumes (mpl)
(see also **'food'** topic area)
weed la mauvaise herbe
wheelbarrow la brouette

JOBS/PROFESSIONS LES MÉTIERS/LES PROFESSIONS

accountant le (la comptable)
air-hostess une hôtesse de l'air
antique-dealer un(e) antiquaire
apprentice un(e) apprenti(e)
auctioneer le directeur de la vente
auctioneer-valuer le commissaire-priseur
baker le boulanger
barrister un avocat
blacksmith le forgeron
bookseller le (la) libraire
boss le patron
bricklayer le maçon
builder le constructeur
businessman le commerçant, l'homme d'affaires
businesswoman la femme d'affaires
butcher le boucher
caretaker le (la) concierge
carpenter le charpentier, le menuisier

cashier le caissier, la caissière
chemist (medical) le pharmacien
chemist (industrial) le chimiste
civil servant le (la) fonctionnaire
clerk un(e) employé(e)
commercial traveller le commis-voyageur
computer scientist un(e) informaticien(ne)
conductor le receveur
customs officer le douanier
daily help la femme de ménage
dentist le (la) dentiste
doctor le médecin, la doctoresse
driver le chauffeur
dustman l'éboueur (m)
electrician un électricien
engineer un ingénieur
farmer le fermier
farmer's wife la fermière
fireman le sapeur-pompier
fisherman le pêcheur
foreman le chef d'équipe, le contremaître
garage-owner le garagiste
gardener le jardinier
greengrocer le marchand de légumes
grocer un épicier
hairdresser le coiffeur, la coiffeuse
headmaster le directeur, le proviseur
hotel-keeper un hôtelier
housekeeper la gouvernante
housewife la ménagère
inspector l'inspecteur (m)
interpreter un(e) interprète
journalist un(e)journaliste
judge le juge
librarian le (la) bibliothécaire
lorry-driver le routier
maid la bonne
manager le gérant
managing director le P.D.G. (le Président Directeur Général)
manufacturer le fabricant
mason le maçon
mayor le maire
mechanic le mécanicien
MP le Député (France), le Membre de la Chambre des Communes (UK)
miner le mineur
musician le (la) musicien(ne)
nurse un(e) infirmier/ière
painter le (la) peintre
painter/decorator le peintre-décorateur
photographer le (la) photographe
pilot le pilote
plumber le plombier
poet le (la) poète
policeman un agent de police, le policier, le gendarme (country)
policewoman la femme-agent
politician l'homme politique, la femme politique
postman le facteur
priest le prêtre
Prime Minister le Premier ministre
railway worker le cheminot
receptionist le (la) réceptionniste
representative le représentant
sailor le marin, le matelot
sales-assistant le commis, le vendeur, la vendeuse
second-hand dealer le brocanteur, la brocanteuse
second-hand book dealer le (la) bouquiniste
secretary le (la) secrétaire
servant le (la) domestique
shoe-mender le cordonnier
shop-keeper le (la) marchand(e)
soldier le soldat
solicitor un avoué, le notaire
staff le personnel
tailor le tailleur
teacher le professeur
junior school teacher un instituteur, une institutrice
telephonist le (la) standardiste
trade unionist le (la) syndicaliste
traffic warden la 'pervenche'
typist le (la) dactylo
unemployed person le chômeur, la chômeuse
usherette une ouvreuse
vicar le curé
waiter le garçon
waitress la serveuse
worker un ouvrier, une ouvrière
writer un écrivain

LEISURE LES LOISIRS

aerobics l'aérobic (m)
amusement le divertissement, la distraction
athletics l'athlétisme (m)
badminton le badminton
ballet le ballet
to play basketball jouer au basket-ball
to collect beermats collectionner les dessous de bocks de bière
to play billiards jouer au billard
boating le canotage
boxing la boxe
camera un appareil (photographique)
to go canoeing faire du canoë
cassette une cassette
cine-camera la caméra
to go camping faire du camping
carpentry la menuiserie
to play cards jouer aux cartes
to play chess jouer aux échecs
classical music la musique classique
cinema le cinéma
  actor un acteur
  actress une actrice
  to applaud applaudir
  applause les applaudissements (mpl)
  balcony (circle) le balcon
  to book a seat louer/retenir une place
  box la loge
  cartoon un dessin animé
  character le personnage
  comedy une comédie
  concert le concert
  detective film un film policier
  documentary le documentaire
  entrance une entrée
  exit la sortie
  film le film

the 'gods' la galerie
horror film le film d'horreur
interval un entr'acte
love film le film d'amour
opera un opéra
orchestra stalls les fauteuils (mpl) d'orchestre
performance la représentation
play la pièce
to be present at assister à
programme le programme
radio/tv programme une émission
scenery le décor
science fiction film le film de science-fiction
screen un écran
seat le fauteuil, la place
show le spectacle
spy film le film d'espionnage
stage la scène
star la vedette, la star
thriller le film à suspens
ticket le billet
tip le pourboire
usherette une ouvreuse
war film le film de guerre
wings les coulisses (fpl)
cricket le cricket
cross country running faire du cross
crosswords les mots croisés (mpl)
cycling le cyclisme
dance le bal
to play darts jouer aux fléchettes (fpl)
detective story le roman policier
disco la discothèque, le dancing
do-it-yourself le bricolage
draughts le jeu de dames
to enjoy oneself s'amuser
to fish pêcher
fishing la pêche
game le jeu (e.g. cards), la partie (e.g. game of cards), le sport (outdoor game), le match (competitive game)
girl guide une éclaireuse
golf le golf
gymnastics la gymnastique
hang-gliding le delta-plane, le sport de l'aile libre
hockey le hockey
horse-racing la course de chevaux
horse-riding l'équitation (f)
to go horse-riding monter à cheval
jazz le jazz
jogging le jogging, le footing
karate le karaté
kite le cerf-volant
to knit tricoter
to listen to the radio écouter la radio
magazine le magazine, la revue
model-making faire des maquettes (fpl)
mountaineering l'alpinisme (m)
netball le netball
to paint peindre
painting la peinture
party la (sur) boum, la soirée, la surprise partie
a play une pièce de théâtre
to play a musical instrument jouer de . . .
e.g., **cello** jouer du violoncelle
clarinet . . . de la clarinette
drums . . . de la batterie
flute . . . de la flûte
guitar . . . de la guitare
oboe . . . du hautbois
organ . . . de l'orgue (m)
piano . . . du piano
trumpet . . . de la trompette
violin . . . du violon
to take photos prendre des photos
'pop' music la musique pop, la musique disco
potholing la spéléologie
race la course
racket la raquette
record le disque
record-player un électrophone, le tourne-disque(s)
to read a novel lire un roman
rock-climbing la varappe
roller-skating le patin à roulettes
rugby le rugby
scouting le scoutisme
to sew coudre
sewing-machine la machine à coudre
to sing chanter
skating le patinage
to skate patiner
skate-board la planche à roulettes
snooker (une sorte de) jeu de billard
sportsman le sportif
sportswoman la sportive
squash le squash
stadium le stade
to collect stamps collectionner les timbres-poste
swimming la natation
swimming-pool la piscine
to play table-football jouer au baby-foot
to play table-tennis jouer au ping-pong
tape-recorder le magnétophone
tape (for recording) la bande (magnétique)
team une équipe
tennis le tennis
theatre le théâtre
toboggan la luge
toy le jouet
track (e.g running) la piste
training l'entraînement (m)
transistor radio le transistor
TV la télévision
TV set le téléviseur
to go for a walk se promener
to take the dog for a walk promener le chien
video games les jeux vidéos (mpl)
volleyball le volleyball
waterskiing le ski nautique
windsurfer la planche à voile
wrestling la lutte
Youth Club le Club des Jeunes, la Maison des Jeunes

THE MEDIA LES MÉDIA

advert (newspaper) une annonce
advert (on TV) un spot publicitaire
announcer le speaker/la speakerine

cartoon (strip) une bande dessinée
cartoon (film) un dessin animé
channel la chaîne
comedy une comédie
comic la BD (bande dessinée)
daily paper un quotidien
documentary un documentaire
headline le titre
magazine un magazine/une revue/un illustré
monthly mensuel
news les informations/les actualités/les nouvelles (fpl)/le Journal (TV)
newspaper le journal
opinion poll un sondage
programme une émission
quizzes les jeux-concours (mpl)
radio la radio
transistor radio un transistor
serial un feuilleton
sports page la page des sports
TV la télévision
TV set le téléviseur
variety show les variétés (fpl)
video-recorder un magnétoscope
walkman les écouteurs (mpl)
weather forecast la météo
weekly hebdomadaire

Current affairs L'actualité

Here are some useful words which you might encounter in passages of a journalistic nature.

the French Assembly (the equivalent of the British House of Commons) l'Assemblée Nationale
House of Commons la Chambre des Communes
immigrant un immigré
king le roi
mayor le maire
minister le ministre
news les actualités, les informations (fpl)
party le parti
percentage le pourcentage
politics la politique
Prime Minister le Premier ministre
queen la reine
rise une augmentation
strike la grève
trade union le syndicat
unemployment le chômage
unemployed person le chômeur, la chômeuse
war la guerre

PERSONAL IDENTIFICATION L'IDENTITÉ

name: **Je m'appelle** . . .
age: **J'ai** (e.g seize) . . . **ans**
address: **J'habite** (à) . . .
date of birth: **Je suis né(e)** . . . (e.g le vingt-trois novembre dix-neuf cent soixante et onze)
telephone number: **Mon numéro de téléphone est** . . .
nationality: **Je suis** (e.g. anglais/e, écossais/e, gallois/e, irlandais/e).

Descriptions Les descriptions

build la taille
medium build la taille moyenne (e.g. Je suis de taille moyenne)
big grand(e)
little petit(e)
fat gros(se)
thin mince
eyes les yeux (mpl)
blue eyes les yeux bleus (e.g J'ai les yeux bleus)
brown eyes les yeux marron
green eyes les yeux verts
grey eyes les yeux gris
hair les cheveux (mpl)
blond hair les cheveux blonds (e.g. J'ai les cheveux blonds)
brown hair les cheveux bruns
red hair les cheveux roux
curly hair les cheveux frisés
long hair les cheveux longs
short hair les cheveux courts
straight hair les cheveux plats
handsome beau/belle
pretty joli(e)
ugly laid(e)

THE FAMILY LA FAMILLE

adult un(e) adulte
aunt la tante
baby le bébé
bride la nouvelle mariée
bridegroom le nouveau marié
brother le frère
cousin le (la) cousin(e)
daughter la fille
daughter-in-law la belle-fille
elder aîné(e)
father le père
father-in-law le beau-père
granddaughter la petite-fille
grandfather le grand-père
grandmother la grand'mère
grandson le petit-fils
grown-ups les grandes personnes (fpl)
husband le mari, l'époux (m)
kids les gosses (m and fpl)
mother la mère
mother-in-law la belle-mère
nephew le neveu
niece la nièce
parents les parents (mpl)
relatives les parents
sister la soeur
sister-inlaw la belle-soeur
son le fils
son-in-law le beau-fils, le gendre
uncle l'oncle (m)
widow la veuve
widower le veuf
wife la femme, l'épouse (f)
younger (e.g sister, brother) cadet(te)
young people les jeunes gens (mpl)

FRIENDS LES AMIS

friend un ami/une amie
friend un camarade/une camarade

best friend meilleur(e) (e.g. ma meilleure amie)
pal/chum un copain/une copine

PETS
LES ANIMAUX DOMESTIQUES

budgie la perruche
cat le chat/la chatte
dog le chien/la chienne
alsatian le berger allemand
poodle le caniche
sheepdog le chien de berger
spaniel un épagneul
dove la colombe
donkey un âne
fish les poissons (mpl)
gerbil la gerbille
goldfish le(s) poisson(s) rouge(s)
goat le bouc, la chèvre
guinea pig le cobaye, le cochon d'Inde
hamster le hamster
horse le cheval
mare la jument
mouse la souris
parrot le perroquet
pony le poney
rabbit le lapin
stick insect le phasme
tortoise la tortue

SEASIDE AU BORD DE LA MER

anchor un ancre
to bathe se baigner
bay la baie
beach la plage
beachball le ballon de plage
boat le bateau
bucket le seau
cliff la falaise
coast la côte
crab le crabe
crossing la traversée
deckchair le transa(t)
dinghy le canot
to disembark débarquer
to dive plonger
to drown (se) noyer
to embark s'embarquer
first aid post le poste de secours
to fish pêcher
fisherman le pêcheur
fishing-boat la barque (de pêcheur)
fishing-rod la canne à pêche
holiday-maker un estivant, le vacancier
ice-cream la glace
jellyfish la méduse
jetty/pier la jetée
life-buoy la bouée de sauvetage
life-guard le gardien de plage
lighthouse le phare
mast le mât
to moor amarrer
motor-boat le canot à moteur
navy la marine
oar un aviron
paddle la pagaie
to paddle pagayer (e.g. a canoe), patauger (=to wade)
passenger le passager
passenger-boat le paquebot
rock le rocher, la roche
rowing-boat le bateau à rames
sailing la voile
to go sailing faire de la voile
sailing-boat le voilier, le bateau à voiles, le canot à voile
sailor le marin, le matelot
sand le sable
sandcastle le château de sable
seagull la mouette
ship le navire
shipwreck le naufrage
to be shipwrecked faire naufrage
shore le littoral
shrimp la crevette
spade la pelle
steamer le vapeur
to sunbathe prendre des bains de soleil, se bronzer
sunburn le coup de soleil
sun-lounger le lit de plage
suntan le bronzage
sun umbrella une ombrelle, le parasol
surfboard la planche de surfing
surfing le surfing
to swim nager
swimming costume le maillot de bain
swimming trunks le caleçon de bain
tide la marée
at high tide à marée haute
at low tide à marée basse
water-skiing le ski nautique
to go water-skiing faire du ski nautique
to go windsurfing faire de la planche à voile
yacht le yacht

SERVICES LES SERVICES

Bank La banque

bank card la carte bancaire
bank note le billet de banque
cheque un chèque
cheque book un carnet de chèques
travellers' cheques les chèques de voyage (mpl)
to cash a cheque toucher un chèque
counter le guichet
cash counter la caisse
(loose) change la monnaie
money l'argent (m)
notes les billets (mpl)
pound sterling la livre sterling
to sign signer
visa card la carte bleue

Lost property office
Le bureau des objets trouvés

to lose perdre
lost perdu
camera un appareil
handbag le sac à main
passport le passeport
purse le porte-monnaie
ring la bague
wallet le portefeuille
watch la montre

Post Office Le bureau de poste

(by) airmail par avion
counter le guichet
envelope une enveloppe
form la fiche, la formule, le formulaire
letter la lettre
letter-box la boîte aux lettres
mail le courrier
packet le paquet
parcel le colis
to post a letter mettre une lettre à la poste
postal order le mandat (postal)
postman's bag la sacoche
post card la carte postale
postman le facteur
registered recommandé
stamp le timbre-poste
telegram le télégramme

Telephone kiosk La cabine téléphonique

button le bouton
code l'indicatif (m)
country code l'indicatif du pays
regional code l'indicatif du département
coin la pièce
dial le cadran
to dial composer le numéro
dialling tone la tonalité
directory un annuaire
fire brigade les pompiers (mpl)
number le numéro
numbers les chiffres (mpl)
operator le/la standardiste
police la police
rate le tarif
cheap rate le tarif réduit
the receiver le récepteur/le combiné
to replace the receiver raccrocher
slot la fente
subscriber un abonné
to transfer a call téléphoner en PCV (payer chez vous)

Tourist information office Un office de tourisme/Le syndicat d'initiative

brochure la brochure
information les renseignements (mpl)
leaflet le dépliant
list la liste
. . . **of campsites** des terrains de camping
. . . **of future events** des événements à venir
. . . **of hotels** des hôtels
. . . **of walks** des randonnées
map la carte

SHOPPING LES ACHATS

bag le sac
baker's la boulangerie
bank note le billet de banque
basement le sous-sol
basket le panier
bookshop la librairie
box la boîte
butcher's la boucherie
to buy acheter
cake shop la pâtisserie
cash desk la caisse
(loose) change la monnaie
cheap bon marché
chemist's la pharmacie
cheque le chèque
cheque-book le carnet de chèques
travellers' cheque le chèque de voyage
clothes shop la boutique, le magasin de vêtements
consumer le consommateur
to cost coûter
counter le comptoir
customer le (la) client(e)
dairy la crèmerie, la laiterie
delicatessen la charcuterie
department store un grand magasin
draper's la mercerie, le magasin de nouveautés
drugstore la droguerie
dry cleaner's le pressing
floor (storey) un étage
greengrocer's le marchand de légumes
grocer's une épicerie
groceries les provisions (fpl)
How much? C'est combien? Ça fait combien?
hypermarket un hypermarché, une grande surface
ironmonger's la quincaillerie
jeweller's la bijouterie
launderette la blanchisserie automatique, la laverie
market le marché
money l'argent (m)
newspaper stand le kiosque à journaux
to owe devoir
to pay payer
pork butcher's la charcuterie
pound (weight and money) la livre
price le prix
purse le porte-monnaie
sales les soldes (mpl)
to save économiser
scales la balance
to sell vendre
shelf le rayon
shop assistant le vendeur, la vendeuse
shop window la vitrine, la devanture
to go shopping faire des achats, faire des courses, faire des emplettes
shoe shop le magasin de chaussures
size l'encolure (f) (shirts), la pointure (shoes), la taille (clothes)
special offer une offre spéciale/promotionelle, Promotion
to spend dépenser
stainless steel (adj.) en inox/d'acier inoxydable
stationer's la papeterie
supermarket le supermarché
sweetshop la confiserie
till la caisse
tobacconist's le débit de tabac
trolley le chariot
wallet le portefeuille
watchmaker's une horlogerie
to weigh peser
weight le poids

to go window-shopping faire du lèche-vitrine
to wrap emballer, envelopper

TOWN LA VILLE

avenue une avenue, le boulevard
bank la banque
branch (of a bank) la succursale
bridge le pont
building le bâtiment
bus station la gare routière
busy (e.g. street) animé(e)
campsite le terrain de camping
car park le parking
cathedral la cathédrale
church une église
cinema le cinéma
civic centre le centre civique
concert hall la salle des concerts
crossroads le carrefour, le croisement
district le quartier
factory une usine
fire station la caserne des sapeurs-pompiers
hospital un hôpital
industrial estate la zone industrielle
information centre le syndicat d'initiative
lamppost le réverbère
law court le palais de justice, le tribunal
letter-box la boîte aux lettres
level-crossing le passage à niveau
library la bibliothèque
lost property office le bureau des objets trouvés
market le marché
museum le musée
newspaper stand le kiosque à journaux
outskirts les environs (mpl)
park le jardin public
pavement le trottoir
pedestrian le piéton
pedestrian crossing le passage clouté
pedestrian precinct la voie piétonne, la zone piétonne
police station le commissariat de police, la gendarmerie, le poste de police
public conveniences les toilettes (fpl)
railway station la gare
recreation / sports centre le centre/complexe sportif
roundabout le rond-point
rush hour les heures d'affluence (fpl)
school une école, le collège, le lycée
sign le panneau
sports ground le terrain de sport
sports stadium le stade
square la place
street la rue
suburbs la banlieue, les faubourgs (mpl)
subway le passage souterrain
supermarket le supermarché
swimming-pool la piscine
telephone kiosk la cabine téléphonique
theatre le théâtre
town clock une horloge
town hall l'Hôtel de Ville (large town) (m), la Mairie (small town)
traffic la circulation
traffic jam un embouteillage
traffic lights les feux (mpl)
traffic warden la 'pervenche'
travel agent's une agence de voyages
underground railway le métro
workshop un atelier
Youth Centre le Foyer des Jeunes

TRAVEL LES VOYAGES

Airport L'aéroport

air hostess l'hôtesse de l'air (f)
air sickness le mal de l'air
air terminal une aérogare
control-tower la tour de contrôle
to fly voler
helicopter un hélicoptère
hijacker le pirate de l'air
hijacking le détournement d'avion
jet un avion à réaction
to land atterrir
loudspeaker le haut-parleur
(airport) lounge la salle d'attente
pilot le pilote
plane un avion
runway la piste d'atterrissage
to take off décoller

Bus station La gare routière

bus un autobus
bus stop un arrêt d'autobus
coach le car

Car La voiture

bonnet le capot
boot le coffre
brake le frein
to brake freiner
breakdown la panne
to break down être en panne
breathalyser l'alcotest (m)
bumper le pare-chocs
car une auto, la voiture
to check vérifier
clutch l'embrayage (m)
door la portière
driver le chauffeur
driving-licence le permis de conduire
driving mirror le rétroviseur
engine le moteur
headlamp le phare
garage-owner le garagiste
gear-lever le (levier de) changement de vitesse
to change gear changer de vitesse
horn un avertisseur, le klaxon
to sound the horn klaxonner
indicator light le clignotant
lorry le camion
mechanic le mécanicien
moped le cyclomoteur, le vélomoteur
motorbike la motocyclette
motorway une autoroute
mudguard le garde-boue, le pare-boue
number plate la plaque d'immatriculation
oil l'huile (f)
to park garer, stationner
petrol l'essence (f)

petrol-pump le poste d'essence
to fill up with petrol faire le plein d'essence
petrol-tank le réservoir à essence
puncture la crevaison, le pneu crevé
radiator le radiateur
to repair (after a breakdown) dépanner
roof rack la galerie
safety belt la ceinture de sécurité
seat le siège
bench-seat la banquette
scooter le scooter
second-hand car la voiture d'occasion
service station la station-service
side light le feu de position
spare wheel la roue de secours
speed la vitesse
steering-wheel le volant
step le marchepied
toll le péage
tyre le pneu
to pump up a tyre gonfler un pneu
van la camionette
window la glace
windscreen le pare-brise
windscreen wiper un essuie-glace

Railway Le chemin de fer

arrival une arrivée
booking-office le guichet
compartment le compartiment
first-class compartment un compartiment de première classe
second-class compartment un compartiment de seconde classe
non-smoking compartment un compartiment non-fumeur
smoking compartment un compartiment pour fumeurs
connection la correspondance
departure le départ
dining-car le wagon-restaurant
door la portière
engine la locomotive
entrance une entrée
exit la sortie
French railway network la SNCF (Société des Chemins de Fer Français)
guard le chef de train
high speed train le TGV (train à grande vitesse)
information bureau le bureau de renseignements
journey le voyage
(short) **journey** le trajet
left-luggage office la consigne
level-crossing le passage à niveau
line/track la voie
luggage les bagages (mpl)
luggage-rack le filet à bagages, le porte-bagages
luggage-van le fourgon à bagages
to miss (e.g. a train) manquer (le train)
passenger le voyageur
platform le quai
porter le porteur, un employé
railway station la gare
rate/price le tarif
reduced rate le tarif réduit
refreshment-room le buffet
to reserve réserver
sleeping-car le wagon-lit
to date stamp composter
station master le chef de gare
suitcase la valise
ticket le billet
single ticket un aller simple, le billet d'aller
return ticket un aller et retour, le billet d'aller et retour
ticket collector le contrôleur
time-table un indicateur
train le train
commuter train le train de banlieue
express train le rapide
non-stop train le train direct
trolley le chariot
trunk la malle
underground railway le Métro
underground station la station de métro
waiting-room la salle d'attente

General terms Termes Généraux

abroad à l'étranger
bicycle la bicyclette, le vélo
English Channel la Manche
customs la douane
customs officer le douanier
customs scanner le détecteur
ferry le ferry
frontier la frontière
to hitch-hike faire de l'auto-stop
hovercraft un aéroglisseur, un hovercraft
identity card la carte d'identité
luggage trolley le chariot
passenger le voyageur, le passager (air/sea travel)
passport le passeport
passport control le contrôle des passeports
to set off se mettre en route
taxi le taxi
ticket le billet
travel agency une agence de voyages
youth hostel une auberge de jeunesse

WEATHER LE TEMPS

What's the weather like? Quel temps fait-il?
It's cold. Il fait froid.
It's dark. Il fait nuit/noir.
It's foggy. Il fait du brouillard.
It's freezing. Il gèle.
It's hot. Il fait très chaud.
It's light. Il fait jour.
It's raining. Il pleut.
It's pouring with rain. Il pleut à verse.
It's snowing. Il neige.
It's sunny. Il fait du soleil.
It's thawing. Il dégèle.
It's thundering. Il tonne.
It's warm. Il fait chaud.
It's windy. Il fait du vent.
The weather is bad. Il fait mauvais temps.
autumn l'automne (m)
in autumn en automne
breeze la brise

bright intervals des éclaircies (fpl)
climate le climat
cloud le nuage
cloudy nuageux, ciel couvert
cold froid
cool frais, fraîche
dawn l'aube (f), le point du jour
dew la rosée
frost la gelée
heat la chaleur
ice la glace
lightning les éclairs (mpl), la foudre
to melt fondre
mist la brume
moon la lune
moonlight le clair de lune
rain la pluie
to rain pleuvoir
shower of rain une averse
rainbow un arc-en-ciel
season la saison
snow la neige
spring le printemps
in spring au printemps
star une étoile
storm la tempête
summer l'été (m)
in summer en été
sunrise le lever du soleil
sunset le coucher du soleil
thunder le tonnerre
thunderstorm un orage
clap of thunder le coup de tonnerre
twilight le crépuscule
weather forecast la météo
wind le vent
winter l'hiver (m)
in winter en hiver

Core Section Summary

In the GCSE examination in French you will be asked to carry out certain tasks which will require certain skills. The core section of this book provides you with the basic information which you will need to carry out these tasks. The later sections which contain examination practice will help you to develop the skills required.

Thorough revision of Grammar/Structures/Notions/Functions/Vocabulary is essential for . . .

UNDERSTANDING written and spoken French

MAKING YOURSELF UNDERSTOOD in French

and of course . . . gaining a high grade in your exam!

5 SELF-TEST UNIT

5.1 Structures and Grammar Revision

ARTICLES AND NOUNS

Give the plural forms of . . .

l'animal le cadeau le cheval le fils le journal l'oeil l'oiseau monsieur madame le timbre-poste

ADJECTIVES

What is the French for . . .? (give both masculine and feminine singular forms)
old pretty big white dear first sweet favourite beautiful new

ADVERBS

What is the French for . . .?
badly happily too much really better often

PRONOUNS

What is the French for . . .?
Who? of which each one anybody someone

CONJUNCTIONS

What is the French for . . .?
when because so since (giving a reason) as soon as

PREPOSITIONS

What is the French for . . .?
amongst before (place) before (time) on the right on foot until on the other side on holiday

VERBS

Present tense

Give the correct form of the following verbs:

1 Il (finir)
2 Nous (manger)
3 Vous (appeler)
4 Je (venir)
5 Elles (aller)
6 Tu (jeter)
7 Elle (vouloir)
8 Nous (commencer)
9 Ils (être)
10 Elles (avoir)
11 Vous (faire)
12 Il (écrire)
13 Tu (savoir)
14 Vous (dire)
15 Nous (se coucher)
16 Je (recevoir)
17 Elles (s'asseoir)
18 Elle (devoir)
19 Ils (connaître)
20 Vous (prendre)

Future tense

Give the correct form of the following verbs:

1 Ils (avoir)
2 Je (pouvoir)
3 Elle (s'asseoir)
4 Vous (venir)
5 Tu (vouloir)
6 Ils (appeler)
7 Nous (faire)
8 Il (falloir)
9 Tu (être)
10 Elles (recevoir)
11 Je (courir)
12 Elle (devoir)
13 Vous (envoyer)
14 Tu (finir)
15 Il (pleuvoir)
16 Elles (répéter)
17 Je (savoir)
18 Nous (apercevoir)
19 Tu (tenir)
20 Nous (cueillir)

Imperfect tense

Give the correct form of the following verbs:

1 Nous (finir)
2 Il (être)
3 Ils (avoir)
4 Vous (aller)
5 Je (faire)
6 Elles (pouvoir)
7 Elle (envoyer)
8 Il (vouloir)
9 Je (jeter)
10 Vous (dire)

Conditional tense

Give the correct form of the following verbs:

1 Je (vouloir)
2 Ils (aller)
3 Nous (être)
4 Tu (pouvoir)
5 Vous (demander)
6 Elle (dire)
7 Elles (avoir)
8 Je (venir)
9 Il (faire)
10 Vous (envoyer)

Perfect tense

Give the correct form of the following verbs:

1 Il (devoir)
2 Elle (s'asseoir)
3 Vous (mettre)
4 Je (suivre)
5 Tu (retourner)
6 Nous (descendre)
7 Elles (voir)
8 Il (prendre)
9 Je (devenir)
10 Nous (vivre)
11 Il (se souvenir)
12 Vous (ouvrir)
13 Tu (connaître)
14 Ils (recevoir)
15 Nous (vouloir)
16 Je (rentrer)
17 Elles (avoir)
18 Elle (craindre)
19 Vous (être)
20 Il (pouvoir)

Past historic tense

Give the English for . . .

1 Ils mirent
2 Je dus
3 Nous prîmes
4 Ils eurent
5 Elle sut
6 Ils virent
7 Elles vinrent
8 Il fut
9 Il fit
10 Elle but

IMPERATIVE AND PRESENT PARTICIPLE

What do the following mean?

1 sachant
2 étant
3 ayant
4 Finis!
5 Sois!

NEGATIVES

Give the French for . . .

I don't like homework.
I never go there.
No one has arrived.
She hasn't eaten anything.

5.2 Functions

1 What would you shout in an emergency if calling for help?

2 What would you say in French if you were agreeing to a suggestion?

3 How would you say to someone that it does not matter?

4 What would you say if you were congratulating someone?

5 If you were giving someone directions in French, how would you tell them to go straight on?

6 How would you say to someone in French 'It's a pity'?

7 How would you tell someone in French that you are very interested in . . .?

8 What would you say in French to an adult to whom you have just been introduced?

9 What would you say in French to express 'See you soon'?

10 How would you tell someone in French that something is not possible?

11 What would you say in French to tell someone that you are very sorry?

12 Give the French for . . . Happy birthday! Cheer up!
Happy New Year! Sleep well!

13 What would you say in French to tell someone that you are sorry but that you don't understand?

14 What would you say in French to tell someone that something is forbidden?

5.3 Notions

Direction/Distance

Give the French for . . .

in the distance
everywhere
on the left
on the right
the north
on the other side
straight on
over there

Place/Position

Give the French for . . .

together
under
nearby

Quality

Give the French for . . .

red (of hair)
leather
stainless steel
wool
lace

Number/Quantity

Say the following aloud in French . . .

13
39
63
84
101

What is the French for . . .?

a bottle of
a jar of
a pound of
a tin of
a packet of

Emotions/Feelings

What is the French for . . .

to be afraid
to bore
to disturb
to enjoy oneself
happy
to laugh
sad
to scold

Time

at last
before (time)
from time to time
half an hour
already
the next morning
later
soon
tomorrow
a long time

Dates/Festivals

to congratulate
Easter
New Year's Day
birthday

5.4 Vocabulary Topic Areas

Give the French for the following words.

Café/hotel/restaurant

breakfast
cup
lift
single room
shower
plate
full board
drink
guest
lunch

Camping

camping equipment
dustbin
pitch
rucksack
water-container
sleeping-bag
camping gas
hammer
tentpeg
campsite

Clothes

belt
jeans
nightdress
pocket
size (clothes)
sleeve
socks
shirt
cardigan
jacket

Countries/nationalities

Belgium
Great Britain
Scotland
Switzerland
Wales
UK
an Austrian (f)
a German (m)
an Indian (f)
a Greek (m)

Countryside

a robin
a swan
the barn
the farmer's wife
a flock
the orchard
the shepherd
the ant
the pebbles
the stream

Daily routine

to have a shower
to brush one's teeth
to catch the bus
to have tea
to go to sleep

Education

chemistry
secondary school
computer science
head
(of a secondary school)
to learn
to draw
time-table
uniform
to study
to pass an exam

Food/drink

bread roll
crisps
grapes
fruit juice
chop
well-cooked steak
veal
Brussels sprouts
yoghurt
salt

Health/illness

a boil
chicken-pox
to have a cold
I feel dizzy
to faint
first aid post
'flu
to sprain
to feel sick
to have a high temperature

Human body

ankle
face
heart
back
wrist
lip
tongue
shoulder
thumb
chin

Accident/injury

Help!
a road accident
to be stung by
to knock over
to break
to cut
a serious accident
stretcher
to trap
to hurt

Home/rooms

block of flats
cupboard
ground floor
caretaker
living room
tenant
to rent
to lock
storey
to clean
tap
soap
bedside table
blanket
shelf
place setting
vacuum-cleaner
record-player
video-recorder
to wash dishes

Garden

path
flowerbed
greenhouse
wheelbarrow
see-saw

Jobs/professions

customs officer
engineer
accountant
housewife
manager
lorry driver
hairdresser
solicitor
staff
unemployed person

Leisure

to play cards
do-it-yourself
hand-gliding
horse-riding
a party (teenage)
potholing
skating
windsurfing
video games
swimming

The media

weather forecast
serial
opinion poll
daily paper
a TV channel

Personal identification

green eyes
red hair
thin
medium build
short hair
ugly
blond hair

Family/friends

granddaughter
nephew
younger
aunt
best friend

Pets

rabbit
tortoise
donkey
spaniel
guinea pig
mouse

Seaside

cliff
deckchair
ice cream
lighthouse
rock
to go sailing
bucket and spade
sun umbrella
to go water-skiing
to sunbathe

Services

to cash a cheque
travellers' cheques
the counter
wallet
camera
letter-box
to post a letter
stamp
to dial
directory
tourist information office
a list of walks

Shopping

bookshop
consumer
jeweller's
newspaper stand
butcher's
basement
How much?
shop window
stationer's
to weigh

Town

information centre
bus station
lost property office
pedestrian crossing
sports centre
district
subway
traffic lights
square
roundabout

Travel

plane
bus stop
air terminal
roof rack
tyre
number plate (of car)
platform
suitcase
return ticket
luggage trolley

Weather

It's snowing
bright intervals
dawn
rainbow
a shower of rain
cloudy
weather forecast
in spring
heat
moonlight

6 EXAMINATION PRACTICE

6.1 Exam technique: how to cope with the unknown

WHEN READING

It is highly unlikely that an exam candidate will know all the vocabulary required in the GCSE examination. Candidates must therefore learn to cope successfully with the five per cent (approx.) of vocabulary not included in the defined content syllabus of their particular Examining Group. Time must be set aside each week, in the months prior to the exam itself, in order to learn and revise all the words that you know may be included in the GCSE examination for your Examining Group.

To cope successfully with those words in the exam which you do *not* know, you should:

1 Use your common sense to put the word(s) into the context of the question being attempted.

2 Remember that titles to questions are there to 'give you a clue' to the content of the questions.

3 Realize that, for comprehension purposes, it is not necessary to know the meaning of every word, so long as you understand the gist of the passage.

4 Try to deduce the grammatical function of the unknown word, e.g. is it a noun, adjective, adverb or verb: Is it linked to a phrase, whose meaning you *do* understand?

5 Relate the unknown word(s) to what you *do* understand in the question/passage and imagine what you yourself would include in that particular context.

6 Learn certain standard patterns used in the formation of words in French.

Prefixes

in-, *im-* often suggest the word 'not':
e.g. *possible/impossible* (as in English)
attendu expected/*inattendu* unexpected
utile useful/*inutile* useless
etc.

Dé- often has the meaning 'dis-':
e.g. *débarquer* to disembark
découvrir to discover

Re- at the beginning of a word often has the meaning 'again':
e.g. *commencer/recommencer* to begin again
prendre/reprendre to retake
etc.

Mi- at the beginning of a word means 'half':
e.g. *temps/mi-temps* half time
chemin/mi-chemin half-way
vitesse/mi-vitesse half-speed
etc.

Sous- adds the meaning 'under(neath)':
e.g. *chef/sous-chef* assistant chief/manager/chef
directeur/sous-directeur assistant manager
dévéloppé/sous-dévéloppé under-developed

Endings

-et/ette often signifies 'little':
e.g. *fille/fillette* little girl
livre/livret small book
etc.

-able—as in English—'able to be . . .':
e.g. *réparer* to repair *réparable* able to be repaired
manger to eat *mangeable* edible

NB *potable* drinkable (derived from the Latin verb)

-eur often indicates the 'doer' of an action:
e.g. *vendre* to sell — *vendeur* sales assistant
déménager to move house — *déménageur* removal man
voler to steal — *voleur* thief

-aine added to a number means 'about . . .':
e.g. *une vingtaine* about twenty
une trentaine about thirty
une centaine about one hundred

Many words which end in *-é/-ée* in French often end in '-y' in English:

e.g. *armée* army
liberté liberty
solidarité solidarity

Similarly, words ending in French in *-i/ie* often end in '-y' in English:

e.g. *parti* party
monotonie monotony
etc.

It is often easy to guess correctly the meaning of words which are similar to English words, even when one or two letters have been changed:

e.g. *-que-* in French '-c/ck/k-' in English
attaquer to attack
risquer to risk

-ou- in French '-o-/-u-' in English
gouvernement government
mouvement movement

-o- in French '-u-' in English
fonction function
nombre number
etc.

Remember also that a ˆ over a letter usually indicates that the letter 's' has been eliminated . . .

e.g. *hôpital* hospital
forêt forest
intérêt interest
etc.

WHEN LISTENING

All the above points for reading also apply, but remember, too, the following:

1 The 'h' at the beginning of a word is silent;

2 the final consonant of a word is often not pronounced;

3 'th' is not pronounced as in English, but usually sounds like a 't' in French;

4 in natural speech, words will 'run together'.

Careful listening techniques must be adopted. As always, plenty of practice in listening to authentic French is very important. Try to listen to French radio for 10-15 minutes each day.

WHEN SPEAKING

In the oral exam, you may be faced with a situation where you have not understood the question which you have just been asked. In this situation, you should ask the examiner either to repeat the question: *Voulez-vous répéter la question, s'il vous plaît?*; or, if you think that you have heard the question, but wish to confirm it, *Vous voulez savoir . . .?*;

or, if you have no idea what you have been asked, be honest and say: *Je regrette, monsieur(madame), mais je ne comprends pas la question.* The examiner will then either rephrase the question or move on to a different question.

WHEN WRITING

The key to success is 'use what you know, understand and can do'. Always be prepared to paraphrase, use alternatives or explain in a different way, using what you know to be correct. After all, this is what we do with our own native language each day.

However, by revising all the core sections in this book you should be able to reduce considerably much of the potentially 'unknown'.

7 THE ORAL EXAM: CONVERSATION

All GCSE Examining Groups set a test in French conversation, both at Basic and Higher levels. All candidates must attempt the Basic Speaking test – 'to respond to unprepared questions on a limited range of clearly defined topic areas; the questions should be unprepared in the sense that they are not specified in advance, although the close definition of the topic areas to be dealt with will make it possible for candidates to practise the types of question which are likely to be asked'. (National Criteria)

For candidates aiming at the award of Grade D and above, additional objectives are necessary. One of these is the Higher-level speaking test – 'to demonstrate the skills listed under Basic Speaking over a wider range of clearly defined topic areas. They should be expected to ask, and respond to, questions relating to a wider range of clearly defined situations which are within the experience and scope of a sixteen-year-old and to conduct a sustained free conversation (i.e. a conversation which has not been rehearsed) on one or more subjects, as specified in the syllabus.' (National Criteria)

7.1 Preparation

1 Check the syllabus requirements for your Examining Group for the level which you will be taking.

2 Check the Topic Areas carefully and learn all the new words given in the Topic Areas section of this book.

3 Prepare a few sentences on each of the topics on which you know that you may be tested. Imagine that you are speaking to a new acquaintance in French. He/she will probably want to know about your home and family, the area where you live, what you like doing in your spare time, where you go on holidays, what you study at school, as well as asking about your name, age, likes and dislikes, etc. . . .

4 Make sure that you can answer the questions listed below but also be prepared to add extra information. In a conversation many questions/answers will depend on what you have already said, and should follow on naturally from what has just been said. The questions below are not the only ones that you might be asked but they represent the variety of questions which may be asked.

7.2 Pronunciation/Intonation

To achieve the highest grades in the Speaking Tests in the GCSE examination, candidates will have to score high marks for pronunciation and intonation as well as to show variety and precision of vocabulary and grammar.

There are several things that you can do to improve your French pronunciation and intonation. Practise the following in the weeks/months before the examination.

1 Listen to as much authentic French as possible – on radio, television, or to any native speaker you know – and try to imitate the sounds that you hear.

2 Remember that French has a rising intonation in a sentence and that the voice does not fall until the end of the sentence. However, do remember also that the voice continues to rise at the end of a question. Practise this by asking questions aloud.

e.g. Tu as quel âge? Tu as froid? etc.

3 Remember that in French the final consonant at the end of a word is rarely pronounced, unless the following word in the same sentence begins with a vowel or 'h' and providing that there is no comma in between.

e.g. Les garçons —here the final 's' on both words should *not* be pronounced.
Les hommes—the 's' of 'les' should be pronounced here, but that of 'hommes' should not. (Remember also that the letter 'h' is never pronounced when it is the first letter of the word.)

4 Practise the French 'u' sound by placing the tip of the tongue near the top of your lower teeth and making your mouth into a perfect closed 'o' shape; do not move the lips whilst producing the 'u' sound.

5 Practise the French 'r' sound by opening the mouth and saying aloud 'ah-ara-ra'. This should sound similar to gargling at the back of the throat.

6 Practise nasal sounds by holding your nose and saying 'un', 'on', etc. Then try to make the same sounds without holding your nose.

As for all parts of the examination, the emphasis is on *practice*. It will be *your* voice that will be heard in the examination. Make sure that what you say sounds as authentically French as possible.

7.3 Conversation Topics

PERSONAL IDENTIFICATION

Basic level and Higher level

Name: Q Comment t'appelles-tu? Comment vous appelez-vous?
A Je m'appelle . . . Je m'appelle Charlotte

Age: Q Quel âge as-tu? Quel âge avez-vous?
A J'ai . . . ans J'ai quinze ans.

Birthday: Q Quelle est la date de ton/votre anniversaire?
A (e.g. Le vingt-sept avril). Mon anniversaire est le 18 mai.

Address: Q Quelle est ton/votre adresse?
A J'habite (e.g. au numéro onze, rue Pasteur, . . .) J'habite à Linton un petit village près de Cambridge

Nationality: Q De quelle nationalité es-tu/êtes-vous?
A Je suis (e.g. Anglais/e, Gallois/e, Ecossais/e, etc.)
Je suis Anglaise

FAMILY

Basic level

1 Combien de personnes y a-t-il dans ta/votre famille? Il y a 4 personnes dans ma famille.

2 Avez-vous/as-tu des frères ou des soeurs? Oui, j'ai un frère.

For physical descriptions of members of your family see **vocabulary topic area: descriptions** (p. 46).

Higher level

You will be expected to answer all the Basic level questions about members of your family and also give information about their personalities.

e.g. Mon frère est très distrait (*absent-minded*).

Ma soeur est très élégante.
. . . égoïste (*self-centred*).
. . . gâté(e) (*spoilt*).
. . . impoli(e).
. . . intelligent(e).
. . . paresseux/paresseuse (*lazy*).
. . . patient(e).
. . . sympathique.
. . . timide, etc.

and to answer such questions as . . .

1 Qui est l'aîné(e)? (*older/oldest*).

2 Qui est le cadet/la cadette? (*younger/youngest*)

3 Tes (vos) frères ont déjà quitté l'école? Que font-ils?

4 Tu as des nièces et des neveux?

as well as give extra information . . .

e.g. Mon père est grand et mince. Il a les cheveux gris coupés très courts. Il est de taille moyenne. Son visage est rectangulaire et il a les yeux sombres. Il porte des lunettes et il a toujours un air renseigné . . .

FAMILY PETS

See **vocabulary topic area:** Pets

Basic level

1 As-tu/avez-vous des animaux domestiques?

2 Comment s'appelle-t-il?

3 Comment est-il?

4 Qu'est-ce qu'il aime manger?

Higher level

You should be able to answer the above questions and give more details about your pets.

e.g. Depuis quand as-tu/avez-vous un chien?
Je l'ai depuis trois ans.

1 Pourquoi préfères-tu/préférez-vous les épagneuls? (*spaniels*).

2 Pourquoi préfères-tu/préférez-vous les poissons rouges?

3 Pourquoi n'aimes-tu pas les chats?

DAILY ROUTINE

See **vocabulary topic areas**

You should be able to give/ask for information about:

times of getting up/going to bed
times of meals
what you do before leaving for school
what you do when you get home from school
what you do at weekends, etc.

Basic level

1 A quelle heure te lèves-tu/vous levez-vous?

2 Qu'est ce que tu as fait/vous avez fait hier soir?

3 Qu'est-ce que tu as fait/vous avez fait samedi dernier?

4 Qu'est-ce que tu as fait/vous avez fait dimanche dernier?

5 Qu'est-ce que tu feras/vous ferez samedi prochain?

6 Où fais-tu/faites-vous vos devoirs?

7 Combien de devoirs as-tu/avez-vous chaque soir?

8 A quelle heure te couches-tu/vous couchez-vous?

9 Est-ce qu'on te/vous donne de l'argent de poche?

10 Comment dépenses-tu/dépensez-vous ton/votre argent de poche?

Higher level

More detailed information is required on the above topic:

e.g. Q Que fais-tu/faites-vous généralement le weekend?
A Je sors avec mes amis. Nous allons souvent en boîte (*night-club*) ou dans une discothèque. Je

passe rarement le samedi soir chez moi. Mais si je rentre tard, mes parents ne sont pas contents. La semaine dernière, par exemple, je suis rentré vers minuit et voilà mon père sur le point d'appeler la police!

1 Que fais-tu/faites-vous généralement avant d'aller à l'école?

2 As-tu/avez-vous un petit emploi pour gagner de l'argent de poche?

EDUCATION

See **vocabulary topic areas**

Candidates should be able to give and ask for information about schools, lessons, activities, facilities and their plans for the future.

Basic level

1. Habites-tu/habitez-vous loin de l'école?
2. Quelles sont les matières que tu étudies/vous étudiez à l'école?
3. Quelle est ta/votre matière préférée?
4. A quelle heure arrives-tu/arrivez-vous à l'école le matin?
5. A quelle heure quittes-tu/quittez-vous l'école?
6. Quels jours de la semaine vas-tu/allez-vous en classe?
7. Quand as-tu/avez-vous l'intention de quitter l'école?
8. Depuis combien de temps apprends-tu/apprenez-vous le français?
9. Combien d'élèves y a-t-il dans ta/votre classe?
10. Combien de cours as-tu/avez-vous le matin à l'école?

Higher level

1. Qu'as-tu/avez-vous l'intention de faire quand tu auras/vous aurez quitté l'école?
2. Veux-tu/voulez-vous me décrire une journée typique à l'école?
3. Comment est ton/votre collège?

FOOD AND DRINK

See **vocabulary topic areas**

Candidates should be able to state their likes and dislikes about food and drink. They should be able to describe typical meals and places where they normally eat, e.g. school canteen, restaurants etc., what they like eating on holiday and to explain to a French visitor the nature of the meal on a menu.

Basic level

1 Qu'est-ce que tu as/vous avez mangé pour le petit déjeuner aujourd'hui?

2 Qu'est-ce que tu as/vous avez bu au petit déjeuner aujourd'hui?

3 Quels sont les repas que tu prends/vous prenez chaque jour et à quelle heure?

4 Quels fruits aimes-tu/aimez-vous?

5 Quels légumes préfères-tu/préférez-vous?

6 Tu rentres/vous rentrez à la maison pour déjeuner?

7 Quand tu étais/vous étiez en vacances en France, qu'est-ce que tu as/vous avez mangé?

8 Qu'est-ce que c'est qu'un 'pudding'?

Higher level

1 Si tu préparais/vous prépariez un pique-nique, qu'est-ce que tu achèterais/achèteriez?

2 Si tu n'avais/vous n'aviez presque plus d'argent, qu'est-ce que tu pourrais/vous pourriez préparer à manger?

3 As-tu/avez-vous jamais suivi un régime? (*go on a diet*).

4 Quel est ton/votre repas favori?

See **role-play section** for further practice (p. 66).

FREE TIME

Candidates should be able to talk about their hobbies and leisure pursuits and to inquire about those of other people. They should be able to give and ask for information about leisure facilities and to express opinions about TV programmes, films, books, etc.

See vocabulary topic area: Les loisirs

Basic level

1 Comment occupes-tu/occupez-vous tes/vos moments de loisir?

2 Quel est ton/votre passe-temps favori?

3 Quel genre de livres préfères-tu/préférez-vous?

4 Quel genre de musique préfères-tu/préférez-vous?

5 Quel genre de films préfères-tu/préférez-vous?

6 Vas-tu/allez-vous souvent au cinéma?

7 Tu joues/vous jouez d'un instrument musical?

8 Que fais-tu/faites-vous le soir après avoir fini les devoirs?

9 Quel est ton/votre sport préféré?

10 Quels sports peut-on pratiquer à l'école?

Higher level

1 Que fais-tu/faites-vous pour te/vous distraire?

2 Si tu sors/vous sortez le week-end, où vas-tu/allez-vous?

3 Tu es/vous êtes sportif/sportive?

4 Qu'est-ce qui t'/vous intéresse à la télé?

HOLIDAYS

See **vocabulary topic areas**

Candidates should be able to talk about where and how they spend their holidays and to ask others about their holidays. They should be able to talk about holiday plans for the future. If you have already been to France, you should be prepared to give details and your impressions of the area in which you stayed.

Basic level

1 Aimes-tu/aimez-vous voyager? Pourquoi.?/Pourquoi pas?

2 Préfères-tu/préférez-vous passer les vacances au bord de la mer ou à la campagne? Pourquoi?

3 Aimes-tu/aimez-vous faire du camping? Pourquoi?/Pourquoi pas?

4 Où es-tu/êtes-vous allé(e)(s) en vacances l'année dernière?

5 As-tu/avez-vous passé des vacances avec un groupe scolaire?

6 Où iras-tu/irez-vous en vacances cette année?

7 Quel pays étranger voudrais-tu/voudriez-vous visiter?

8 Quels pays as-tu/avez-vous visités?

9 Combien de semaines de vacances as-tu/avez-vous par an?

See **role-play section** for further practice on this topic (p. 66).

Higher level

1 Que feras-tu/ferez-vous pendant les grandes vacances?

2 Pourquoi préfères-tu/préférez-vous les auberges de jeunesse?

3 Es-tu/êtes-vous jamais allé en France?

HOME

Basic level

See **vocabulary topic areas**

2 Comment est ta/votre maison?

3 Comment est ta/votre chambre?

You should also be able to describe, in a similar way, the other rooms in your house/flat and the furniture in them.

Higher level

You should be able to answer all the questions at Basic level and also add extra details.

e.g. Combien de pièces y a-t-il au rez-de-chaussée?
Il y en a cinq. Il y a le salon, la salle à manger, la cuisine, la buanderie (*utility room*) et le cabinet de travail de mon père.

1 Si l'on te donnait la permission **d'aménager*** ta chambre, qu'est-ce que tu ferais?

You should also be able to state preferences and give reasons for your choice.

e.g., Q Tu aimes/vous aimez faire le ménage?
Pourquoi/pourquoi pas?
A J'aime me débrouiller (*doing things for yourself/coping*).
J'aime faire la cuisine mais je déteste faire la vaisselle.
Je préfère repasser (*to iron*) le linge que de nettoyer les vitres (*clean the windows*).
Je n'aime pas voir la maison en désordre mais ce que je préfère vraiment c'est passer la journée à ne rien faire!

FURTHER USEFUL VOCABULARY

ranger la chambre/le salon, etc. to tidy up
cirer les planchers to polish the floors
épousseter to dust
éplucher les légumes to peel the vegetables
travailler dans le jardin to work in the garden
tondre la pelouse to cut the grass
balayer to sweep
faire les lits make the beds
laver la voiture wash the car

GARDEN

At both Basic and Higher levels you should be able to describe your garden and also ask about other people's gardens. The amount of detail required for the Higher level will, of course, be greater.

See **vocabulary topic areas**

1 Tu travailles/vous travaillez dans le jardin?
2 Que fais-tu/faites-vous pour aider tes/vos parents dans le jardin?

* aménager = *to furnish/decorate.*

SHOPPING

Candidates should be able to talk about different kinds of shops and the facilities they offer and to express personal opinions and preferences for shopping.

See **vocabulary topic areas**

Basic level

1 Quels magasins y a-t-il près de chez toi/vous?

2 A quelle heure ferment les magasins en Grande Bretagne? En France?

3 Tu préfères/vous préférez faire des achats chez les petits commerçants ou dans un hypermarché? Pourquoi?

4 Qu'est-ce qu'on peut acheter dans les grands magasins en Grande Bretagne?

Higher level

1 Y a-t-il une grande surface près de chez toi/vous? (*superstore*). Si oui, qu'est-ce qu'on peut y acheter?

2 Quels sont les avantages ou les désavantages de la grande surface pour le consommateur? (*consumer*).

TIME AND DATE

See **vocabulary topic areas**

You should be able to give/ask for information about the time of day, opening and closing times, market days, public holidays, etc.

Basic level

1 A quelle heure te lèves-tu/vous levez-vous le samedi?

2 A quelle heure te lèves-tu/vous levez-vous le dimanche?

3 A quelle heure te couches-tu/vous couchez-vous le samedi?

4 A quelle heure quittes-tu/quittez-vous la maison le matin?

5 A quelle heure dois-tu/devez-vous rentrer à la maison le soir?

6 La banque est ouverte à quelle heure?

7 Le magasin ferme à quelle heure?

8 Quel est le jour de marché à Valréas?

9 Que fais-tu/faites-vous le jour de Noël?

10 Que fais-tu/faites-vous pendant les vacances de Pâques?

11 Quelle est la date de ton anniversaire?

12 Comment vas-tu/allez-vous fêter ton/votre anniversaire?

Higher level

At this level, you should be able to deal with more complex ideas of time and date, e.g., to answer questions with ease in the present, perfect and future tenses.

1 Que fais-tu/faites-vous pendant les grandes vacances?

2 Qu'as-tu fait/qu'avez-vous fait pendant les grandes vacances l'année dernière?

3 Que feras-tu/ferez-vous pendant les vacances de mi-trimestre? (*half-term*)

TOWN AND REGION

See **vocabulary topic areas**

Candidates should be able to give information about their home town or village and region. They should also be able to ask others about towns, regions and local amenities. At the Higher level candidates should be able to offer information about regions other than their own and to recommend places of interest to visit.

Basic level

1 Comment est ton/votre village?

2 Comment est ta/votre ville?

3 Tu préfères/vous préférez habiter à la ville ou à la campagne?

4 Quels moyens de transport y a-t-il dans ta/votre région?

5 Qu'est-ce qu'il y a d'intéressant à voir dans ta/votre région?

Higher level

1 Comment est la région où tu habites/vous habitez?

2 Si on veut passer une après-midi intéressante dans ta/votre ville, qu'est-ce qu'il faut voir?

3 Quelles sont les régions touristiques de la Grande-Bretagne qu'il faut visiter?

4 Quelle région préfères tu/préférez-vous en France? Pourquoi?

TRAVEL/TRANSPORT

See **vocabulary topic areas**

All candidates should be able to say how they get to and from school, what means of transport they prefer for journeys other than those to and from school, and to ask for information about public/private transport in France as well as give information about public/private transport in their own country.

Basic level

1 Comment vas-tu/allez-vous à l'école?

2 Tu habites/vous habitez loin de l'école?

3 Tu préfères/vous préférez voyager en voiture?

4 Comment peut-on traverser la Manche? (*English Channel*)

5 Peut-on faire du stop (*hitch-hiking*) en Grande Bretagne?

Higher level

1 Sais-tu/savez-vous faire un trajet en métro?

2 Pourquoi préfères-tu/préférez-vous voyager en avion?

3 Pourquoi préfères-tu/préférez-vous faire des trajets en métro?

See **role-play section** for further practice on this topic (p. 66).

WEATHER

See **vocabulary topic areas**

Candidates should be able to describe and comment on weather conditions at home and abroad and to inquire about weather conditions and climates.

Basic level

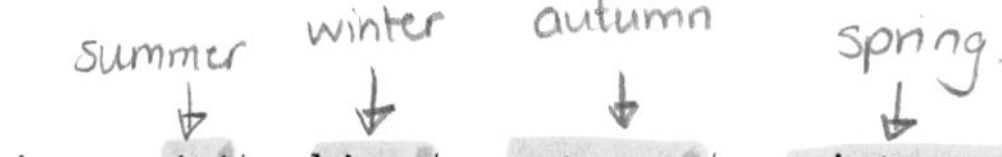

1 Quel temps fait-il dans ta/votre région en été/en hiver/en automne/au printemps?

2 Quel temps a-t-il fait quand tu étais/vous étiez en vacances l'année dernière?

Higher level

1 Fait-il toujours du brouillard en Angleterre?

2 Quel temps va-t-il faire demain?

3 Quel climat préfères-tu/préférez-vous?

4 Quel temps a-t-il fait quand tu étais en France l'année dernière?

8 THE ORAL EXAM: ROLE-PLAY

8.1 Introduction

In this type of oral test the candidate is presented with a situation which he or she would be likely to meet when visiting France. The examiner plays the role of, for example, a stallholder in a market, a petrol-pump attendant or a booking-office clerk, and the candidate is given written instructions (in English) concerning his or her role, e.g. buying fruit, petrol, a railway ticket, etc.

The test will be in the form of a conversation with the examiner. You will be given several minutes before the actual examination to prepare, but part of the examination may be spontaneous, depending on the answers you give. You must be prepared to sustain a conversation in French according to the situation given.

It is very likely that the 'character' with whom you must hold a conversation will need to be addressed in the polite 'vous' form; but always check your instructions carefully in case the 'tu' form is required, i.e. for talking to a member of your family, or friend of your own age.

Remember to use the words 'monsieur' or 'madame' when addressing a stranger in French.

Check carefully Grammar Revision section 35 (pp. 27–8) to make sure that you know how to form questions in French. Many of the role-playing situations require you to ask someone for information.

You may also be asked to give an order in French in certain situations, e.g. sending for the doctor or policeman. Check the Grammar Revision section for this also.

The following phrases will be useful for many different role-play situations:

Pour aller à . . .?	How do I get to . . .?
Y a-t-il . . .?	Is (Are) there . . .?
J'ai besoin de . . .	I need . . .
Il me faut . . .	I need . . .
Je dois . . .	I must . . .
Je peux . . .	I can . . .
Je ne peux pas . . .	I can't . . .
Puis-je . . .	Can I/May I . . .?
Pouvez-vous . . .?	Can you . . .?
Pouvez-vous me dire . . .?	Can you tell me . . .?
Pouvez-vous me dire où se trouve . . .	Can you tell me where . . . is?
Pourriez-vous . . .?	Could you . . .?
Je voudrais . . .	I would like . . .
Je veux/Je voudrais . . .	I want . . .
Je ne veux pas . . .	I don't want . . .
Attendez!	Wait!
D'accord!	All right!
Bien sûr.	Of course.
Entendu.	Of course.
Certainement.	Of course.
Avec plaisir.	With pleasure.
Malheureusement.	Unfortunately.
Excusez-moi.	Excuse me.
Je suis désolé(e).	I am sorry.
Quel dommage!	What a pity!
Quelle chance!	What luck!
Formidable!	Great!
Chouette!	Great!
De rien, monsieur (madame). **Je vous en prie, monsieur (madame).** **Il n'y a pas de quoi, monsieur (madame)**	These expressions are used as a reply when you have been thanked for something. They are the equivalent of 'Don't mention it' or 'My pleasure' or 'Not at all'.

For each of the following situations a list of useful expressions is given, plus some examination role-play questions and specimen answers.

For most situations, a GCSE question from the 1988 examinations has been included. This should give you some idea of the nature and format of questions that you will be expected to tackle in your final examinations.

8.2 Basic Level

SEEKING ACCOMMODATION – CAMPSITE/HOTEL/YOUTH HOSTEL

Useful expressions

Camping

See **vocabulary topic areas**
Avez-vous une place libre, monsieur, pour une tente/une caravane?
Do you have any room for a tent/caravan?
la carte d'identité *identity card*
Où sont les WC et les lavabos? *Where is the toilet and washroom block?*

Hotel

See **vocabulary topic areas**

Est-ce que vous avez des chambres libres, monsieur? *Do you have any vacant rooms, sir?*
une chambre à deux lits (personnes) *a double room*
une chambre à une personne *a single room*
avec salle de bains *with bathroom*
avec douche *with shower*
service compris *service charge included*
le petit déjeuner compris *breakfast included*
la demi-pension *half board*
la pension complète *full board*

Youth hostel (L' auberge de jeunesse)

l'aubergiste/le gardien *the warden*
Avez-vous des lits pour ce soir? *Have you any beds for tonight?*
Est-ce que je peux louer un sac de couchage et des couvertures?
May I hire a sleeping-bag and some blankets?

C'est combien la nuit?
C'est combien par nuit? } *How much is it per night?*

C'est combien par personne? *How much is it per person?*

1 Au terrain de camping

The examiner, who will be playing the role of the campsite warden, will speak first. This is not a translation exercise. Try to make your conversation as fluent and as natural as possible. Wait for the reply in between each part.

Full marks can be obtained in this section only if a suitable form of the verb is used in each part. You must not consult other sources of information nor write anything down.

(a) Ask if there is any room on the campsite for one night.
(b) Say that you are on your own with just a tent.
(c) Ask where the toilets and washrooms are.
(d) Ask where you will be able to buy some bread in the morning.

2 A l'auberge de jeunesse

You arrive at a youth hostel. The examiner is the warden.

(a) Ask the warden if there is any room.
(b) Say that there are three of you.
(c) Say that you would like to hire sleeping-bags.
(d) Ask if the breakfast is included.

3 A l'hôtel

You arrive at a hotel in the evening. The examiner is the hotel proprietor.

(a) Ask if there are any rooms vacant for the night.
(b) Say that you would like a single room with a bathroom.
(c) Ask the price of the room for the night, and when told ask if the breakfast is included.

GCSE Question

You and a friend have just arrived at a hotel. The examiner will play the part of the receptionist.

(a) Say you would like to stay for one night.
(b) Ask if he/she has a room with two beds.
(c) Find out if there is a restaurant.

(d) Say you are leaving early.
(e) Ask if you can pay now.
ULEAC, 1993

ASKING FOR INFORMATION/ASKING THE WAY

Useful expressions

See **vocabulary topic areas**

Le Syndicat d'Initiative *Tourist Information Office*
un plan de la ville *a plan of the town*
une carte de la région *a map of the region*
Pour aller à . . . s'il vous plaît? *How does one get to . . . please?*
tournez à droite *turn to the right*
tournez à gauche *turn to the left*
la première rue à droite *the first street on the right*
la première rue à gauche *the first street on the left*
allez tout droit* *go straight on*
allez jusqu'à . . . *go as far as . . .*
Pouvez-vous m'aider? *Can you help me?*
au bout de . . . *at the end of . . .*
. . . minutes d'ici . . . *minutes from here*
. . . mètres d'ici . . . *metres from here*
de l'autre côté *on the other side*
tout près *quite near*

1 At the Information Bureau

You have just arrived with your family in a small French town where you have rented a cottage for a fortnight. You go to the Syndicat d'Initiative. The examiner will play the part of the person on duty.

(a) Ask if the shops are open every day of the week.
(b) Ask what there is to see in and around the town.
(c) Say that you are very interested in castles and ask if there is one nearby.
(d) Ask how you can get to it.

2 Dans la rue

You are in the street and trying to get to your hotel. The examiner is a passer-by.

(a) Ask the passer-by if he/she can help you.
(b) Ask him/her to tell you the way to the Hôtel Moderne.
(c) Ask if you have to catch a bus to get there.

GCSE Question

Setting: You are at Rouen. You want some help. Your teacher will play the part of a passer-by. You speak first.

(a) Say you would like to go to the cathedral.
(b) Ask if it is far.
(c) Ask if there is a bus.
(d) Ask how much it costs.
(e) Ask where the bus stops.
WJEC, 1993

MEETING PEOPLE/INVITATIONS

Useful expressions

présenter *to introduce*
heureux (heureuse) de faire votre connaissance *pleased to meet you*
enchanté(e) *delighted (to meet you)*
Salut! *Hello!*

'Bonjour/au revoir' should always be accompanied by the person's name or 'monsieur/madame'.

(a) Comment allez-vous? **(b)** Comment vas-tu? **(c)** Ça va?	*How are you?*	**(a)** Polite form used when addressing an adult. **(b)** For a person of your own age, or younger. **(c)** Colloquial form.

A bientôt
A tout à l'heure } *See you soon*

* You must be very careful with the pronunciation of 'droit'. The 't' should not be pronounced, unlike 'droite' where the 't' is pronounced.

A ce soir. *Till this evening*
A demain. *Till tomorrow*
inviter *to invite*

Voulez-vous . . .?
Veux tu . . .? } *Will you?*

Voudriez-vous . . .? *Would you like . . .?*
Je voudrais . . . *I would like . . .*

1 Imagine you have just arrived at the home of your pen-friend in France. His/her mother/father is there to welcome you. Your teacher will play the part of your pen-friend's mother/father.

(a) Say you are pleased to meet her/him.
(b) Say you have two suitcases.
(c) Say you would like lemonade.
(d) Say you are not very hungry.
(e) Thank her/him and say you are very tired.

2 A French friend invites you to go to a party in the evening. The examiner is the friend.

(a) Thank your friend for the invitation and say you would like to go.
(b) Ask your friend at what time the party begins.
(c) Ask him/her where you should meet before the party.

ILLNESS/INJURY

Useful expressions

See **vocabulary topic areas**

NB especially 'J'ai mal à . . .' *I have a pain . . .*
e.g. J'ai mal à la tête. *I have a headache.* J'ai mal aux dents. *I have toothache, etc.*

1 You are staying with your French correspondent and wake up in the morning with toothache. The examiner is your correspondent's mother/father.

(a) Tell your correspondent's mother/father that you do not feel well and that you have toothache.
(b) Tell her/him that you had to take some aspirins during the night.
(c) Ask her/him to telephone the dentist.

2 Imagine you are taken ill on holiday in France. The doctor comes to see you. Your teacher will play the part of the doctor.

(a) You return the doctor's greeting.
(b) Say you have a headache.
(c) Say you are not eating.
(d) When the doctor prescribes tablets ask when you should take them.
(e) Thank the doctor for the prescription and say goodbye.

GCSE Question

You have just stopped a taxi. The examiner will play the part of the driver.

(a) Say you want to go to the hospital.
(b) Say it is not expensive.
(c) Ask if there is a flower shop nearby.
ULEAC, 1993

GARAGE

Useful expressions

See **vocabulary topic areas**

A la station-service

The examiner, who will be playing the role of the petrol-pump attendant, will speak first.

(a) Ask the assistant to fill up the tank.
(b) Ask how much you owe.
(c) Ask if they also sell maps.
(d) Say that you want one of the North of France.

GCSE Question

Setting: You are at a motorway garage. Your teacher will play the part of the petrol-pump attendant.

(a) Say you would like some 4-star petrol.
(b) Ask how much it is.
(c) Ask him/her to fill the tank up.
(d) Ask him/her to check the water.
(e) Say that you would like a litre of oil.
WJEC, 1993

TRAVEL

Useful expressions

See **vocabulary topic areas**

en auto *by car*
en autobus *by bus*
en avion *by plane*
en bateau *by boat*
par le train *by train*
A quelle heure arrive le train de . . .? *When does the train from . . . arrive?*
A quelle heure arrive l'avion de . . .? *When does the plane from . . . arrive?*
A quelle heure part le prochain train pour . . .? *When does the next train for . . . leave?*
Combien de temps faut-il pour aller à . . .? *How long does it take to get to . . . ?*
Faut-il changer de train (d'avion)? *Does one have to change trains (planes)?*

1 A la gare

(a) Say that you want a single, second-class ticket to Paris.
(b) Say that you only have a 100 franc note.
(c) Ask what time the train leaves.
(d) Ask where the waiting room is.

2 Imagine you have just got on a bus in Paris with a friend and you are talking to the driver.

(a) Ask if the bus goes to Notre Dame.
(b) Ask for two tickets, please.
(c) Explain you are students.
(d) Say you haven't any change.
(e) Say you are sorry.

GCSE Question

You are lost in a French town. The examiner will play the part of a passer-by.

(a) Ask the way to the station.
(b) Ask if it is far.
(c) Find out if you can go by bus.
ULEAC, 1993

RESTAURANT/CAFÉ

Useful expressions

See **vocabulary topic areas**

un steak-frites *Steak and chips*
Qu'est-ce que vous avez comme dessert? *What is there for dessert?*
retenir/réserver une table *to reserve a table*

NB Use 'prendre' when you wish to say 'have' in French when speaking of food and drink:
Je prends le petit déjeuner à huit heures. *I have breakfast at eight o'clock.*
Je prendrai un café-crème. *I'll have a white coffee.*

1 A la terrasse d'un café

(a) Say that you would prefer to sit outside.
(b) Ask your friend if he/she would like some croissants.
(c) Call the waiter and order one black and one white coffee.
(d) Agree with your friend and ask how long he/she has been living there.

GCSE Question

You are in a café. The examiner will play the part of a waiter/waitress.

(a) Order an orange juice.
(b) Ask if there are any sandwiches.
(c) Say you do not like cheese.
ULEAC, 1993

2 In a restaurant

You enter a restaurant with three friends. Your examiner will play the part of the waiter or waitress and your friends.

(a) Ask if there is a table for four.
(b) Ask your friends what they would like to eat.
One it seems would like a salad which is not on the menu.
(c) Order the meal and ask the waiter/waitress if it is possible to have a salad.
(d) You have finished your meal. Ask the waiter/waitress for the bill and then ask if the service is included.

CINEMA/THEATRE

Useful expressions

See **vocabulary topic areas**

les comédies *comedies*
les dessins animés *cartoons*
les films d'amour *romantic films*
les films d'aventure *adventure films*
les films d'espionnage *spy films*
les films de guerre *war films*
les films d'horreur *horror films*
les films policiers *thrillers*
les westerns *cowboy films*
un film doublé *a 'dubbed' film*
un film en noir et blanc *a black and white film*
un film sous-titré *a film with subtitles*
une pièce de théâtre *a play*
une pièce de Shakespeare *a Shakespearian play*
la séance a commencé *the film/play has begun.*

1 The examiner, who will be playing the role of your friend, will speak first.

(a) Suggest you and your friend go to the pictures.
(b) Ask your friend to pass the paper. Then say that there is a good film on at the Rex.
(c) Say that you will have to hurry as it starts at 21h.30.
(d) Ask if your friend has enough money.

2 Imagine you and your penfriend are planning to go to the cinema. Your teacher will play the part of your penfriend.

(a) Say you would like to go very much.
(b) Say you would like to see a French film.
(c) Ask if you are going this evening
(d) Ask what time it begins.
(e) Say 'All right', and repeat the time.

GCSE Question

You are at a cinema box-office. The examiner will play the part of the employee.

(a) Ask if it is a funny film.
(b) Find out what time it finishes.
(c) Buy a seat at 30 francs.
ULEAC, 1993

POST OFFICE/TELEPHONING

Useful expressions

See **vocabulary topic areas**
P et T (Postes et Télécommunications) *Post Office*
le jeton *token required when using a phone in a café*
Qui est à l'appareil? *Who is speaking?*
Allô *Hello!* (Used when answering the phone, but not when greeting someone in the street. 'Bonjour' or 'Salut' is then used.)
Ici . . . *This is . . . speaking*
NB téléphoner **à** quelqu'un *to telephone someone*

1 The examiner, who will be playing the role of the post-office assistant, will speak first.

(a) Say you would like to telephone your friend.
(b) The number is Lisieux 62-03-24.
(c) Ask what booth to go to.
(d) Thank him/her and ask how much it costs for three minutes.

2 You are at the post office in France. The examiner is the counter-clerk.

(a) Tell the clerk you would like to send some postcards to England.
(b) Ask how much it is to send a postcard to England.
(c) Ask for five stamps at this price.

SHOPPING

Useful expressions

See **vocabulary topic areas**

1 You are at a fruit and vegetable stall in the market. The examiner is the stallholder.

(a) Tell the stallholder you would like to buy half a kilo of grapes.
(b) Ask if the small peaches are good to eat.
(c) Ask if the oranges are more expensive than the peaches.

2 Chez le boulanger-pâtissier

The examiner, who will be playing the role of a shop assistant, will speak first.

(a) Ask the assistant to give you two large loaves.
(b) Ask how much the strawberry tarts cost.
(c) Say that they are dear, but that you will take one.
(d) Answer 'yes' to the examiner's question and say that you did not have any breakfast.

GCSE Question

Setting: You are in a supermarket in Boulogne. Your teacher will play the part of a shop assistant and will speak first.

(a) Ask where the coffee is.
(b) Ask what coffee he/she prefers.
(c) Say you'll take a kilo of coffee.
(d) Ask how much it is.
(e) Say you like French coffee.
WJEC, 1993

BANK/LOST PROPERTY

Useful expressions

un bureau de change *foreign exchange office;* une livre sterling, une livre anglaise *a pound (£);* toucher un chèque de voyage *to cash a traveller's cheque;* une récompense *a reward*

1 You are at the bank. The examiner is the bank-clerk.

(a) Say you would like to change a traveller's cheque.
(b) Show the clerk your passport and say that the cheque is for £20.
(c) Agree to sign the form and ask where the cash desk is.

2 You are at the Lost Property Office. Your father has lost his wallet. The examiner is the employee at the counter.

(a) Tell the employee that your father has lost his wallet.
(b) Tell the employee that your father lost it this afternoon, outside the town hall.
(c) Tell the employee that it contained 500 francs, some photos and a driving licence.

8.3 Higher Level

GARAGE

1 You are at a garage in France. The examiner will play the part of the attendant.

(a) Say hello and ask for 25 litres of 4-star petrol.
(b) Ask the attendant to check the oil.
(c) Ask him/her to check the water-level.
(d) Say that you have a puncture in the spare wheel and ask if they can repair it today.
(e) Ask how much you owe.

2 Your car has broken down in France and you have to telephone a garage.

(a) Say that the car has broken down and ask if they can send someone.
(b) Say where exactly you have broken down.
(c) Say that you haven't had an accident.
(d) But that you can't start the car.
(e) Ask if they can send a breakdown lorry.

GCSE Question

During a motoring holiday in France you have stopped at a garage for fuel and directions. The examiner will play the part of the pump attendant.

(a) Ask for 200 francs worth of petrol.
(b) Say that you do not want anything else.
(c) Ask if there is a restaurant nearby.
(d) Find out how far away it is.
(e) Ask if you can use the phone.

ULEAC, 1993

SEEKING ACCOMMODATION

Candidates should be able to perform all tasks set for Basic level and also perform more complex tasks, for example, make a complaint, suggest payment by credit card, etc.

Extra vocabulary

porter plainte *To complain (about)*

une carte de garantie bancaire *a bank card*
une carte de crédit *a credit card*

Hotel

You have arrived at your hotel in France. The examiner will play the part of the receptionist.

(a) Give your name and say that you have reserved a room.
(b) Say that you reserved it by telephone, two days ago.
(c) Say that it is a double room with shower.
(d) Ask if you may pay by credit card.
(e) Ask what floor the room is on.
(f) Thank the receptionist.

Camping

You are staying at a campsite which is below the standard that was advertised. You wish to make a complaint to the warden.

(a) Say good-morning to the warden.
(b) Say that you are sorry but that you must make some complaints about the campsite.
(c) Say that your pitch is too near the dustbins.
(d) Say that the showers are dirty, and that there is no hot water.
(e) Say that there is so much noise at night that you cannot sleep.
(f) Say that you will be leaving tomorrow.

Youth hostel

(a) Say hello to the warden.
(b) Ask if there is any room for tonight.
(c) Say that there are four of you, two boys and two girls.
(d) Ask if you can hire sleeping-bags and blankets.
(e) Ask where you can leave your bicycles.
(f) Ask at what time the evening meal is and if there is a telephone.

GCSE Question

You are telephoning a hotel in France in order to make arrangements for a visit in a few weeks time. The examiner will play the part of the hotel owner.

(a) Check that you are speaking to the Hôtel du Commerce near the market.
(b) Explain that you would like to reserve a single room.
(c) Answer both parts of the hotel owner's question.
(d) Give two further details of the type of room you require.
(e) Ask for directions to the hotel.
(f) Say you cannot arrive before midnight.
(g) Ask him/her to send you details of your reservation.
ULEAC, 1993

ILLNESS/INJURY

1 You have witnessed a street accident in France. The examiner will play the part of the policeman.

(a) Say that you were at the corner of the street when the accident happened.
(b) Say that a cyclist turned left without looking where he was going.
(c) Say that he knocked over a lady who was crossing the street.
(d) Give your name and the address of the hotel where you are staying.
(e) Say that the accident happened half an hour ago.

2 You are at the doctor's because you have sprained your wrist. The examiner will play the part of the doctor.

(a) Tell the doctor that you have sprained your wrist.
(b) Say that it is hurting a lot.
(c) Say that you were playing tennis when it happened.
(d) Ask if you need to go to hospital.
(e) Say that you will be returning home next week.

GCSE Question

Setting: Unfortunately your friend was attacked in Paris and £150 was stolen from him/her. You go with him/her to hospital and discuss the attack with a police officer. Your teacher will play the part of a police officer and will speak first.

(a) State your friend's surname and spell it.
(b) Say that the attack was near Notre Dame at midnight.
(c) State that your friend has a broken arm.
(d) Say that you were there, but you were not injured.
(e) Answer the police officer's question.
(f) Say that he was about forty and wore glasses.
WJEC, 1993

ASKING FOR INFORMATION/DIRECTIONS

1 You are travelling by car in France. You stop in a town for directions. The examiner will play the part of a passer-by.

(a) Say 'Excuse me' to the passer-by.
(b) Say that you are almost out of petrol and ask if there is a petrol station nearby.
(c) Ask if it is open all day.
(d) Ask how far it is from Paris.
(e) Thank the passer-by.

2 You are in Paris and trying to find your way back to your hotel.

(a) Say 'Excuse me' to the passer-by.

(b) Say that you are looking for the Rue St Honoré, and ask if it is far.
(c) Ask if you should return on foot or by the metro.
(d) Ask if the taxis are expensive, and where you can find one, please.
(e) Thank the passer-by.

GCSE Question

On holiday in Belgium you stop a passer-by and ask for directions. Your teacher will play the part of the passer-by.

(a) Ask how to get to the railway station.
(b) Tell the passer-by that you are on foot.
(c) Ask if it is far away.
(d) Explain that you are late.
(e) Thank the passer-by and say goodbye.
MEG, 1993

LOST PROPERTY

You are on holiday in France. You have lost your camera. You go to the Lost Property Office. The examiner will play the part of the assistant.

(a) Say good-morning to the assistant.
(b) Say that you have lost your camera.
(c) Say that you lost it in the market square, yesterday evening.
(d) Say that it is a Kodak.
(e) Give the assistant your name and the address of your hotel.

GCSE Question

Setting: You have travelled by train from Paris to Marseilles overnight. When you arrive in Marseilles you find that £100 has been stolen. You complain to the police. Your teacher will play the part of a police officer and will speak first.

(a) Say someone has stolen your money.
(b) Say it was the train from Paris.
(c) State that you woke up at five o'clock and the money had disappeared.
(d) Say you told a police officer on the train.
(e) Answer the police officer's question.
(f) Say no and that you still have your passport.
WJEC, 1993

MEETING PEOPLE/INVITATIONS

1 It is your first evening staying with your penfriend's family in France. The examiner will play the part of your penfriend's mother/father.

(a) Say that you hope to speak a lot of French during your stay.
(b) Say that you hope to improve your French.
(c) Say that you are very tired after your long journey.
(d) Say that you met some French people called Vermorel on the train.
(e) Say that you would like to go to bed and ask at what time you should get up tomorrow.

2 Your French friend (played by the examiner) invites you to go to the cinema.

(a) Say that you would like to go very much.
(b) Say that you have never seen a French film.
(c) Ask if you are going this evening.
(d) Ask at what time the film begins.
(e) Ask if the cinema is far.

GCSE Question

You have just arrived at the house of a French family,where you are going to spend two weeks. You are talking to one of the parents of the family. The examiner will play the part of this person. You speak first. Your tasks are:

(a) To say what a nice house they live in.
(b) To ask how long they have lived there.
(c) To ask where the nearest shops are.
(d) To find out what their mealtimes are.
(e) To ask if they watch TV much.
SEG, 1993

RESTAURANT/CAFÉ

1 You are at a café/restaurant on a hot summer's day. The examiner will play the part of the waiter.

(a) When the waiter shows you to a table say that you would prefer to sit outside in the shade.
(b) Thank the waiter and say that that will do nicely.
(c) Say that you would like something cool to drink.
(d) Say that you will have lemon squash.
(e) Say that you are too hot to eat at the moment.

2 You are at a café in France and think that there is a mistake when given your bill.

(a) Call the waiter.
(b) Ask for the bill.
(c) Say that you think that he has made a mistake.
(d) Say that you only had a white coffee and a cake.
(e) Ask him to check the bill, please.

GCSE Question

You are talking to your pen-friend in France about your families and eating habits. The examiner will play the part of your pen-friend.

(a) Say your sister came to France at Easter.
(b) Answer your pen-friend's question, mentioning two points.
(c) Say she ate a lot of ice cream.
(d) Say she told you to try a "café liégeois".
(e) Ask where you can buy them.
(f) Say you have never been to a French café.
(g) When he/she suggests going to town, say what else you would like to do there.
ULEAC, 1993

SHOPPING

1 You are in a music shop in France. The examiner will play the part of the assistant.

(a) Say good-morning to the assistant and ask where the record section is.
(b) Say that you are looking for the pop records.
(c) Ask what is at the top of the charts this week.
(d) Ask what is the most popular French singer/group.
(e) Ask if you may listen to the record.

2 You are in a department store in France. The examiner will play the part of the assistant.

(a) Say good-morning to the assistant and ask where the T-shirts are.
(b) Ask if they have any T-shirts in yellow.
(c) Ask for your size.
(d) Ask if they have anything cheaper.
(e) Thank the assistant and ask where you should pay.

GCSE Question

Setting: You are at the Galeries Lafayette in Paris. You have a radio-cassette recorder which does not work. You would like the same thing in black. You want to exchange it, if possible. Your teacher will play the part of the salesperson. You speak first.
(a) Say you bought the radio-cassette yesterday.
(b) Answer the person's questions.
(c) Say yes, you want to exchange the radio-cassette.
(d) Say yes and ask if you can have the same radio-cassette in black.
(e) Ask if you can have your money back.
(f) Say you'd like the radio-cassette at 800 francs.
WJEC, 1993

TELEPHONING

You are on holiday in France and need to phone home to Great Britain. You go to the post office to make your call. The examiner will play the part of the assistant.

(a) Say good-morning to the assistant.
(b) Ask if you can telephone to Great Britain from there.
(c) Say that you wish to transfer charges.
(d) Give your name and the number you wish to phone.

POST OFFICE

(a) Say good-morning to the assistant.
(b) Say that you wish to send some letters to England.
(c) Ask how much it is for a letter.
(d) Ask how much it is for a postcard also.
(e) Ask for three stamps for your letters and five stamps for postcards.

GCSE Question

While you are in France, you go into the post office to send some money as a deposit to a campsite. Your teacher will play the part of the counter clerk.

(a) Ask how much it costs to send a letter.
(b) Ask if it is possible to put some money in the letter.
(c) Ask if you can send a registered letter.
(d) Ask if it will arrive before the weekend.
(e) Ask where the letter box is.
MEG, 1993

AT THE TOURIST OFFICE

1 You have gone to the tourist office in a French town. The examiner will play the part of the assistant.

(a) Say good-morning to the assistant.
(b) Ask for a list of the hotels.
(c) Ask if they can recommend a good hotel.
(d) Say that you would like a quiet hotel not far from the town centre.
(e) Ask the assistant how far the hotel is.

2 You are in a tourist office in a French town. You are enquiring about the local area. The examiner will play the part of the assistant.

(a) Say good-morning to the assistant.
(b) Ask if he/she has any information about the local area.
(c) Ask if there are any guided tours.
(d) Ask at what time the castle opens.
(e) Ask if you can get there on foot.

GCSE Question

You are in a tourist information office at 9.30 a.m. enquiring about ways of getting to Perpignan that evening. The examiner will play the part of the employee.

(a) Ask the times of trains to Perpignan.
(b) Say you would like to arrive by 7 p.m.
(c) Explain why you have to be in Perpignan that evening.
(d) When the price is mentioned, ask if there is a reduction for young people.
(e) Find out whether it is cheaper to go by coach.
(f) Ask how long the journey takes.
(g) Reject the employee's suggestion and give a reason.
ULEAC, 1993

TRAVEL

1 You are at the check-in desk. The examiner will play the part of the attendant.

(a) Say that you have two suitcases.
(b) Say that you will carry this bag.
(c) Say that there is a present for your penfriend's father in it.
(d) Say that it cost a lot and you prefer to keep it with you.
(e) Say that you are going to stay in France for three weeks.

2 You are boarding a plane at a French airport. The examiner will play the part of the air-hostess.

(a) Say good-morning and ask where seat 68 is.
(b) Ask at what time the plane will take off.
(c) Ask at what time you will arrive in London.
(d) Ask where you should put your hand-luggage.
(e) Thank the air-hostess.

GCSE Question

Setting: You are at the information centre at the Gare de Lyon in Paris. You want to go to Montpellier to see your pen-pal. You want to leave this afternoon at around two o'clock. Your teacher will play the part of the clerk and will speak first.

(a) Say you would like some information about trains to Montpellier.
(b) Answer the clerk's question.
(c) Ask if you can take the train direct to Montpellier.
(d) Ask the clerk if there are any spare seats.
(e) Ask how much a first-class single ticket costs.
(f) Say yes and ask if there is a restaurant car on the train.

WJEC, 1993

AT THE TRAVEL AGENCY

You are at a travel agency in France. The examiner will play the part of the assistant.

(a) Say good-morning to the assistant.
(b) Say that you would like to visit the Loire valley.
(c) Say that you would like to go by coach.
(d) Say that you would like a list of comfortable hotels which are not too dear.
(e) Say that you would like to stay for about five days.

9 THE ORAL EXAM: ORAL COMPOSITION

9.1 Visual Material

Some candidates may be asked questions in the oral exam on visual/written stimuli. Check the exam syllabus for your examining group to see if you will have to answer such questions.

Here are some examples . . .

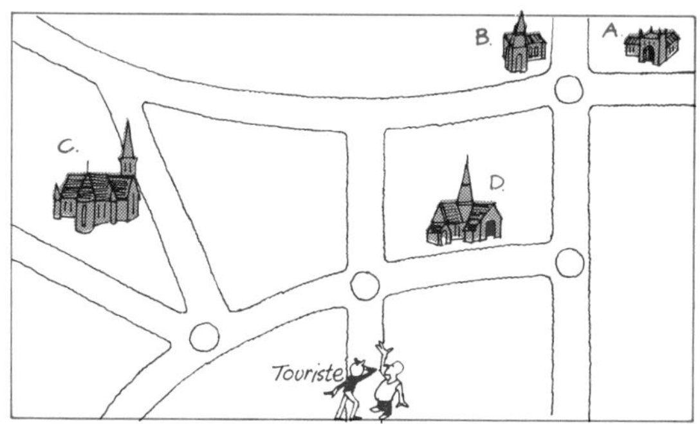

1 A French tourist has asked you the way to Church A. Give him the necessary details in French. *Or*
2 Direct him to Church B. *Or*
3 Direct him to Church C. *Or*
4 Direct him to Church D.

5 Combien de villages y a-t-il sur l'Ile de Ré?
Comment peut-on traverser de La Rochelle à l'Ile de Ré?
Sur quelle île y a-t-il des forêts?
Est-ce que l'Ile D'Aix est plus grande que l'Ile D'Oléron?

ILE D'AIX	ILE D'OLÉRON	ILE DE RÉ
la plus petite des 3 îles 1 village–plages et criques rocheuses Bateau entre Fouras et Aix	30 km de long Plages–Massifs forestiers Port de pêche Port entre ORS et CHAPUS	30 km de long 10 villages–grandes plages et landes sauvages Bac entre La Rochelle et Ré

6 Regardez cet emploi du temps.
A quelle heure commencent les cours du matin?
Combien de leçons a-t-on le samedi matin?
Que fait-on entre midi et deux heures?
Quel jour de la semaine a-t-on une classe de gymnastique?

	lundi	**mardi**	**mercredi**	**jeudi**	**vendredi**	**samedi**
8-9h	maths	anglais	histoire	français	travaux pratiques	maths
9-10h	anglais	sciences naturelles	maths	histoire	gymnastique	anglais
10-11h	travaux manuels	géographie	français	dessin	français	français
11-12h	travaux manuels	français	géographie	dessin	instruction civique	
			L'HEURE DU DÉJEUNER			
2-3h	français	maths	—	maths	anglais	
3-4h	chimie	physique	—	travaux pratiques	maths	
4-5h	chimie	physique	—	musique	perme	

7 Qu'est-ce qu'on peut voir au théâtre de Châteaudun le 18 octobre?
Quand y aura-t-il des promenades guidées dans la région d'Orléans?
Les deux récitals de piano auront lieu où?
Qu'est-ce qu'il y a d'intéressant à Orléans pour ceux qui aiment les fleurs?

CHÂTEAUDUN	ORLÉANS
● Concerts à la Salle des Gardes du Château; rens. (37) 45.22.46. —Orchestre de Chambre Bernard Thomas–**21 septembre**. –Récital piano et violoncelle–**12 octobre**. ● Grand Ballet argentin de Cordoba–Théâtre **18 octobre**; rens. (37) 45.22.46. ● "Lorsque l'enfant paraît" d'A. Roussin–Théâtre–**20 octobre**; rens. (37) 45.11.91.	● Récital piano–Bach, Schumann, Liszt. Salle de l'Institut–**13 Octobre**; rens. (38) 54.02.41. ● Parc Floral: rens. (38) 63.33.17. –Critérium des roses à massif–**Septembre** –Critérium des dahlias–**Octobre**. ● Randonnées découvertes de la nature avec guide: rens. (38) 62.04.88. –le Pithiverais–**20 et 21 juillet**

8 Connaissez-vous ces régions de la France?
Où êtes-vous allé en France?
Où se trouvent les Pyrénées
Qu'est-ce que c'est qu'une roulotte?
Où se trouve la Côte Atlantique?

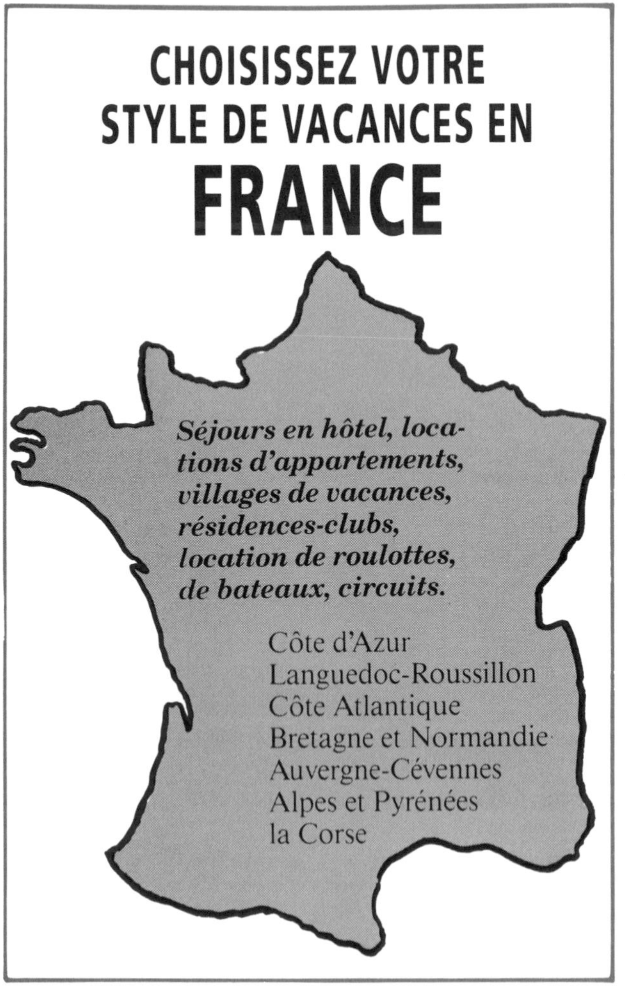
CHOISISSEZ VOTRE
STYLE DE VACANCES EN
FRANCE
Séjours en hôtel, locations d'appartements, villages de vacances, résidences-clubs, location de roulottes, de bateaux, circuits.
Côte d'Azur
Languedoc-Roussillon
Côte Atlantique
Bretagne et Normandie
Auvergne-Cévennes
Alpes et Pyrénées
la Corse

L'Office de Tourisme est à votre disposition pour:

—ACCUEIL–INFORMATION
—RÉSERVATION HOTEL
—VISITES GUIDÉES ET CONFÉRENCES SUR LA VILLE ET LA RÉGION
—ORGANISATION DE CONGRÉS

GRANDES DATES
1988

FEVRIER
Du 10 au 20–Holiday on Ice

MARS
Le 19–Concours de Belote
Du 25 au 28–"4 Jours de l'Automobile"

AVRIL
Le 9–Bal de l'Élection de la Reine

MAI
Du 12 au 15 et de 21 au 23 Semaine de la Voile
Le 29–Cavalcade

JUIN
Le 12–4ème Prix Cycliste du Mail

JUILLET
Festival d'Art Contemporain

AOÛT
Du 26 au 4 septembre Foire Exposition Commerciale

SEPTEMBRE
Du 15 au 19–Grand Pavois

OCTOBRE
Du 14 au 20–"6 Jours de Course à Pied"
Du 28 au 31–Festival du Film de la Voile

9 Peut-on aller à l'Office de Tourisme pour chercher un hôtel?
Qu'est-ce qu'on peut faire du 12 au 15 mai?
Qu'est-ce qu'on va faire le 9 avril?
A quoi peut-on assister au mois de juillet?
Quelle sera une date importante pour les fanatiques de cyclisme?

10 On holiday in the south of France, you spent some time in the town of Arlège. On your return to Great Britain, you tell a French neighbour some of the things you did on your holiday. Your teacher will play the part of the neighbour. Your account should be as full as possible. You need not mention every details mentioned in the notes, but you should include **at least one** of the items in each group.

1 l'arrivée
arriver à Arlège — quand?
le temps qu'il faisait
monter la tente — où?
— à côté des arbres?
préparer le repas

2 premier jour
le tour de la ville
regarder les bateaux — où?
aller au Syndicat d'Initiative — pourquoi?
nager à la piscine
dîner au restaurant — qu'avez-vous mangé?
— qu'avez-vous bu?

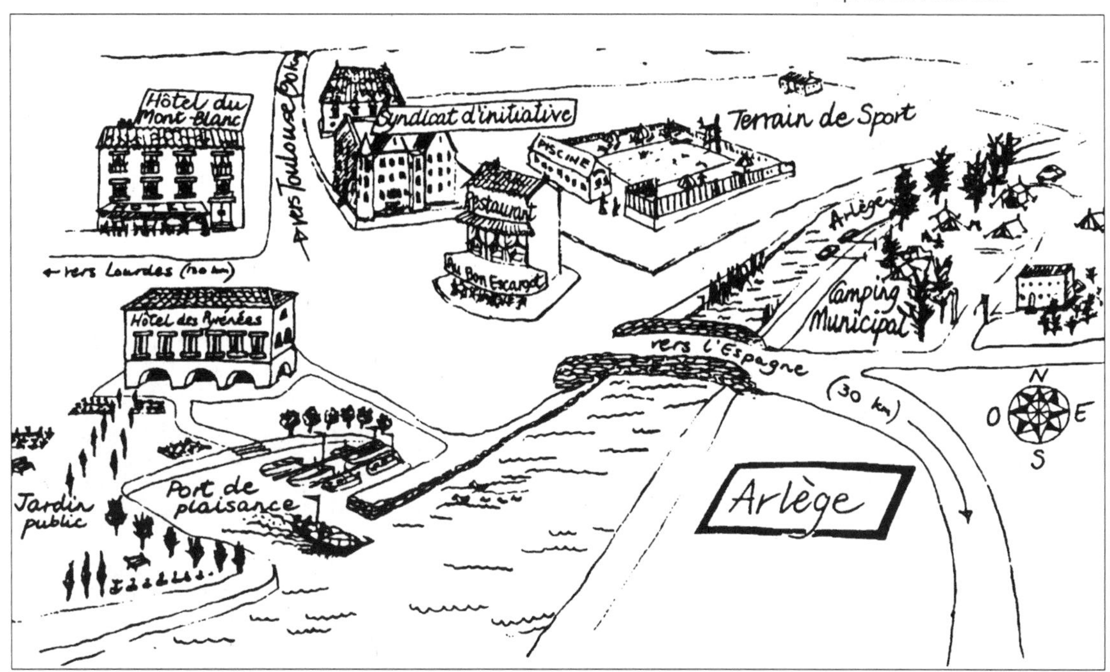

3 excursion en Espagne
prendre le car — à quelle heure?
traverser les Pyrénées — beau paysage
les montagnes et la neige
s'arrêter pour les achats — quoi?
passer une bonne journée
retourner en France

4 troisième jour
mauvais temps
inondation au camping — qu'avez-vous fait?
déménager à un hôtel
laisser sécher les vêtements
quitter Arlège

MEG, 1993

9.2 Photographs

Some examining groups may include a question in the oral exam based on a photograph. You will be asked questions about the photograph which you must answer in French.

Here are some examples but remember that in an oral exam you will not see the questions but only hear them.

1 Qu'est-ce qu'on peut faire ici?
Peut-on y entrer le dimanche?
A quelle heure s'ouvre le magasin le matin?
A quelle heure se ferme-t-il le samedi soir?
Comment s'appelle le supermarché?

2 Quel jour est-ce?
Quel temps fait-il?
Que fait-on?
En quelle saison se passe cette scène?
Qu'est-ce qu'on voit derrière les arbres?

CAMPING CARAVANING
Les Dunes ★★★★
arrete de classement n° 82 DIR 1/4 du 5/1/82

TARIF 85	PRIX PAR JOUR HAUTE SAISON 1/07 AU 31/08	PRIX PAR JOUR BASSE SAISON 1/09 AU 30/06
PAR ADULTE	10,50	7,00
PAR ENFANT DE MOINS DE 7 ANS	6,50	4,50
PAR EMPLACEMENT 100m² une voiture comprise	61,00	47,00
PAR EMPLACEMENT DOUBLE 180m² pour 2 installations 2 voitures double branchement + allee parking	91,70	70,00
GARAGE MORT sur l'emplacement	51,50	2,00
TAXE DE SEJOUR PAR PERSONNE perçue pour le compte de la commune de bretignolles sauf exonérations	1,10	
MACHINES A LAVER le jeton	12,00	12,00
TENNIS l'heure	38,00	28,00

ces prix comprennent l'utilisation gratuite des prestations du camping eau, electricite 4A evacuation des eaux usees sur chaque emplacement douches chaudes, repassage, mini club, television, animation

3 Comment s'appelle le camping?
C'est combien pour jouer au tennis par jour en haute saison?
C'est combien la machine à laver par jour en basse saison?
C'est combien la taxe de séjour par personne?
Peut-on prendre des douches chaudes ici?

4 Où se passe cette scène?
Quel temps fait-il?
Qu'est-ce que la jeune fille demande?
Que fait l'homme?
Comment peut-on traverser la rue?

9.3 The Oral Exam: Summary

The key to success in this part of the exam is . . . PRACTICE. You will not suddenly be able to speak French well by practising for a few days before the exam only.

Begin your revision programme EARLY. Practise . . . EVERY DAY.

Hold imaginary conversations with yourself in FRENCH.

Try to include some new words each time you practise and then REMEMBER them.

If possible, try to find a native speaker who will ask you questions on a regular basis.

Above all . . . BE PREPARED.

10 LISTENING COMPREHENSION

10.1 Preparation

One of the most difficult sections of the GCSE exam to revise on your own is the Listening Comprehension section. You should try to listen to as much authentic French as possible but . . . this is not easy. If possible, try to ask a native speaker to put the following extracts on to tape so that you can actually hear French when you are revising for this part of the exam. Some examining groups may have specimen tapes, which you can obtain, which will give you some idea of the tests which you will have to take.

The best way to prepare for this part of the exam is to spend some time in France, speaking only French. However, you can do quite a lot to revise for this type of test even if you are not able to go to France.

Always LISTEN carefully.

Learn the VOCABULARY TOPICS section carefully.

Use your COMMON SENSE when answering.

Here is an extract from the National Criteria . . .
BASIC LISTENING
'Candidates should be expected . . . to demonstrate understanding of . . . announcements, instructions, requests, monologues (e.g. weather forecasts, news items) interviews and dialogues.'

Here are some specimen questions. Answer them in English.

10.2 Basic Level

A l'aéroport

1 You are on a plane to France when you hear the following announcement:
'Nous survolons la Manche à deux mille mètres. Nous atterrirons à Heathrow dans un quart d'heure. Le temps à Londres est nuageux.'

(a) What are you flying over? The channel
(b) How high are you flying? 2000m
(c) Where will you land? Heathrow
(d) What is the weather like in London? cloudy

2 You are at an airport in France and hear the following announcement:
'Le vol Air France numéro deux cent quarante. Embarquement immédiat, porte numéro onze.'

(a) What is the flight number? (Answer in English) 240
(b) What is about to happen? leave, bard
(c) Where do you have to go? door number 11

A l'hôtel

3 You have arranged to spend the night in a hotel.

(a) What does the receptionist say to your mother?
– Je regrette, madame, mais il n'y a pas de réservation à votre nom. Mais, heureusement, je peux vous offrir une grande chambre pour toute la famille si ça vous convient.

(b) What is the disadvantage of the room? How much does it cost?
– Mother: Est-ce qu'il y a une douche?
– Réceptioniste: Non, il n'y a pas de douche dans la chambre, mais il y a une salle de bain en face.
– Mother: C'est combien?
– Réceptioniste: La chambre coûte deux cent quarante francs par nuit.

(c) At breakfast next morning, you meet a young Frenchman called Jean-Louis. What does he tell you about himself? Why is he in Dieppe?
– J'ai fini mes études à l'université l'année dernière. Maintenant, je fais mon service militaire. J'ai deux jours de congé, donc je suis venu à Dieppe rendre visite à ma grand-mère qui est à l'hôpital.

(**d**) Your parents ask him about where he lives. Where does he come from? Why does he not like it?
– J'habite près de la frontière belge. Il n'y a pas beaucoup à faire. Je préfèrerais habiter en ville.
SEB, 1993

A la douane

You are going through Customs in Québec. The Customs officer asks you the following questions. Explain to your parents, who do not understand French, what you are being asked.
'Votre passeport, s'il vous plaît.'
'Vous n'avez rien à déclarer?'

Au bureau des objets trouvés

You have gone to the lost property office to enquire about a camera that you have lost. The assistant asks you . . .
'Où l'avez-vous perdu?'
'Il est de quelle marque?'
What two questions are you asked?

A la banque

You have gone to a bank in France to change some traveller's cheques. You are told . . .
'Pour toucher un chèque de voyage, il faut aller au guichet marqué "change".
What do you have to do?

Directions

1 You are in France looking for a museum. When asking for directions, you hear . . .
'Pour aller au musée, il faut prendre la première rue à droite.'
What instruction are you given?

2 You are in France looking for the cathedral. When asking for directions, you hear . . .
'Pour aller à la cathédrale, il faut continuer tout droit.'
What instruction are you given?

3 You are looking for the record department in a store.
You are told . . .
'C'est au troisième étage.'
Where is it to be found?

4 You are looking for a particular travel agency and cannot find it. You ask a passer-by for help.

– L'agence de voyages Viarama? Mais son bureau n'est plus ici. Il y a eu un incendie il y a neuf mois. Le bureau se trouve maintenant dans la rue Victor Hugo, en face de la gare.

Exactly where in the rue Victor Hugo is their office now?
ULEAC, 1993

Les visites

1 You are in France on holiday and are in front of a museum. You hear the following announcement.
'Visite guidée du musée, tous les mercredis à quatorze heures. Vous pouvez acheter votre ticket à l'entrée du musée. Durée de la visite: une heure et demie.'

(**a**) On what days can you visit the museum?
(**b**) At what time?
(**c**) How long will the guided tour last?
(**d**) Where can you buy your ticket?

2 You meet your French pen-pal and some friends. They offer some suggestions as to where you can go and what you can do.

– Si on allait à EuroDisney? Ce n'est pas loin et c'est super.
– Mais c'est très cher. C'est deux cent cinquante francs par jour.
– Et il faut bien deux jours pour le visiter.
– Vous avez raison sans doute. Si on allait au cinéma?

(**a**) Why did the first boy want to go to Eurodisney?
(**b**) What were the two objections made by his two friends?
(**c**) What suggestion does he then make?
WJEC, 1993

A l'hôtel/en vacances

1 You arrive at a hotel in France which you have booked in advance. The receptionist speaks to you. What is she saying?
'Votre chambre est au troisième étage. C'est la chambre numéro quarante-deux.'

2 What answer are you given when you enquire about an evening meal?
'Nous n'avons pas de restaurant ici mais il y a un bon restaurant en face de l'hôtel.'

3 The next morning, you switch on the radio to hear the weather forecast. What will the weather be like?
'Aujourd'hui il fera encore froid. Le ciel sera couvert toute la journée.'

4 The hotel receptionist speaks to you as you are leaving the hotel. What is she saying?
'Au revoir. Bonne promenade.'

5 While sight-seeing, you ask a passer-by how to get to the cathedral. What does he tell you?
'Je regrette, mais je ne sais pas. Je ne suis pas d'ici.'

6 A little later in the morning, you realize that you have lost your bag. You go to the lost property office. What does the assistant ask you?
'Où l'avez-vous perdu? Qu'est-ce qu'il y avait dans votre sac?'

7 When you return to your hotel, the receptionist has a message for you. Who is the message from?
'Votre agence de voyages nous a téléphoné.'

8 What problem has arisen?
'Il y aura un délai à l'aéroport demain. L'avion partira à midi au lieu de dix heures.'

Medical situations

1 You want to make an appointment to see the doctor. The receptionist asks.
'C'est urgent? Qu'est-ce que vous avez?
. . . Vous pouvez voir Monsieur le docteur dans un quart d'heure.'

(a) What does the receptionist ask you?
(b) When can you see the doctor?

2 Having consulted the doctor, you are told . . .
'Ce n'est pas grave. Voici une ordonnance. Vous trouverez la pharmacie au coin de la rue.

(a) Is it serious?
(b) What does he give you?
(c) What does he say you will find? Where?

3 You are at the chemist's. When he has made up your prescription the chemist tells you . . .
'Voilà des comprimés. Prenez-en trois par jour.'
What do you have to take and when?

4 You have gone to the dentist's in France because you have toothache. He tells you . . .
'Je vais vous faire un plombage.'
What is the dentist going to do?

Social situations

1 You are arranging to meet a friend, who tells you . . .
'On se recontre à huit heures devant le cinéma.'

(a) Where are you going to meet?
(b) At what time?

2 You meet your French pen-pal and some friends. They offer some suggestions as to where you can go and what you can do.

– Il y a une réduction pour les étudiants au cinéma Gaumont aujourd'hui.
– Oui, je veux bien y aller, surtout si c'est un film d'amour.
– Oh, moi, je préfère les films d'aventure.
– Écoutez tous les deux, c'est notre ami britannique qui va choisir.

(a) What is special about the Gaumont cinema today?
(b) What type of film does the girl want to see?
(c) What type of film does the other friend like?
(d) How do they decide which film to watch?
WJEC, 1993

3 You receive a phone call from your French penfriend . . .
'Allo . . . J'arriverai mardi matin à dix heures à l'aéroport de Heathrow au lieu de lundi après-midi. Il y a une grève à l'aéroport de Lyon.'

(a) When will your penfriend arrive? (Give day and time.)
(b) Where will he arrive?

4 While staying with your penfriend in France, the telephone rings. You answer the phone. This is what you hear . . .
'Allô . . . Ici Jean-Pierre. Tu as envie de sortir ce soir? Dis à Bruno de venir nous rencontrer au café à neuf heures.'

(a) Who is the call from?
(b) What message does he give you?

Travel

1 You are at a railway station in France. You hear the following announcement.
'Le rapide en provenance de Lille est annoncé au quai numéro cinq.'

(a) What train is announced?
(b) Is it arriving or departing?
(c) At which platform is it?

2 'Le train en provenance de Dijon arrivera à onze heures au quai numéro deux. Les passagers à destination de Mâcon sont priés de s'asseoir dans les cinq premiers wagons du train.'

(a) Where is the train coming from?
(b) What time will it arrive?
(c) At which platform?
(d) Where are the passengers for Mâcon asked to sit?

3 'Gare de Rouen. Un quart d'heure d'arrêt.'
How long will the train stop in Rouen?

4 It is the first day of your visit to a French friend. After lunch, your friend has to go to his part-time job, so you decide to go into town by yourself. Your friend's mother gives you some advice.
– Il faut prendre l'autobus – l'arrêt est en face de la maison.

How should you travel into town?
ULEAC, 1992

Tourist information

1 When enquiring about tourist facilities in a French town, you are told . . .
'Il y a une piscine, un complexe sportif et un vélodrome.'
What three facilities are mentioned?

2 You are looking for the youth hostel in a French town. You make enquiries at the tourist information office. You are told . . .
'L'auberge se trouve sur la route nationale trois, à cinq kilomètres d'ici.'
How far away is the youth hostel?

3 Having left the motorway you try to find the hotel where you are to stay.
– L'Hôtel Balladins se trouve devant la gare routière. C'est à deux kilomètres. Heureusement que vous êtes en voiture. Prenez la première à gauche.

(a) Where is the Hotel Balladins?
(b) How far is it?
(c) Which road must they take?
WJEC, 1993

Weather

You are in France, listening to the weather forecast on the radio.

1 'Demain. Temps froid et nuageux dans la région de Grenoble.'
What will the weather be like tomorrow in the Grenoble district?

2 'Ce week-end le temps sera ensoleillé.'
What will the weather be like this weekend?

3 You have just arrived in Calais with your family and you turn on the car radio.
–Voici la météo. Aujourd'hui partout en France, il fait froid,très froid.

What is the weather like in France according to the radio?
WJEC, 1993

10.3 Higher Level

'Candidates should be expected to demonstrate the skills listed under basic listening over a wider range of clearly defined topic areas. They should be able to identify the important points or themes of the material, including attitudes, emotions and ideas which are expressed; to draw conclusions from, and identify the relationship between, ideas within the material which they hear, and to understand a variety of registers, such as those used on radio and TV, in the home, in more formal situations . . .' (National Criteria)

1 Your French friend is describing her school and daily routine to you . . .
'Je suis élève au lycée de Poitiers. Je suis en seconde, section B. J'aime étudier les langues vivantes mais ma matière préférée c'est la biologie. Les cours au lycée commencent à huit heures. Je rentre à la maison à midi puis je reprends les cours à deux heures de l'après-midi jusqu'à cinq heures et demie. J'ai toujours beaucoup de devoirs le soir. Pendant la semaine je travaille jusqu'à onze heures. Le weekend je sors avec mes amis.'

(a) In which form is the speaker? (Give the English equivalent.)
(b) What does she like studying?
(c) What is her favourite subject?
(d) At what time do lessons start in the mornings?
(e) How long does she have for lunch?
(f) Where does she have lunch?
(g) At what time do the afternoon lessons begin?
(h) Until what time?
(i) Why can't she go out in the evenings during the week?
(j) What about the weekends?

2 Your French friend is telling you about his holidays . . .
'Pendant les grandes vacances je suis allé chez mes grands-parents au bord de la mer. J'y suis resté un mois. Royan, la capitale de la Côte de Beauté, est une des stations balnéaires les plus modernes de France. Elle a été reconstruite après les bombardements qui l'ont dévastée en 1945. Il y a une école de voile à Royan où j'ai passé la plupart de mon temps. J'y ai pratiqué aussi la planche à voile, sport très à la mode.'

(a) Where and with whom did the speaker spend his summer holidays?
(b) How long did he stay with them?
(c) Why is Royan one of the most modern holiday resorts?
(d) Where in Royan did the speaker spend most of his time?
(e) What else did he do?

3 You are staying with your French penfriend and he is discussing with another friend where they should take you . . .
Jean-Luc: Il faut profiter de la visite de John pour aller faire une promenade en bateau-mouche.
Pierre-Yves: D'accord. Nous avons mal aux pieds d'avoir tant marché.
Jean-Luc: Tu as l'horaire des bateaux-mouches?
Pierre-Yves: Oui. Sur le buffet. Alors, on peut prendre le bateau à trois heures. La promenade dure une heure et quart. Comme ça nous pourrons rentrer pour prendre le goûter à l'anglaise à cinq heures.

(a) What does Jean-Luc suggest doing?
(b) Why does Pierre-Yves think that this will be a good idea?
(c) Where is the time-table?
(d) How long will the trip last?
(e) Why is this a convenient time?

4 Your French friend is describing her family to you . . .
'J'ai deux frères et une soeur. Mes deux frères sont mariés et j'ai deux petites nièces. Ma soeur a treize ans. Elle est de taille moyenne, et est assez mince. Elle porte des lunettes qu'elle n'aime pas du tout. Elle voudrait porter des lentilles de contact mais mes parents disent qu'elles coûtent trop cher. Mon père est fonctionnaire mais il va prendre sa retraite bientôt. Il a marre de son travail. Ma mère est ménagère. Quant à moi, je voudrais être interprète. C'est un métier qui m'intéresse beaucoup. J'aimerais bien travailler pour la Communauté Economique Européenne. J'étudie deux langues – l'anglais et l'allemand – mais ma langue favorite, c'est l'anglais.'

(a) How many brothers and sisters does the speaker have?
(b) What young relatives besides her sister does she mention?
(c) How old is her sister?

(**d**) Give two details about her sister's physical appearance.
(**e**) What do her parents think are too dear?
(**f**) What job does her father do?
(**g**) What is he going to do soon?
(**h**) What job does her mother do?
(**i**) For whom would the speaker like to work?
(**j**) What is her favourite language?

5 Two French friends are discussing television programmes . . .
Françoise: Tu as vu le film sur France 2 hier soir?
Anne-Marie: Lequel? Celui de Hitchcock?
Françoise: Non. Celui de Jacques Deray, *La Piscine.*
Anne-Marie: Non, malheureusement. Mes parents insistent toujours sur leur choix d'émissions. Nous n'avons qu'un poste, alors, il faut regarder ce qu'ils veulent ou m'enfermer dans ma chambre pour écouter mes disques.
Françoise: Quel dommage! Moi, j'ai un poste portatif dans ma chambre.
Anne-Marie: Quelle veine!
(**a**) On what channel does Anne-Marie think the Hitchcock film was?
(**b**) Give in English the title of the Jacques Deray film.
(**c**) Why can't Anne-Marie always see the programmes that she wants?
(**d**) What does she sometimes do when not watching television?
(**e**) What does Françoise have in her bedroom?
(**f**) What does Anne-Marie think about this?

6 Two French friends are talking about their town and the changes that have taken place.
Guy: Notre ville a bien changé de visage pendant les années quatre-vingts. La construction du parking à plusieurs étages au centre-ville ainsi que le complexe sportif font preuve d'un manque d'intelligence de la part du conseil municipal!
Laurent: Mais toi, tu utilises le parking et le complexe sportif! Tu y joues au squash deux fois par semaine!
Guy: C'est vrai. Mais cela ne veut pas dire que je les accepte esthétiquement.
Laurent: Pour moi, les changements les plus remarquables de notre ville sont l'accroissement des crimes et le vandalisme.
Guy: Et l'accroissement du bruit et de la saleté des rues.
Laurent: Tu te rappelles l'ancien cinéma qui a été remplacé par le supermarché?
Guy: Oui, quand j'étais petit, j'y allais toutes les semaines.
Laurent: Moi, aussi. A l'âge de dix ans je me passionnais pour les westerns mais aujourd'hui je préfère les films de science-fiction.
Guy: Tu sais qu'on passe *La Guerre des Etoiles* à la télé ce soir.
Laurent: A quelle heure, sur quelle chaîne?
Guy: A dix heures sur FR3.
(**a**) During what particular period of time does Guy say that the town has changed?
(**b**) What does he say is proof of the town council's lack of intelligence?
(**c**) Why does Laurent find Guy's answer surprising?
(**d**) How often does Guy play squash?
(**e**) What have been the most noticeable changes for Laurent concerning the town?
(**f**) What two additional changes does Guy then mention?
(**g**) What has the supermarket replaced?
(**h**) Why did Guy know this place well?
(**i**) What type of film does Laurent prefer today?
(**j**) Give in English the name of the film on television that evening. At what time and on what channel?

7 You are with your French friend when he meets another friend in town.
Denis: Salut, Marc. Que fais-tu en ville?
Marc: Salut. J'ai rendez-vous chez le dentiste. J'ai mal aux dents depuis deux jours et je n'en peux plus.
Denis: Le pauvre! Nous, John et moi, nous allons chez Antoine. Il vient d'acheter une moto, une Honda.
Marc: Chouette! Mais dis donc, je croyais qu'il manquait toujours d'argent.
Denis: C'est vrai, mais ses parents lui ont offert la moto pour son anniversaire.
Marc: Qu'il a de la chance! Mes parents disent que je dois gagner de l'argent avant d'acheter une moto. Il a son permis de conduire, Antoine?
Denis: Non, pas encore. Mais sa moto a moins de $50cm^3$ donc il a le droit de la conduire sans permis.
Marc: Alors, mon vieux, je te quitte car je dois être chez le dentiste dans cinq minutes.
Denis: Il va te faire un plombage ou tu veux qu'il arrache la dent?
Marc: N'importe lequel pourvu que je n'aie plus mal aux dents! Au revoir, Marc. Au revoir, John.
(**a**) What is Marc doing in town?
(**b**) Where are John and Denis going?

(c) Why?
(d) Why does Marc find this surprising?
(e) What explanation does Denis have?
(f) Why does Marc think that Antoine is lucky?
(g) Does Antoine have a driving licence? Give a reason for your answer.
(h) Where does Marc have to be in five minutes?
(i) What alternatives face him?
(j) Which will he choose and why?

8 You are seeking information at the railway station about a train from Paris to Lyon. You are told . . .
'Il y a un rapide à 10h 30 et le TGV à midi. Si vous prenez le TGV vous arriverez à 14h 30. Le rapide arrivera à 14h 45. Mais le TGV coûte plus cher que le rapide.'

(a) Which train is the more suitable if you want to get to Lyon as quickly as possible?
(b) Which would you choose if you were looking for the cheapest train available?

9 You are entering a restaurant in France. The waiter says to you . . .
'Bonsoir madame, monsieur. Une table pour deux? Vous préférez une table à la terrasse? En voici une tout près de la porte. Vous voulez commander tout de suite? . . . Deux steaks à point? Bien monsieur.'

(a) Where exactly is your table?
(b) How does the waiter suggest your steaks should be cooked?

10 You hear the following announcement over the campsite loud-speaker . . .
'Bal costumé et feux d'artifice ce soir à 21 heures, près de la piscine. S'il fait mauvais temps le bal aura lieu dans la salle de jeux.'

What is going to take place this evening? (Choose the most appropriate answer.)

(a) A midnight swim.
(b) Fireworks.
(c) Games.
(d) A balloon race.

11 You are in the household department of a large shop in France. You hear the following announcement over the loudspeaker . . .
'Approchez-vous du rayon électro-ménager. Regardez bien les jolis petits gadgets à des prix ridicules. Les prix sont imbattables. Au revoir les longues heures dans la cuisine. Ces gadgets feront tout. Vous n'avez qu'à vous en servir pour retrouver une vie calme et heureuse.'

Give four reasons why you should buy the goods on offer.

12 You are on a guided tour of a French château. The guide is speaking . . .
'Le château de Colombes est situé à vingt kilomètres de Rouvray, dans la vallée de Neufchâtel. L'histoire de ce château remonte au treizième siècle. La tour octogonale et le colombier datent du quinzième siècle. Le parc et les jardins s'étendent sur trois hectares au bord de la rivière.

'Ils servent de cadre à une présentation permanente de sculptures modernes. Le château a été récemment restauré. Dans le grand salon, il y a une exposition d'art moderne et au colombier il y a une exposition de tapisseries d'Aubusson.'

(a) How far from Rouvray is the château?
(b) How far back does the château date?
(c) When was the dove-cote added on?
(d) What was also added at the same time?
(e) What are permanent features of the gardens?
(f) What has happened to the château recently?
(g) Where is the modern art exhibition?
(h) What is in the dove-cote?

13 Here is an extract from a French radio bulletin . . .
'Accident de chemin de fer en Haute-Savoie. Quinze personnes sont mortes, une vingtaine de blessés. L'accident s'est produit sur la ligne Gap/Briançon près du barrage de Serre-Ponçon. Il y a deux hypothèses pour expliquer le tragique accident: la fatigue de la part du mécanicien ou un animal sur la voie.'

(a) How many people have been killed in the accident?
(b) What kind of an accident was it?
(c) How many people have been injured?
(d) Give two details about the location of the accident.
(e) What two possible explanations for the accident are suggested?

14 Here is another extract from a radio bulletin . . .
'Une maladie contagieuse se propage dans la région de Villeneuvre. Des centaines de gens sont déjà atteintes et l'on prévoit un grand accroissement de malades pendant le week-end. Il s'agit d'une maladie à virus non-identifié qui se transmet par contact direct avec les gouttelettes

salivaires. On estime que la moitié de la population âgée de plus de cinq ans risque d'être atteinte. L'incubation dure en moyenne cinq jours mais la période de contagiosité commence deux à trois jours avant l'apparition d'une toux sèche et pénible. En l'absence de complications – les complications graves sont rares – la guérison se fait vers le dixième jour. Le traitement est, paraît-il, inutile hormis une petite prescription de confort contre la douleur et un sirop contre la toux.'

(a) What is happening in the area around Villeneuve?
(b) How many people have already been affected?
(c) What is predicted for the weekend?
(d) How is it transmitted?
(e) What prediction is made concerning the number of people likely to be affected?
(f) What lasts on average about five days?
(g) Are there likely to be serious complications?
(h) What happens about the tenth day?
(i) What appears to be ineffective?
(j) With what exceptions?

10.4 Specimen Examination Questions

1 Listen to this interview in which Marie-Laure, a French student,spending a year in England, gives advice to young people going abroad for the first time.

– Marie-Laure, si vous aviez des conseils à donner aux jeunes gens qui vont à l'étranger pour la première fois, qu'est-ce que vous diriez?
– Tout d'abord je conseillerais de ne pas partir seul parce qu'au cas où il vous arriverait quelque chose, un accident par exemple, vous ne sauriez pas à qui vous adresser.
– Oui, d'accord. Cela est très important. Et qu'est-ce que vous conseilleriez comme méthode de voyage?
– Alors, il faut dire que je conseillerais très fortement aux jeunes de ne pas participer à un voyage organisé. Parce que là, eh bien, on doit respecter des horaires bien précis donc on n'a pas toujours la possibilité de voir ce qu'on veut voir, quoi. En voyage organisé l'horaire a été prévu d'avance et on doit le respecter évidemment.
– Eh bien, quelle est pour vous la méthode idéale de voyage?
– Oui, alors, la méthode idéale, à mon avis, c'est de partir à deux avec quelqu'un avec qui vous vous entendez très bien.
– Vous avez d'autres conseils?
– Oui, oui, bien sûr. A mon avis il est préférable de se renseigner sur les traditions et les habitudes du pays, le mode de vie, quoi, comment les gens réagissent, leur façon de vivre, etc.
– Oui, je comprends, ça c'est très important, très important.
– Eh, un dernier conseil, si vous permettez, un conseil général si vous voulez, c'est de l'importance de se rendre compte quand on est à l'étranger que l'on n'est pas chez soi et que ce n'est pas son propre pays, n'est-ce pas?
– Marie-Laure, je vous remercie bien.
– Je vous en prie.

(a) What is the point of Marie-Laure's first piece of advice?
(b) She seems to suggest that the "organised tour" is:
(Tick one only)
- a cheap and excellent way of seeing a foreign country
- especially suitable for groups of young people
- rather expensive for young people's pockets
- too carefully planned to allow for individual freedom

(c) Describe the ideal way of travelling.
(d) What does she advise people to do before visiting a foreign country?
(e) Her final piece of advice when abroad suggests that you should:
(Tick one only)
- try to speak the language of the country
- keep in contact with people at home
- remember that you are in someone else's country
- look after yourself at all times

MEG, 1993

2 One evening you arrive at a restaurant in France with a French family you are staying with. This is part of the conversation between the father and the waiter who comes to meet you.

Father: On a déjà réservé une table pour quatre personnes mais j'ai oublié de dire que nous voulons la section non-fumeurs. Est-ce que ça peut se faire?

Waiter: Oui monsieur . . . si vous voulez bien me suivre je vous amène à votre table qui se trouve près de la fenêtre . . . vous avez une très belle vue du château qui sera illuminé dans une demi-heure à peu près. J'espère que ça vous ira.

(a) How many persons had the father booked for at the restaurant?
(b) What had he forgotten to mention when booking?
(c) Why did the waiter feel the table by the window would be acceptable?

While the father is considering the wine list your penpal says to you

– On sait que tu n'as pas goûté de vin français chez toi donc on va changer ça ce soir – la région où nous sommes a une très grande réputation en vin – des rouges, des blancs et des rosés – papa va choisir plusieurs bouteilles; donc tu verras le vin qui te plaira le plus, j'espère.

(d) What does the friend say he knows you haven't done at home in Ireland?
(e) What is the father going to do?
NICCEA, 1993

3 While waiting to be served in a delicatessen in France, you listen to the conversation between the shopkeeper and the customer she is serving.

– Alors, deux poulets rôtis, cinq tranches de jambon, et trois petites boîtes de pâté. C'est tout ce qu'il vous faut?
– Oui, merci.

The customer has bought three things.
(a) Give two of them
The customer continues the conversation.

– Vous acceptez les cartes de crédit?
– Oui, bien sûr.
– Tant mieux, c'est tout ce que j'ai pour payer. On s'est fait voler il y a trois jours dans un parking à Montpellier. Les voleurs ont tout pris de la voiture – l'argent, le carnet de chèques, les passeports, nos vêtements, l'appareil photo. C'est surtout l'appareil que je regrette. Il était tout neuf, c'était un cadeau de ma femme, et maintenant on ne verra jamais les belles photos que j'avais prises!

(b) How does he want to pay?
(c) Why?
(d) What does he particularly regret?
(e) He mentions three reasons for this. Give two of them.
ULEAC, 1992

4 A group of French students are spending a week in London and are asked by one of their teachers for their impressions of the city.
Listen to what each of them says and decide which statement from the list best describes his or her opinion. Write after each name the letter of the matching statement. You will not use all the letters. The students are interviewed in the order given.
A – is not very impressed
B – likes it a lot
C – finds it very like Paris
D – dislikes the noise and pollution
E – is impressed by the amount of things to visit
F – finds it friendly

– Alors nous sommes à Londres depuis une semaine maintenant, n'est-ce pas? Qu'est-ce que vous pensez de cette ville? Toi, Carine, tu veux commencer? Que penses-tu de Londres?
– Hé ben, Londres, c'est assez bien je trouve. Enfin, c'est pas mal. Je dois dire qu'il y a beaucoup à voir, les musées,les théâtres, les cinémas, les magasins, les parcs et tout ça. Eh oui, il y a une énorme variété.
– Et toi, François?
– Pour moi, vous voyez, qu'il y a de la campagne, je trouve que Londres est très bruyant. J'aime la ville mais toutes ces voitures, ces taxis, tout ce monde, ce n'est que du bruit et toute la fumée aussi. L'air est si sale.
– Stéphanie, qu'est-ce que tu penses de Londres?

– Ah, c'est sympa. On peut parler avec les gens et ils répondent. Ils sont acceuillants, chaleureux, pas comme Paris où je trouve que les gens sont assez froids en général.
– Et toi, Caroline? Que penses-tu de Londres?
– Bof! Il y a des choses qui sont assez bien comme les parcs, mais il y a d'autres choses que je n'aime pas du tout. Le métro par exemple. Ha, ce n'est pas comme Paris. C'est difficile à dire. Je ne sais pas moi. C'est pas mal, je suppose.
– Merci, Caroline. Et toi, finalement, Christophe. Tu aimes Londres?
– Ah, c'est passionnant, Londres. C'est une ville que j'aimerais visiter très, très souvent. C'est chouette, hein? J'ai passé une semaine formidable ici.

(a) Carine . . .
(b) François . . .
(c) Stéphanie . . .
(d) Caroline . . .
(e) Christophe . . .
MEG, 1993

5 You decide to buy some cards to send home and your pen-pal says to you:
– Il y a un petit magasin sur notre droite en face de la cathédrale.
(a) Where exactly is the shop located that she suggests visiting?

She goes on to say:
– J'ai vu l'autre jour qu'ils avaient beaucoup de cartes postales qui étaient nouvelles – tu auras un très bon choix.
(b) What had the pen-pal noticed there recently?

The shop assistant asks you:
–Vous voulez un petit sac pour les cartes?
(c) What does he ask you?

Your friend invites you to have a coffee and as you sit down outside a café, a waiter says:
– Mesdemoiselles . . . j'arrive tout de suite.
(d) What does he say to you?
NICCEA, 1993

6 While you are in France, you listen to music on local radio late at night. When the news comes on, you listen to see what is happening.
You hear an item about a 15 year-old boy.

– A Strasbourg un garçon de quinze ans a été arrêté pour vol à main armée.
L'adolescent est entré chez une fleuriste et a sorti un revolver qu'il avait trouvé, dit-il, dans une poubelle. Mais en sortant avec tout l'argent de la caisse il n'a pas retrouvé son vélomoteur — on l'avait volé pendant qu'il commettait son crime.

(a) What has the boy been arrested for?
(b) How did he come to have a weapon?
(c) Explain fully why his plan went wrong?
ULEAC, 1993

7 While in France your pen-pal has a discussion with her father.

– Enfin Marie-Claude, qu'est-ce que tu veux dire?
– Eh bien, papa, tu veux bien que je sorte chez Jean-Paul ce soir? J'ai un devoir de mathématiques à faire.
– Ça dépend. Tu seras de retour à quelle heure?
– Oh, je serai à la maison à onze heures. C'est promis.
– Tu sais, c'est déjà trop tard. La ville est dangereuse à cette heure.

(a) Why does she want to go to Jean-Paul's house?
(b) What are her father's two objections to her going there?

– C'est que tu n'aimes pas Jean-Paul.
– Écoute, je n'ai rien contre Jean-Paul. Au contraire, c'est un jeune homme sérieux et poli.
– Tu n'as pas aimé Jacques.
– Ça, c'est vrai. Ton ancien copain, Jacques, c'était un paresseux et il ne respectait personne.
– Dis, papa, tu ne pourrais pas venir me chercher en voiture à dix heures et demie? Comme ça tu ne vas pas t'inquiéter et j'aurai fait mes devoirs.

(c) Why does she think he objects?
(d) What differences does the father see between Jean-Paul and Jacques?
(e) What two suggestions does she make to stop her father worrying?
WJEC, 1993

8 You have gone to France with some friends on a short youth-hostelling holiday. You need to ask for information in a number of different situations and you act as interpreter for your friends.

You have arrived in Dieppe and you ask someone how far it is to the youth hostel.
– L'auberge de jeunesse c'est à quatre kilomètres.
(a) How far is it?

Then you ask how you should get to the hostel.
– Eh, ce n'est pas trop loin. Allez à pied.
(b) How does the man suggest you get there?
When you arrive at the hostel, you ask the warden how much it costs to stay for one night.
– C'est trente-cinq francs la nuit.
(c) How much does it cost for the night?

You ask at what time the evening meal is served.
– Nous servons le dîner à vingt heures.
(d) At what time is it served?
MEG, 1992

9 During your stay in France, you listen to the news.

– Sept personnes ont trouvé la mort hier soir dans une église du Tarn et Garonne. Le faux plafond de l'église de Pampignon est tombé sur le public alors qu'on y donnait un concert de musique de chambre. Il y avait une soixantaine de personnes dans l'église.

(a) What happened to seven people after an accident in Pampignon (Tarn et Garonne)?
(b) Where in the village did the accident happen?
(c) What caused the accident?

En plus des sept morts, il y avait une dizaine de blessés dont sept le sont grièvement. Parmi les morts, le maire de la commune et deux fillettes. L'église qui date du dix-huitième siècle avait été restauré il y avait moins de trois ans. Le Préfet du Département s'est rendu sur place. Une enquête a été ouverte.

(d) How many were seriously injured?
(e) Who were amongst the dead?
WJEC, 1993

10 You are with a group of young French people who are talking about their experience of working.

Chantal talks about her experience of working in a hotel.
– L'été dernier, j'ai trouvé du travail dans un hôtel ici. C'était assez dur comme travail, et je faisais au moins douze heures par jour . . . vous imaginez ça? . . . Et puis, vous savez, quand j'aidais à la réception, les clients, ils n'étaient jamais contents. C'était toujours de ma faute s'il y avait des problèmes. Je n'aimais pas ça.

(a) Give two reasons why she disliked the job.

– Tu as eu de la chance, toi. Tu travaillais à l'intérieur, alors que moi, je vendais des glaces dans la rue.

(b) Marc thinks that the previous girl was lucky. Why?

Josiane seems to like her Saturday job in a delicatessen.
– Moi, ça va, parce que je travaille le samedi dans une charcuterie. J'aide à préparer les plats. Le salaire n'est pas mauvais et puis tous les samedis, je peux emporter chez moi un hors d'œuvre pour notre repas du soir.

(c) What exactly does she have to do?
(d) Give one reason why she is pleased with the job.
ULEAC, 1993

11 While you are in a department store, you hear this shop announcement.
Attention! Attention! Préparez-vous à la rentrée des classes! Ne manquez pas nos soldes dans tous les rayons pendant les mois d'août et de septembre! Profitez des promotions! Les vêtements d'enfants sont à des prix incroyables!

(a) Why is the shop running sales at this time?
(b) In which department will there be especially good bargains?
ULEAC, 1993

12 You are in Brittany on holiday. You tune in to a local radio station and hear a report.
– J'ai fait la connaissance d'un petit garçon, Alexandre, âgé de 12 ans. Sa famille ne pouvait pas lui payer le bus, et pendant quelque temps, il est allé à l'école à pied. Mais dix kilomètres à pied, trois heures de marche tous les matins, c'était trop. Donc il ne va plus à l'école.

(a) Why did Alexandre stop going to school?

– Alexandre est surnommé "Monsieur l'ingénieur", car il fabrique des jouets, par exemple, un petit vélo, une petite moto ou alors une voiture miniature, qu'il vend à des touristes. Avec l'argent qu'il gagne, il espère payer l'école à son petit frère.

(b) What does Alexandre do to earn money?
(c) What does he hope to do with this money?

Les enfants qui vont à l'école sont des privilégiés: seulement 30% à peu près des enfants sont scolarisés. Beaucoup habitent trop loin et, pour d'autres, les familles préfèrent les voir travailler dans la ferme.

(d) Why do so few children go to school?
SEB, 1993

13 You are visiting France with your parents. You are taking the car ferry from Newhaven to Dieppe. Unfortunately, the Channel crossing is rough.

(a) You hear the following announcement. What advice are passengers given?

– A cause du mauvais temps, il est dangereux de sortir à l'extérieur. Les passagers sont priés de rester à l'intérieur du bateau.

(b) Later, you hear another announcement. What two things are you told?

– Le bateau arrive à Dieppe dans cinq minutes. Les passagers sont priés de retourner à leurs voitures.
SEB, 1993

14 Avant de venir, tous ces jeunes ont dû choisir le genre de travail qu'ils voulaient faire pendant leur séjour. Ils ont choisi des emplois très variés – agence de voyage, banque, magasin, Hôtel de Ville, salon de coiffure, par exemple.

Certains ont eu quelque difficultés à s'adapter aux heures de travail – huit heures trente à midi et quatorze heures à dix-huit heures.

(a) Give three types of work undertaken.

(b) What are the working hours.
ULEAC, 1992 (Higher)

15 Une des jeunes Anglaises nous a parlé de leur visite:
– Nous les étudiants avons pris un rôle très actif dans l'organisation et la préparation de la visite. Et maintenant que nous sommes ici on nous laisse la responsabilité de tout arranger nous-mêmes. Les profs nous aident le moins possible. Moi, je trouve que c'est un bon système, car si un jour veux venir travailler en France je saurai comment faire.

(a) What does the English girl say about the roles of (i) the students and (ii) the teachers in making all the arrangements?

(b) Why does she think this is a good system?
ULEAC, 1992 (Higher)

16 'Podium' magazine interviewed French tennis and pop-star Yannick Noah. The passage is in three sections.

Woman 1: Ce disque, c'est un nouveau challenge pour toi?
Noah: C'est un challenge parce que je commence quelque chose de nouveau.
Woman 1: ... Que tu abordes comme une nouvelle compétition?
Noah: Pas du tout justement, le tennis c'est une compétition où on peut battre quelqu'un d'autre. Les chansons, c'est un travail personnel avec plus de liberté et beaucoup moins de restrictions que dans le sport.

(a) In what sense is the record a challenge for Yannick Noah?

(b) What difference does he see between playing tennis and singing?

Woman 1: Pourquoi avoir attendu la fin de ta carrière de tennisman?
Noah: Parce qu'on ne peut pas faire les deux choses en même temps. C'était impossible au niveau de mes planning de tournois!
Woman 1: Ce disque est un bonne façon pour toi d'oublier que tu raccroches la raquette?
Noah: La fin de carrière pour un sportif fait peur. Tout à coup, tu as trente ans et tout le monde te dit que tu es vieux. Alors que toi, tu te sens toujours jeune, en pleine possession de tes moyens. Trente ans, c'est le début de la vie!

(c) Why had he waited until his career as a tennis player was over?

(d) What is frightening for a sportsman?

(e) What difference is there between other people's view of Noah at 30 and his own view?

Woman 1: Ton ex-femme Cecilia avait aussi sorti un disque.
Noah: Oui, une chanson d'un autre, une chanson affreuse. C'est dommage. Elle a une bonne voix.
Woman 1: Ta famille au Cameroun a-t-elle écouté ton disque?
Noah: Oui, évidement, ils sont fans, ils adorent mon disque!
Woman 1: Pouquoi avoir écrit les textes en anglais?
Noah: Tu sais, j'ai vécu cinq ans à New York. En plus sur 100 disques que j'ai chez moi il y en a 95 en anglais. Les classiques pour moi sont en anglais!

WJEC, 1994 (Higher)

17 For part of your holiday you intend to stay at your French pen-pal's. The passage is in two sections.

– Eh bien, j'espère que tout ira bien pendant ta visite chez nous. Voici ta chambre qui est en face de la chambre de mes parents. Ta chambre est à côté de la salle de bains.

(a) Whose bedroom is opposite yours?

(b) What room is next to your bedroom?

– Ma mère voudrait savoir si tu aimes les omelettes? Ecoute, normalement on va au collège en autobus. Ça prend un quart d'heure. On mange à la cantine à midi parce que les repas sont bons.

(c) What food are you asked about?

(d) How do they normally get to school?

(e) Where do they normally have lunch?

WJEC, 1994 (Basic)

11 READING COMPREHENSION

11.1 Introduction

All GCSE examining groups include a reading comprehension test in their common-core objectives. At Basic Level 'Candidates should be expected, within a limited range of clearly defined topic areas, to demonstrate understanding of public notices and signs (e.g. menus, time-tables, advertisements) and the ability to extract relevant specific information from such texts as simple brochures, guides, letters and forms of imaginative writing considered to be within the experience of, and reflecting the interests of, sixteen-year-olds of average ability. Candidates should be required to demonstrate only comprehension, not to produce précis or summaries.' (National Criteria)

As the title (reading comprehension) states, these tests are designed to find out if a candidate is able to understand what he/she reads in French. The emphasis is on *reading* and *understanding*. Careful learning of key topic areas will help you greatly in this type of test. Here are some of the key words and phrases which you are expected to know at Basic Level to demonstrate your understanding of public signs and notices.

11.2 Notices and Signs

PUBLIC NOTICES (GENERAL)

APPUYEZ, APPUYER } press
CONCIERGE caretaker
DÉFENSE DE . . . it is forbidden to . . .
EN DÉRANGEMENT . . . out of order
À DROITE on the right
FERMÉ closed
À GAUCHE on the left
HORS SERVICE out of order
INTERDIT, INTERDICTION DE . . . } forbidden
LIBRE free
NE . . . PAS, NE PAS } don't . . .
OUVERT open
PRIÈRE DE . . . please
. . . PRIÉS DE . . . are requested to . . .
PRIVÉ private
POUSSEZ, POUSSER } push
SAUF . . . except . . .
S.V.P. (S'IL VOUS PLAÎT) please
SORTIE exit
TIREZ, TIRER } pull
TOUT DROIT straight on

NOTICES FOR ACCOMMODATION

ACCUEIL reception
S'ADRESSER À LA RECEPTION ask at the reception desk
APPARTEMENTS flats
AUBERGE DE JEUNESSE youth hostel
CHAMBRES, CHAMBRES LIBRES, CHAMBRES À LOUER } rooms available
CHAMBRES MEUBLÉES furnished rooms
CHAMBRES TOUT CONFORT comfortable rooms
COMPLET full

DOUCHES showers
ÉTAGE floor/storey
GÎTE self-catering accommodation (in the country)
HÉBERGEMENT lodging
LOUER to rent
PETIT DÉJEUNER COMPRIS breakfast included
REZ-DE-CHAUSSÉE ground floor
TÉLÉPHONE DANS TOUTES LES CHAMBRES telephone in every room

NOTICES AT A BANK

BANQUE bank
BUREAU DE CHANGE foreign exchange office
CAISSE cash desk
CAISSE D'ÉPARGNE savings bank
CHANGEUR AUTOMATIQUE / CHANGEUR DE MONNAIE / CHANGEUR DE PIÈCES DE MONNAIE } coin-changing machines
DEVISES (ÉTRANGÈRES) foreign currency
GUICHET counter
Sce ÉTRANGER foreign counter

NOTICES AT CAMP SITES

ACCUEIL reception
BAC À LINGE sink for washing clothes
BAC À VAISSELLE sink for washing dishes
COMPLET full
DOUCHES showers
EAU POTABLE drinking water
EAU *NON* POTABLE water unsuitable for drinking
EMPLACEMENT pitch
LAVABOS wash basins
OBJETS TROUVÉS lost property
POUBELLES dustbins

NOTICES FOR EMERGENCIES

CROIX ROUGE Red Cross
DANGER DE MORT extreme danger
DANGER D'INCENDIE fire danger
POMPIERS / SAPEURS-POMPIERS } Fire Brigade
SECOURS help
ISSUE DE SECOURS / SORTIE DE SECOURS } emergency exit
SECOURS ROUTIERS FRANÇAIS motorway breakdown service
URGENCE emergency

NOTICES FOR PARKING

CAISSE AUTOMATIQUE automatic machine for paying
CÔTÉ DE STATIONNEMENT parking on this side
DÉFENSE DE STATIONNER no parking

DISQUE OBLIGATOIRE compulsory parking disc
DISTRIBUTEUR ticket machine
FAITES L'APPOINT put in the exact money
L'APPAREIL NE REND PAS LA MONNAIE the machine does not give change
GRATUIT free
HORODATEUR ticket machine
LIBRE free
NE PAS STATIONNER do not park
PARC AUTO / PARC DE STATIONNEMENT / PARKING } car park
PARKING SOUTERRAIN underground parking
PARCMÈTRE parking-meter
PARCOTRAIN car park for commuters
PAYANT you have to pay
RÉSERVÉ reserved

STATIONNEMENT ALTERNÉ SEMI-MENSUEL parking allowed on one side alternating bi-monthly
STATIONNEMENT AUTORISÉ parking allowed
STATIONNEMENT BILATÉRAL AUTORISÉ parking allowed on both sides
STATIONNEMENT INTERDIT no parking

STATIONNEMENT RÉGLEMENTÉ parking regulations in force
STATIONNEMENT TOLÉRÉ UNE ROUE SUR TROTTOIR parking allowed with one wheel on the pavement
VÉHICULES DE TOURISME SEULEMENT tourist vehicles only
ZONE BLEUE/DISQUE OBLIGATOIRE parking disc required in blue zone

ZONE D'ENLÈVEMENT DES VÉHICULES vehicles towed away in this zone

NOTICES AT A POST OFFICE

P et T
POSTES ET TELECOMMUNICATIONS } post office
BOÎTE AUX LETTRES letter box

AUTRES DESTINATIONS (letters) for other destinations
GROSSES LETTRES bulky letters
IMPRIMÉS printed matter
HEURES DES LEVÉES collection times
DERNIÈRE LEVÉE last collection
HEURES D'OUVERTURE opening times
TARIF RÉDUIT reduced rate
TIMBRES-POSTE postage stamps

INSTRUCTIONS IN A TELEPHONE KIOSK

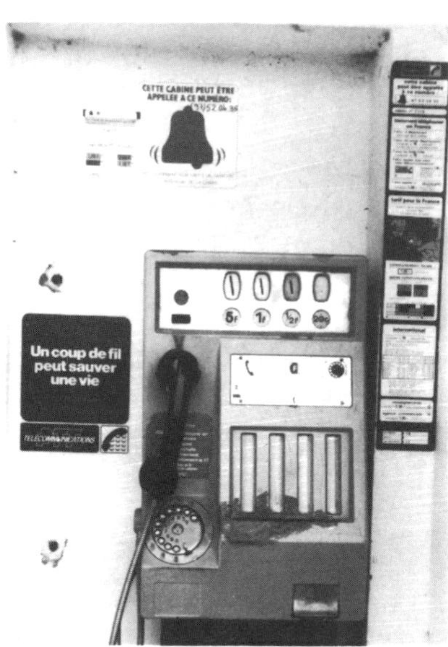

Consulter la carte de taxation ou l'annuaire.
(Please see taxation map or directory.)

Décrocher le combiné.
(Pick up the receiver.)

Attendre la tonalité.
(Wait for the dialling tone.)

Appeler votre correspondant.
(Make your call.)

Au signal, introduire au moins le minimum indiqué sur la carte de taxation.
(When you hear the signal, insert the minimum amount.)

Introduire d'autres pièces si vous désirez poursuivre votre conversation. *Or*
Ajouter des pièces pour prolonger la communication.
(Put in more coins if you want to continue your conversation.)

Au raccrochage, les pièces visibles sont restituées. *Or*
Raccrocher à la fin de la conversation, les pièces restant apparentes vous seront restituées.
(Visible coins are returned after hanging up.)

NOTICES INSIDE PUBLIC BUILDINGS

ASCENSEUR lift
BUREAU D'ACCUEIL reception
CONCIERGE caretaker
DIRECTION manager's office
ENTRÉE entrance
ESCALIER stairs
ÉTAGE 1er first floor (etc.)
PRIVÉ private
RÉCEPTION reception
REZ-DE-CHAUSSÉE ground floor
SALLE room/hall
SANS ISSUE no exit
SONNETTE DE NUIT night bell
SOUS-SOL basement

SIGNS FOR PUBLIC CONVENIENCES

DAMES ladies
FEMMES ladies
HORS SERVICE out of use
LIBRE vacant
MESSIEURS gents
OCCUPÉ engaged
SANITAIRES toilets
TOILETTES toilets
WC PUBLICS public toilets

NOTICES AT A RAILWAY

ACCÈS AUX QUAIS to the platforms

AUTORAIL railcar for local travel
BANLIEUE suburban
BILLETS tickets

BILLETS DISTRIBUTION AUTOMATIQUE tickets from a ticket machine
BUREAU DES OBJETS TROUVÉS lost property office
CHARIOTS trolleys
COMPOSTER to date-stamp
COMPOSTEUR EN DÉRANGEMENT (utiliser un autre appareil pour valider votre billet) ticket stamping machine out of order, use another machine
CONSIGNE left luggage office
CONSIGNE AUTOMATIQUE luggage lockers
CORAIL air-conditioned inter-city trains
CORRESPONDANCES connections
COUCHETTES sleeping cars
GARE station
GARE MARITIME boat terminal
GRANDES LIGNES main line trains
GUICHET booking office
HORAIRES time-tables
IL EST INTERDIT DE TRAVERSER LES VOIES it is forbidden to cross the tracks
MÉTRO underground
PASSAGE SOUTERRAIN subway
POUR VALIDER VOTRE BILLET COMPOSTEZ-LE to validate your ticket, date-stamp it
QUAI platform
RAPIDES fast trains
RENSEIGNEMENTS information
RER (RÉSEAU EXPRESS RÉGIONAL) suburban rail network
SALLE D'ATTENTE waiting-room
SNCF (SOCIÉTÉ NATIONALE DES CHEMINS DE FER FRANÇAIS) the French railway network
SORTIE exit

TAC (TRAIN-AUTOS-COUCHETTES) car sleeper train
TAJ (TRAIN-AUTOS-JOURS) daytime motorail service
TEE (TRANS-EUROPE-EXPRESS)
TGV (TRAIN À GRANDE VITESSE) high speed train
TRAINS EN PROVENANCE DE trains arriving from . . .

NOTICES IN RESTAURANTS AND CAFÉS

ALIMENTATION food
BOISSONS drinks
BRASSERIE restaurant with bar
BUFFET snack bar, e.g. at a station
CASSE-CROÛTES snacks
CRÊPES pancakes

ENTRÉE entrance/first course
FRITES chips
FRUITS DE MER seafood
GLACES ice creams
GRILLADES grills

JAMBON ham
LIBRE-SERVICE self-service
MENU VACANCES special menu for holidaymakers
MOULES mussels
PLATS CUISINÉS cooked meals
PLATS À EMPORTER take-away food
PLAT DU JOUR today's speciality
POULET chicken
REPAS COMPLET complete meal
REPAS RAPIDES quick meals
REPAS À TOUTES HEURES meals at all hours
RELAIS ROUTIERS transport cafés which serve good cheap meals

SALON DE THÉ tea room
SAUCISSES sausages
SERVICE COMPRIS service charge included
STEAK FRITES steak and chips
VIN DU PAYS local wine

ROAD/STREET SIGNS

ACCÔTEMENT IMPRATICABLE/NON STABILISÉ soft verges
AIRE / AIRE DE REPOS lay-by
ATTENDEZ wait
ATTENTION ENFANTS watch out for children
AUTOROUTE motorway
BISON FUTÉ traffic information (available where there is a Red Indian sign)
CARS EN CORRESPONDANCE shuttle service buses connecting stations
CÉDEZ LE PASSAGE give way

CHAUSSÉE DÉFORMÉE uneven road surface
CÔTÉ DE STATIONNEMENT parking on this side
D (on yellow background) 'route départementale'/secondary road
DÉFENSE DE STATIONNER no parking
DÉVIATION OBLIGATOIRE compulsory diversion
ENTRÉE entrance
FIN DE ZONE BLEUE end of parking area requiring a blue disc
FIN DE CHANTIER end of roadworks
INTERDICTION DE TOURNER À DROITE no right turn
INTERDICTION DE TOURNER À GAUCHE no left turn
INTERDIT forbidden
ITINÉRAIRE BIS secondary route
ITINÉRAIRE CONSEILLÉ / ITINÉRAIRE RECOMMANDÉ alternative route
N / RN (on red background) 'route nationale' main road
PARKING GRATUIT free parking
PARKING SOUTERRAIN underground parking
PASSAGE INTERDIT no entry
PASSAGE PROTÉGÉ you have the right of way
PASSEZ pass
P (PAYANT) pay and display car park
PÉAGE toll
PÉRIPHÉRIQUE ring road
PIÉTONS pedestrians
PL (POID LOURDS) heavy/long vehicles
PRIORITÉ priority/right of way
PRIVÉ private

RALENTISSEZ slow down
RAPPEL reminder
ROCADE by-pass
ROULEZ AU PAS drive very slowly
ROULEZ LENTEMENT drive slowly
ROUTE BARRÉE road blocked
RUE PIÉTONNE pedestrian precinct
SENS INTERDIT no entry
SENS UNIQUE one way street
SERREZ À DROITE keep to the right
SECOURS ROUTIER roadside phones to summon assistance
SORTIE DE CAMIONS lorries emerging
SORTIE D'ÉCOLE schoolchildren emerging
SORTIE DE SECOURS emergency exit
STATIONNEMENT ALTERNÉ BI-MENSUEL parking on alternate sides of the road every half month
STATIONNEMENT BILATÉRAL AUTORISÉ parking allowed on both sides of the road
STATIONNEMENT TOLÉRÉ UNE ROUE SUR TROTTOIR parking allowed with one wheel on the pavement

STATIONNEMENT INTERDIT no parking
NE STATIONNEZ PAS no parking
NE PAS STATIONNER no parking
NI VITESSE NI BRUIT drive slowly, don't make any noise
TRAVERSEZ cross
NE TRAVERSEZ PAS don't cross
VÉHICULES LENTS slow vehicles
VOIE PIÉTONNE pedestrian zone
VOIE UNIQUE single lane

VOITURES LÉGÈRES SEULEMENT light vehicles only
ZONE BLEUE DISQUE OBLIGATOIRE blue parking discs required in this area
ZONE D'ENLÈVEMENT DES VÉHICULES illegally parked cars will be towed away in this area
ZONE PIÉTONNE pedestrian zone

NOTICES AT THE SEASIDE

BAIGNADE INTERDITE bathing forbidden
BAIGNADE NON SURVEILLÉE unsupervised bathing
BAINS INTERDITS bathing forbidden
BATEAUX À VOILES sailing boats
CANOTS À MOTEUR motor-boats
CHENAUX channels
EMBARCADÈRES landing stages
IL EST FORMELLEMENT INTERDIT DE SE BAIGNER bathing is strictly forbidden
JEUX DE BALLONS INTERDITS ball games forbidden
LOCATION DE BATEAUX boats for hire
LOCATION DE PLANCHES À VOILE sailboards for hire
LOCATION DE PARASOLS sun-umbrellas for hire
LOCATION DE VOILIERS sailing-boats for hire
PATAUGEOIRE paddling-pool
PISCINE CHAUFFÉE heated swimming-pool
PISCINE MUNICIPALE public swimming-pool
PLAGE beach
PLAGE PUBLIQUE } public beach
PLAGE EN RÉGIE MUNICIPALE } public beach

PLANCHES À VOILE sailboards

PLANCHES À VOILE

STATIONNEMENT INTERDIT SUR LA PLAGE
SAUF AU DROIT DES CHENAUX D'ACCÈS
ARRÊTE MUNICIPAL N° 82-123 DU 14 JUIN 1982

NAVIGATION INTERDITE
EN DEHORS DES CHENAUX
ARRÊTES DU PREFET MARITIME N° 26-80
DU 2 JUIN 1980 N° 15-82 DU 3 JUIN 1982

PORT DE PLAISANCE yachting harbour/marina
POSTE DE SECOURS first aid post
PROMENADE EN BARQUES } boat trips
SORTIES EN MER } boat trips
SOYONS PROPRES do not drop litter

VEDETTES } sight-seeing boat trips
BATEAUX MOUCHES } sight-seeing boat trips
VESTIAIRES changing cubicles
VIEUX PORT the old port

NOTICES AT PETROL/ SERVICE STATIONS

CAISSE pay desk
DERNIÈRE STATION AVANT L'AUTOROUTE last petrol station before motorway
EAU water
ESSENCE petrol
FAITES LE PLEIN fill up
FERMETURE HEBDOMADAIRE (e.g. DIMANCHE) weekly closing (e.g. Sunday)
GRAISSAGE lubrication

LAVAGE car wash
LIBRE SERVICE self service
LOCATION DE VOITURES car hire
ORDINAIRE 2 star petrol
PNEUS tyres
PNEUS TOUTES MARQUES all makes of tyres
PRIX AU LITRE price per litre
RÉGLAGES tuning
RÉPARATIONS repairs
SERVEZ-VOUS help yourself
SERVICE RAPIDE quick service
SUPER 4 star petrol
VÉRIFIER VOTRE NIVEAU D'HUILE oil check
VIDANGE oil change

NOTICES FOR SHOPPING

ALIMENTATION groceries
ARRIVAGES JOURNALIERS DE POISSONS FRAIS daily arrival of fresh fish
ASCENSEUR lift
BAGAGES luggage
BIJOUTERIE jewellery
BLANCHISSERIE laundry
BOULANGERIE baker's
BOUCHERIE butcher's
BRICOLAGE do-it-yourself
CADDIE / CHARIOT } trolley
PRENEZ VOTRE CADDIE ICI get your trolley here
CADEAUX presents
CAISSE till
CASSETTES cassettes
CHARCUTERIE delicatessen
CHAUSSURES shoes
COIFFEUR / COIFFURE } hairdresser
COMESTIBLES food
CONFISERIE confectioner's
COQUILLAGES / CRUSTACÉS } seafood/shellfish
CORDONNERIE shoemender's
CREMERIE creamery/dairy
DISQUES records
LA DOUZAINE dozen
DRAPS sheets
DROGUERIE drugstore
ÉLECTROMÉNAGER household appliances
ENTRÉE LIBRE free entry/come in and look around
ÉPICERIE grocery
ESCALIER stairs
ÉTAGE floor
FAÏENCE crockery
FAITES PESER have your goods weighed
FERMÉ closed
FERMETURE ANNUELLE annual holiday
FERMETURE HEBDOMADAIRE . . . weekly closing . . .
FOURRURE furs
FROMAGES cheeses
HALLES covered market
HORAIRES D'OUVERTURE opening times
HYPERMARCHÉ hypermarket
À L'INTÉRIEUR inside
JEUX games
JOUETS toys
JOUR(S) DE MARCHÉ market day(s)
JOURNAUX newspapers
kg kilogramme
LAVERIE AUTOMATIQUE launderette
LAYETTE babyclothes
LESSIVES detergents
LIBRAIRIE bookshop
LIBRE-SERVICE self-service
LINGE DE MAISON household linen
LA LIVRE pound
LIVRES books
MAISON DE LA PRESSE newsagent's
MARCHÉ market
MAROQUINERIE leather goods
MÉNAGE household (goods)
MODE FÉMININE ladies clothes
NE PAS TOUCHER À LA MARCHANDISE do not touch the goods
NE PAS SE SERVIR do not help yourself
NETTOYAGE À SEC dry-cleaning
ORFÈVRERIE gold/silverware
OUVERT open
OUVERT TOUS LES JOURS open every day
PANIERS baskets
PAPETERIE stationer's
PARFUMS perfumery
PÂTISSERIE cake shop
DU PAYS local
PHARMACIE chemist's
LA PIÈCE each
POISSONNERIE fish shop
POUPÉES dolls
PRENDRE LA FILE ICI queue here
PRENEZ UN SAC take a bag
PRESSING dry cleaners
PRÊT-À-PORTER ready-to-wear
PRIMEURS early vegetables
PRIX CHOCS amazing prices
PRIX RÉDUITS reduced prices
PRODUITS ALIMENTAIRES food products
PROMOTION special offer
QUINCAILLERIE ironmonger's
RAYON shelf/department
RÉCLAME special offer
REZ-DE-CHAUSSÉE ground-floor
SERVEZ-VOUS help yourself
SOLDES sales
DERNIÈRES SOLDES end of sales
SORTIE exit
SORTIE OBLIGATOIRE only way out
SOUS-SOL basement
SUPERMARCHÉ supermarket
TABAC tobacconist's
TALONS ET CLÉS – MINUTE heel-bar/keys while you wait
TAPIS carpets
TRAITEUR delicatessen
USTENSILES DE CUISINE kitchenware
VAISSELLES crockery
VANNERIE basketwork
EN VENTE ICI on sale here
VERRERIE glassware
VÊTEMENTS clothes
VOLAILLE poultry

TOWN SIGNS

ABBAYE abbey
ARRÊT (AUTOBUS) bus stop
BASILIQUE basilica church

Bd (BOULEVARD) avenue
CENTRE COMMERCIAL shopping centre
CENTRE VILLE town centre

CHÂTEAU castle
CHEMIN way
ÉGLISE church
EXPO(SITION) exhibition
GARE station
GARE ROUTIÈRE bus station
GENDARMERIE NATIONALE local police HQ

HALLES covered market
HÔPITAL hospital

HÔTEL DE VILLE town hall
PARC ZOOLOGIQUE zoological gardens
MAIRIE town hall
MARCHÉ market
MÉTRO underground railway
MUSÉE museum
OFFICE DE TOURISME tourist office

P et T (POSTES ET TÉLÉCOMMUNICATIONS) post office
PALAIS DE JUSTICE law courts
Pl (PLACE) square
PLACE DU MARCHÉ market-place
PORT DE PLAISANCE yachting harbour
QUAI waterfront
REMPARTS ramparts
RESPECTEZ LES PELOUSES do not walk on the grass
ROND-POINT roundabout
Rte (ROUTE) route
ROUTE PITTORESQUE picturesque route
RUE street
SNCF railway
STADE stadium
SYNDICAT D'INITIATIVE tourist information office
TÉLÉPHERIQUE cable railway
VIEILLE VILLE old town
VIEUX PORT old port
VIEUX QUARTIER old district
VOIE PIÉTONNE pedestrian precinct
VOIE SANS ISSUE dead end
ZONE PIÉTONNE pedestrian precinct

TRAVEL SIGNS

AÉROGARE airport terminal
AIRE DE REPOS lay-by/rest area
AIRE DE SERVICE service area
ARRÊT stop

AUTOCARS DE TOURISME excursion coaches
BANLIEUE suburbs
BIFURCATION fork
BILLETS tickets
CARNET DE BILLETS book of tickets
CARS coaches
CORRESPONDANCE connection
CROIX intersection
DOUANE customs

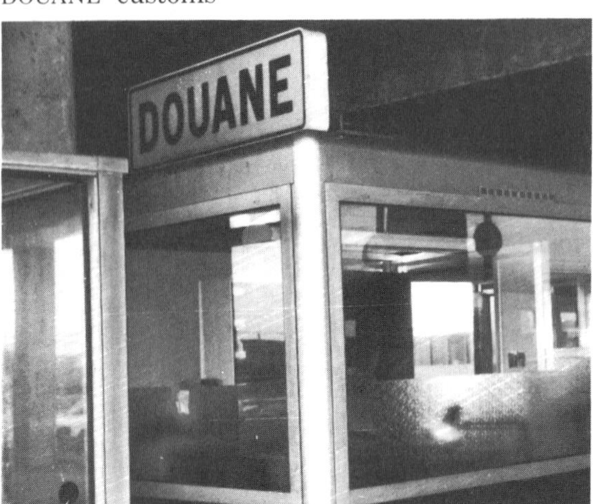

ENTRÉE entrance
FACULTATIF request (stop)
FILE lane
INTERDIT AUX AUTOCARS no coaches
HORAIRES time-tables
PÉAGE toll
PISTE CYCLABLE cycle track
P (PARC) 2 ROUES parking for bikes
RATP (régie autonome des transports parisiens) Paris transport system
RANDONNÉES excursions
SNCF French railway network
TAXIS TÊTE DE STATION head of the taxi queue
VOITURES DE LOCATION cars for hire
VÉLOS cycles
VOYAGEURS passengers

WEATHER SIGNS

averses showers
brumeux misty
bruines drizzle
ciel clair clear sky
couvert overcast
vents faibles little wind
vents fortes strong winds
fronts froids cold fronts
fronts chauds warm fronts
vents modérés moderate winds
neige snow
orages storms
pluies rain
peu nuageux little cloud
très nuageux very cloudy
tempête stormy
variable changeable
verglas black ice

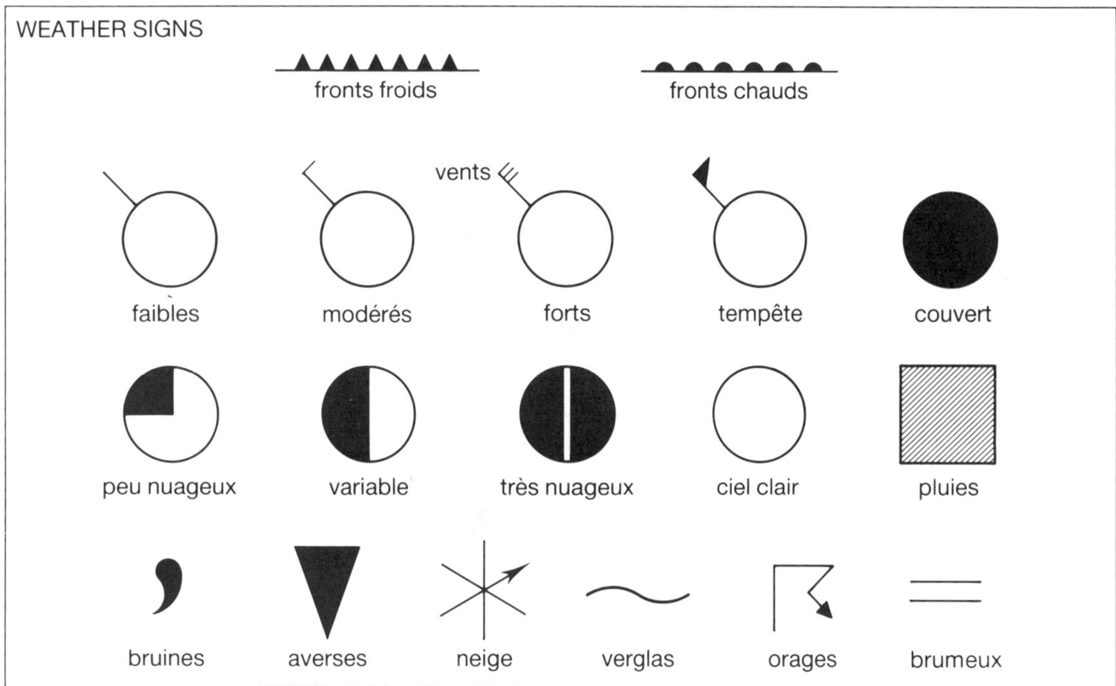

11.3 Test Yourself: Photos

1 What is being advertised here?
(a) Something for hire
(b) Something for rent
(c) Something for sale
(d) A warning

2 What will you be able to get here?
(a) A car for hire
(b) Unlimited credit
(c) Office premises for hire
(d) Banking facilities

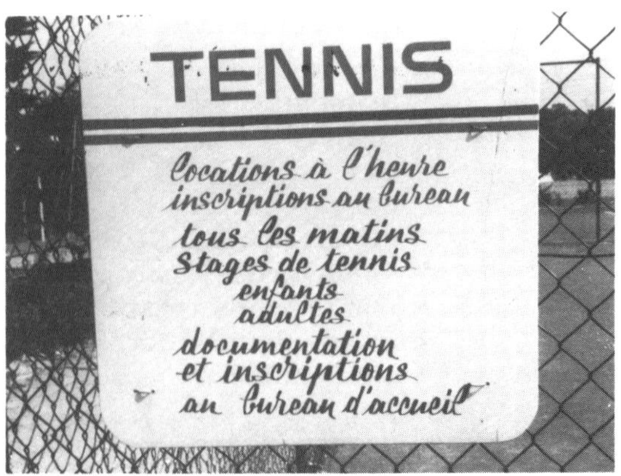

3 What takes place here every morning?
(a) Tennis coaching
(b) Tennis matches
(c) Tennis displays
(d) The courts are closed

4 What speciality is to be found at St Colomban?
(a) Lamb chops
(b) Oysters
(c) Bird-watching
(d) Supervised car-parks

11.4 Basic Level Comprehension

The Basic Level reading comprehension tests will be taken by all candidates. These tests will be short and will require relatively simple answers in English. The emphasis is on *reading* with understanding. You will be expected to understand a variety of short items, some perhaps only a word or two long. Here are some examples of the types of reading comprehension tests you might have to answer at Basic Level.

Public notices and brochures

1 **(a)** You arrive at a campsite in France. Which sign do you look for, to get to the reception office? **(Tick one).**

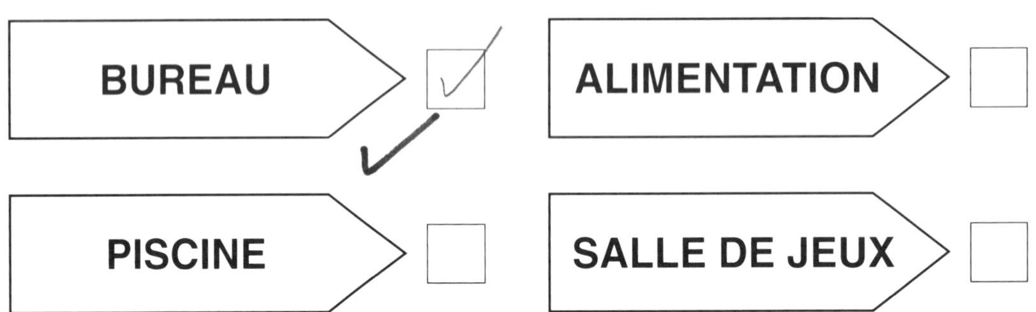

(b) You see another sign:

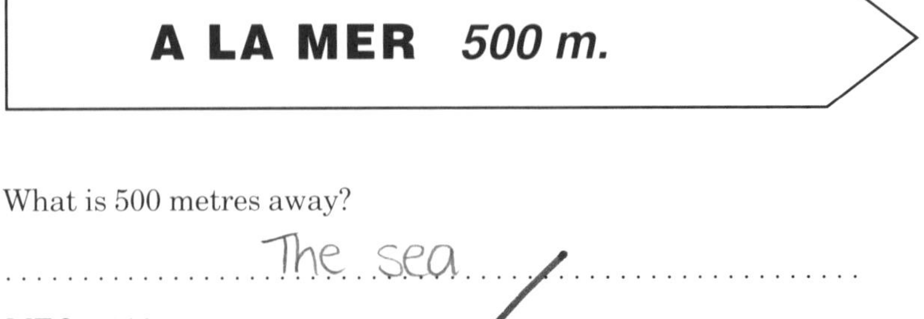

What is 500 metres away?

.... The sea ....

MEG, 1993

Brochures

2 Here is some information about leisure and cultural facilities in Brive.

En Permanence à Brive

Syndicat d'Initiative: Place du XIV Juillet – Tél. 55 24 08 80
OUVERT en juillet-août de 9h à 12h30 et de 14h30 à 19h
LE RESTE DE L'ANNÉE: de 10h à 12h et de 14h30 à 18h

Musée labenche: 26 bis, bd Jules Ferry – Tél. 55 74 90 15

Centre d'études de la résistance

Edmond Michelet: Rue Champanatier – Tél. 55 74 06 08

Piscines: *Centre nautique:* Bd Voltaire – Tél. 55 74 37 27
ASPO: Av. Léonce Bourliaguet

Bowling: 6, av. Léo Lagrange

Tennis du C.A.B.: Av. du 11 Novembre – *de L'A.S.P.O.:* Av. Léonce Bourliaguet – *de L'A.S.P.T.T.:* Route de Meyssac – *de Tujac:* Plaine des jeux

Auberge de jeunesse: Parc Monjauze – Tél. 55 24 34 00

Maison de L'Artisan: Place St Pierre – Ouverte tous les jours (sauf le dimanche et lundi) de 13h 30 à 19h et le samedi de 10h à 12h et de 13h30 à 19h

Hippisme: *L'Étrier Briviste*, à Bouquet Haut – *La Valade* à Cublac – *Le Roc* à Ste Féréole – *L'Éperon des Crêtes*, "La Pigeonnie" – *Le Clos des Poneys*, "Langlade"

Camping: *Camping des Iles* ★ ★ étoiles, Bd Michelet – Tél. 55 24 34 74

Bibliothèque Municipale: Place Charles de Gaulle

(a) At what time does the tourist information office open in August?
(b) Which number would you telephone to speak to the staff at the swimming pool?
(c) What is the address of the youth hostel?
(d) What is the address of the library?
WJEC, 1993

Signs

3 On a restaurant door you see a sign:

fermé le mardi

On which day is it closed?

4 You see a road sign.

ATTENTION
CARREFOUR DANGEREUX

What are you approaching? Crossroads ✓

5 A notice inside the office reads:

LOCATION DE VÉLOS

What service is it advertising? bycicle hire. ✓
MEG, 1993

Exhibitions

6

EXPOSITIONS

Musée Dauphinois, Musée Régional d'Art
et de traditions populaires.
30 rue Maurice-Cignoux, Grenoble.

Plusieurs expositions évoquent en permanence les divers aspects de la vie traditionnelle en Dauphiné et dans les Alpes.

Ouvert de 9h à 12h et de 14h à 16h
Fermé le mardi

(a) What kind of exhibitions are on display? Life in Dauphiné, and Alpes ✓
(b) When are the exhibitions closed? Tuesdays ✓

Guides

7

Brétignolles

OFFICE DE TOURISME
37 rue de la Vendée
Tel: (51) 96.45.53

Loisirs: piscine municipale; plage avec baignades sur le lac; location voiliers; planches à voile; canotage; pédalos; tennis; patinoire artificielle; centre équestre; école d'escalade; boulodrome; pétanque; golf miniature; tir aux pigeons; location bicyclettes et quadricycles; parcs de loisirs; casino; cinémas; bibliothèque municipale; musées; visite d'ateliers d'artisanat.

How much information can you give your family about leisure activities available in Brétignolles? List in English all the activities.

Museum ✓

Swimming pool ✓
Beach with swimming in lake ✓
Sailing ✓
pédalos ✓
tennis ✓
ice-skating ✓
bowling ✓
golf (mini) ✓
clay pigeons ✓
bycicles + tandems ✓
casino ✓
cinémas ✓
library ✓

8

> *REMUZAT*
> *LES LAVANDES*
>
> *Chambres libres à partir du 1er mai jusqu'au 1er octobre.*
> *Peut recevoir des groupes de 25-30 personnes.*
> *Site panoramique.*
> *Nombreuses promenades et excursions*

(a) When are rooms available at Les Lavandes?
(b) What group arrangements can be made?
(c) What is there to see in the area?
(d) What is there to do?

9 In a leaflet from a Tourist Office you find a list of cafeterias. You want to go out for a meal on a Sunday in August.

Which one should you pick?

Ring the letter on your answer sheet.

A	FLUNCH 16 Avenue des ducs	Fermé le dimanche
B	SELF St. MARTIN Place St. Martin	Ouvert tous les jours sauf le lundi
C	L'AVARE 6 Rue Molière	Ouvert tous les jours Fermé en août
D	Le PETIT PRINCE 15 Rue St. Exupéry	Fermé le dimanche et le lundi

SEG, 1993

Postcards

10 A POSTCARD FROM FRANCE

You are shortly going on a visit to France. You get this postcard from your French friend confirming the final arrangements.

> *Salut!*
>
> *Je t'attendrai à la gare, samedi,*
> *à sept heures et demie.*
>
> *A bientôt!*
>
> *Dominique*

(a) Where will your friend meet you?
(b) On which day?
(c) At what time?
ULEAC, 1993 (Basic Level)

Guides

11 LA CORSE

Corse, île de beauté. Des golfes, des criques, de montagnes, des villages perchés. Tout au fond de son golfe, le plus harmonieux de l'île, se trouve Ajaccio. Le vieil Ajaccio est ocre, la nouvelle ville, blanche. L' eau du golfe est bleue, le maquis des montagnes, vert sombre.

La maison natale de Napoléon se trouve à Ajaccio. Dans le port, une multitude de bateaux de plaisance voisinent avec ceux des pêcheurs ajacciens. Plus haut, l'Ajaccio moderne dresse ses immeubles blancs.

(a) What is the island of Corsica often described as? Islands of beauty ✓
(b) Where is Ajaccio located? In a bay
(c) What is the 'maquis' in this passage? Snow ✗
(d) How is Napoleon connected with Ajaccio? His house is there ✓
(e) Describe the different boats to be found in the port. Cruise + fishing ✓
(f) Give two details about the modern part of Ajaccio.

Letters

12 (a) Which school does Nathalie go to? Where is it situated? College Merve Bazin ✓ centre of town
(b) What form is she in? (Give English equivalent).
(c) How did she find a correspondent? Her french teacher gave her name ✓
(d) Where has she been with a group of school-friends? England, Eastbome ✓
(e) What did she find strange? Why? food, we eat meat + veg at same time ✓
(f) What does she study at school? Maths, biology, french, English, German + Geog. ✓
(g) What does she ask her friend to send her? A photo of herself. ✓

Nancy, le 4 Juin

Chère amie,

Je m'appelle Nathalie et je vais au collège Hervé Bazin qui se trouve au centre-ville. Je suis en troisième. Mon professeur d'anglais m'a donné ton nom et ton adresse. Je suis très contente d'avoir une correspondante anglaise. Je suis déjà allée en Angleterre avec un groupe scolaire. Nous sommes allés à Eastbourne. Nous nous sommes bien amusés mais nous avons trouvé les repas bizarres. On nous a servi des légumes et de la viande en même temps et toujours avec la même sauce chaude!

A l'école j'étudie les maths, les sciences naturelles, le français, l'anglais, l'allemand, l'histoire et la géographie.

Et toi? J'espère que tu m'écriras bientôt. Peux-tu m'envoyer aussi une photo de toi?

En attendant de te lire,

Amicalement,

Nathalie

Menus

13

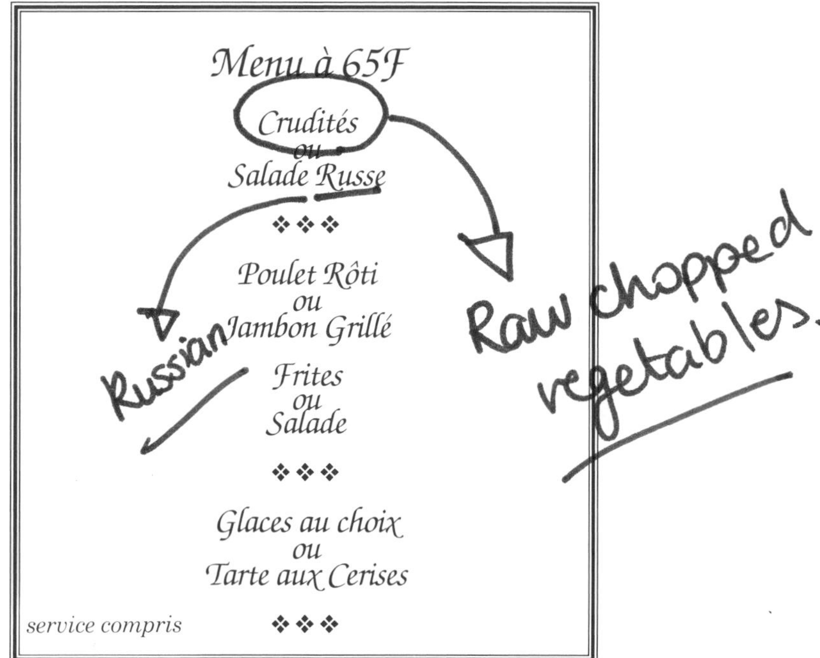

(a) What is there to choose from for the first course?
(b) For the main course?
(c) What vegetables are there?
(d) What desserts are there?
(e) Is the service charge included?

Newspapers

14 UN LYCÉEN MEURT, LA GORGE TRANSPERCÉE PAR UN JAVELOT

Un élève du lycée d'enseignement technique Emile Zola à Aix-en-Provence a trouvé la mort vendredi sur le stade municipal: un javelot lui a transpercé la gorge.

Ce lycéen de 18 ans, qui s'entraînait sur le stade pour les épreuves de baccalauréat a reçu un javelot lancé par un autre lycéen. Au lieu de se piquer dans le sol, le javelot aurait rebondi sur l'herbe et atteint le malheureux jeune homme.

(a) When did the accident happen?
(b) Where did it happen?
(c) How was he killed?
(d) What was he doing at the time?
(f) Was anyone responsible for the accident? If so, who?

Weather report

15 LA MÉTÉO ANNONCE

Lever du soleil à 5h 53
Coucher de soleil à 19h 52

SAMEDI: temps couvert et pluvieux en matinée avec vent de secteur sud assez fort l'après-midi, le temps faiblira un peu et le ciel sera variable avec alternances d'éclaircies et de passages nuageux accompagnés d'averses.
DIMANCHE: après des éclaircies matinales, le temps instable sera orageux avec des averses l'après-midi, vent sud-ouest modéré.

(a) What will happen at 19h 52?
(b) What is the weather forecast for Saturday morning?
(c) What will the wind be like in the afternoon?
(d) What will the weather be like generally in the afternoon?
(e) What is the weather forecast for Sunday morning?
(f) What will the weather be like in the afternoon?
(g) What will the wind be like in the afternoon?

Newspapers

16 TROIS PIÉTONS BLESSÉS HIER

Trois piétons ont été blessés dans trois accidents différents de la circulation au cours de la journée d'hier à Nice.

- Mme Rose Berthod, 62 ans, demeurant 3 avenue Félix Faure a été renversée par une voiture vers 11h en haut de la rue Arson.
- Mme Mathilde Nicolar, 31 ans, domiciliée 5 rue du Lycée, a également été renversée par une voiture vers 10h près du rond-point dans le centre-ville.
- M. Jean-Jacques Marty, 77 ans, demeurant 8 boulevard George-Clémenceau, a été heurté par un véhicule vers 10h 30 sur la place Giardelli.

(a) When were the three pedestrians injured?
(b) Where did the three accidents take place?
(c) What happened to Mme Berthod?
(d) What happened to Mme Nicolar?
(e) What happened to M. Marty?

Time-tables

17 This is an advertisement for boat trips from Pornichet to Belle-Ile.
On which days of the week in July can you go on one of the trips?

MAI 94

Du 20/05/89 au 31/05/89
LES SAMEDIS ET DIMANCHES

DEPART DE PORNICHET	DEPART DE BELLE-ILE
09 H 00	18 H 00

Possibilités de DEPARTS SUPPLEMENTAIRES
en SEMAINE à partir du 1er MAI: NOUS CONSULTER

JUIN 94

Du 01/06/89 au 30/06/89
LES SAMEDIS ET DIMANCHES

DEPART DE PORNICHET	DEPART DE BELLE-ILE
09 H 00	18 H 00

JUILLET 94

Du 01/07/89 au 31/07/89
LES MARDIS, VENDREDIS ET DIMANCHES

DEPART DE PORNICHET	DEPART DE BELLE-ILE
09 H 00	19 H 00

AOUT 94

Du 01/08/89 au 31/08/89
LES MARDIS, VENDREDIS ET DIMANCHES

DEPART DE PORNICHET	DEPART DE BELLE-ILE
09 H 00	19 H 00

SEPTEMBRE 94

Du 01/09/89 au 17/09/89
LES SAMEDIS ET DIMANCHES

DEPART DE PORNICHET	DEPART DE BELLE-ILE
09 H 00	18 H 00

Letters / Notes

18 Soon after you get home you are pleased to receive some material for your project about leisure from your pen-friend. It includes this note from his classmate, Isabelle.

Je m'appelle Isabelle Poulain, je suis en 3e F.
Je fais 1/2 heure de synthétiseur par semaine.
C'est le vendredi à 19h30.
Je faisais de la natation, l'année dernière, 6 heures par semaine.
J'aime écouter de la musique, en particulier les Beatles.
J'aime aussi voyager, faire les magasins, lire.
Chaque mois, mes parents me donnent 100 francs pour
m'acheter ce dont j'ai besoin et pour me payer les
séances de cinéma.
Par contre, je ne m'achète pas de vêtements avec mon
argent de poche.

(a) What does Isabelle say about sport?
(b) What does she say about pocket money? Mention **three** things.
NEAB, 1993

11.5 Higher-Level Comprehension

For those candidates aiming for Grade D and above, additional assessment objectives will be necessary. One of these objectives is the Higher-Level Reading test. 'Candidates should be expected to demonstrate the skills listed under Basic reading over a wider range of clearly defined topic areas. To the range of types of text will be added magazines and newspapers likely to be read by a sixteen-year-old, and in addition to the types of comprehension expected under common-core assessment objectives, candidates should be expected to demonstrate the ability to identify the important points or themes within an extended piece of writing and to draw conclusions from, and see relations within, an extended text.' (National Criteria)

The advice given for Basic Level reading comprehension assessment tests also applies to the Higher Level tests. Careful reading and thorough revision of topic areas are essential. Do not try to translate sections of the passage(s) for comprehension into English. This will only waste time and produce a stilted, contrived answer. You should always attempt to answer *in your own words* while, at the same time, making sure that you answer the question fully. Imagine that you are explaining to someone, who does not understand French, what the passage is about.

Advertisements

1

ADHEREZ A LA F.U.A.J.!

La carte individuelle de la F.U.A.J. est internationale. Elle est valable du 1er janvier au 31 décembre.

Cependant, cette carte délivrée chaque année dès le 1er Octobre, est utilisable à compter de cette date et ce, jusqu'au 31 décembre de l'année suivante. Ainsi, un jeune qui adhère pour la première fois bénéficie d'une carte valable 15 mois au lieu de 12!

COMMENT?

Il suffit de présenter et de remettre les pièces suivantes:

–bulletin d'adhésion individuelle (rempli avec soin en caractères d'imprimerie)

–pièce d'identité (par correspondance: photocopie de la carte d'identité recto/verso)

–photo d'identité de face (par correspondance: indiquer nom et prénom au dos)

–autorisation des parents pour les MOINS de 18 ANS (ou signature du bulletin par ces derniers)

–règlement de la cotisation (voir tarifs en vigueur). Par correspondance: joindre un chèque postal (3 volets) ou bancaire établi à l'ordre de "AUBERGES DE JEUNESSE/FUAJ" sans autre indication.

Joindre 4F pour frais d'envoi.

OU?

PARIS/ILE-DE-FRANCE

PARIS

Association Interdépartementale des Auberges de Jeunesse/Ile-de-France
10, rue Notre Dame-de-Lorette
75009 PARIS
Métro: St-Georges
Tél. 1/285.55.40
(Lu/Ve 9-12.30 h. & 13.30-1830 h. Sa 10-16h)

Auberge de Jeunesse "Jules Ferry"
8, boulevard Jules Ferry
75011 PARIS
Métro: République
Tél. 1/357.55.60
(ts les jrs 8-21 h.)

CHOISY-LE-ROI

Auberge de Jeunesse
125 av. de Villeneuve St-Georges
94600 CHOISY-LE-ROI
Tél 1/890.92.30
(ts les jrs 10-22 h.)

RUEIL-MALMAISON

Auberge de Jeunesse
4, rue des Marguerites
92500 RUEIL-MALMAISON
Tél. 1/749.43.97
(ts les jrs 8-10 h. & 17-22 h.)

PROVINCE

REGION NORD

Auberge de Jeunesse
1, avenue Julien Destrée
59800 LILLE

REGION EST

Auberge de Jeunesse
9, rue de l'Auberge de Jeunesse
Montagne Verte
67200 STRASBOURG

REGION RHONE-ALPES

Association Départementale des Auberges de Jeunesse
5, Place Bellecour
69002 LYON

REGION CENTRE

Auberge de Jeunesse
23, Avenue Neigre
28000 CHARTRES

REGION SUD-OUEST

Auberge de Jeunesse
17, rue de la Jeunesse
B.P. 241
86006 POITIERS

REGION SUD

Auberge de Jeunesse
47, rue J. Vidal
Impasse du Dr Bonfils
13008 MARSEILLE

REGION OUEST

Auberge de Jeunesse
41, rue Schoelcher
Rives du Ter
56100 LORIENT

Auberge de Jeunesse
Rue de Kerbriant
Port de Plaisance du Moulin Blanc
29200 BREST

Egalement dans toutes les Auberges de Jeunesse marquées du sigle

(a) From when is the Youth Hostel membership card valid and to when?
(b) What three things do you have to present when applying for membership if you are over 18?
(c) What else do you have to present if you are under 18?
(d) How much do you have to send for postage?

Signs

panneaux touristiques

Vous allez rencontrer sur votre trajet des panneaux à fond brun.

Ils se présentent généralement sous la forme :

- *D'un symbole dessiné (pictogramme) précédant un texte message écrit.*

Vous avez quelques secondes pour deviner la signification du pictogramme précédant le texte.

- *De flèches précédant les textes qui se rapportent à des lieux que l'on peut découvrir de l'autoroute.*

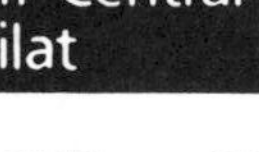

château
de Crussol

Les panneaux sont destinés :

- *A vous expliquer les régions traversées, les paysages aperçus, les particularités...*
- *A vous annoncer les principaux centres d'intérêt touristique, les grandes réalisations d'intérêt national, les centres d'information touristique.*

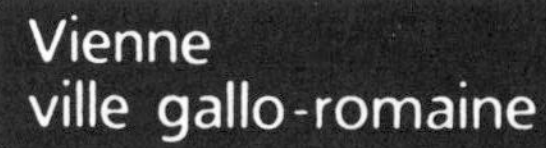

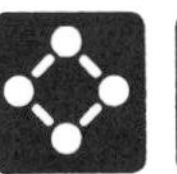

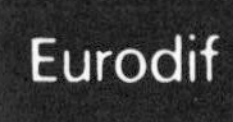

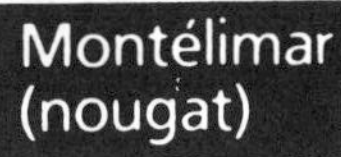

information
touristique

2 (a) What colour does it say that the signs are?
(b) How long will you have to read the signs?
(c) What kind of a town is Orange?
(d) What do the arrows indicate?
(e) What can be seen at Crussol?
(f) What three things do the signs explain to you?
(g) What other things do they tell you?
(h) What are you told about Vienne?
(i) Where is the region of Provence?
(j) What does the letter 'i' stand for?

3 (a) How many times a year does the Opera magazine appear? (*see next page*)
(b) On which day of the month?
(c) Give the names of the two theatres at the Opera.
(d) Who is invited to contribute each month?
(e) What do they write about?

Brochures (*see next page*)

4 *Les Services*
(a) What is provided every 10 to 15 km on a motorway?
(b) What is provided every 30 to 40 km?
(c) What do certain of these also have?
(d) What is provided in both of these places mentioned in (a) and (b)?

La Sécurité
(a) What are we told about the safety of motorways?
(b) Where can you stop in an emergency?
(c) What are you told to do in case of an emergency stop?

En cas de crevaison
(a) What are you told to do in case of a puncture?
(b) What is the time limit for repairing a puncture yourself?

Attention à la fatigue
(a) What risk do you run if you doze off for two seconds when travelling at 130 km/h when on a motorway?
(b) How can you avoid dozing off? (Give three details.)

Vérifiez vos pneus
(a) What can happen to a tyre which is under-pressurized?
(b) What advice is given to increase tyre safety?

3

TOUS LES MOIS
L'OPÉRA DE PARIS
ÉDITE SA PROPRE REVUE

Le premier du mois, dix fois par an, elle vous permet de suivre les activités de l'Opéra de Paris.

Des articles de fond vous présenteront les spectacles chorégraphiques et lyriques qui se dérouleront au Palais Garnier comme à la Salle Favert et dans tous les lieux où l'Opéra de Paris déploie ses activités.

Des analyses, des rencontres, des points de vue, des interviews: c'est tout la vie de l'Opéra de Paris que sa revue veut refléter. A travers ses spectacles, présentés par ceux qui les inventent, ceux qui les jouent, ou ceux qui, dans l'ombre, y contribuent. A travers son Histoire encore, aussi bien celle de l'École de Danse française qu'y perpétue le Ballet de l'Opéra et dont Pierre Lartigue raconte le feuilleton, que celle de l'architecture du Palais Garnier que, de promenade en promenade, de ses toits à ses caves, Jean-Loup Roubert et Pierre Flinois nous font découvrir. A travers ses anecdotes, ses figures, ses spectacles aussi, côté scène et côté salle, qu'évoque la chronique de Pierre-Jean Rémy et que conserve en images l'Album. Avec chaque mois un invité, écrivain ou personnalité du monde culturel, qui vient raconter son meilleur souvenir de l'Opéra de Paris. Et de page en page, de textes en photos, l'écho de ces voix qui font rêver, à en oublier le Fantôme.

4

l'autoroute pratique A10

les services

Sur l'autoroute, vous pouvez vous arrêter tous les 10 à 15 km sur des aires de repos (dotées de points d'eau et de sanitaires), et tous les 30 à 40 km sur des aires de service où vous trouverez des stations d'essence (avec boutiques), certaines étant équipées de cafétérias ou de restaurants.

Des téléphones publics, reliés au réseau général, sont installés sur les aires de service et de repos.

la sécurité

L'autoroute est 4 à 5 fois plus sûre que la route. A chacun de la rendre encore plus sûre, en appliquant quelques règles faciles à respecter

Où s'arrêter ?
En cas de nécessité absolue, vous pouvez vous arrêter sur la bande d'arrêt d'urgence. Prenez le maximum de précautions car vous serez frôlé par les véhicules en circulation : stationnez-donc le plus à droite possible, faites fonctionner votre système clignotant «alarme» et n'hésitez pas à utiliser en plus le triangle de présignalisation.

En cas de crevaison
Choisissez autant que possible, un endroit où vous pourrez éloigner au maximum votre véhicule de la voie de circulation (Si vous êtes arrêté contre une glissière latérale, roulez quelques dizaines de mètres au ralenti et vous trouverez une interruption de la glissière).
Si vous réparez vous-même, vous ne devez pas rester immobilisé sur la bande d'arrêt d'urgence plus d'une demi-heure.

Attention à la fatigue
La conduite sur autoroute tend à vous endormir. Deux secondes d'inattention à 130 km/h et vous parcourez 72 mètres incontrôlés. Evitez ce risque en cassant la monotonie de votre rythme de conduite en modifiant
- votre vitesse
- la température intérieure de votre voiture.

N'hésitez pas à vous arrêter sur les parkings et les aires de repos.

Vérifiez vos pneus
Un pneu sous gonflé finit par éclater si vous roulez vite et longtemps. Car ce sont les flancs du pneu qui travaillent et la bande de roulement risque de se découper (même sur les pneus neufs). Pour ne pas compromettre votre sécurité, faites gonfler vos pneumatiques 200 grammes au-dessus de la pression préconisée.

les téléphones utiles

- COFIROUTE (de Paris à Poitiers) : 505.14.13 – 77, av. R. Poincaré 75116 Paris
- ASF (de Poitiers à Bordeaux) : (49) 32.63.11 – échangeur 23 Niort Sud
- Centre de renseignement des autoroutes : 705.90.01
- CRICR* de l'Ile de France : 898.92.18
- CRICR* de Bordeaux : (56) 96.33.33
- Bureau de tourisme : (49) 75.67.30 – Aire des Ruralies (Niort)
  (46) 94.25.30 – Aire de St-Léger

* CRICR : Centre Régional d'Information et de Coordination Routière

quel temps de parcours devez-vous prévoir ?

Temps approximatifs, calculés à une moyenne de 120 km/h sur autoroute.

Trajet	Temps	Total
PARIS-ORLEANS	1 heure	4 h 50
ORLEANS-TOURS	55 minutes	
TOURS-POITIERS	55 minutes	
POITIERS-NIORT	30 minutes	
NIORT-SAINTES	35 minutes	
SAINTES-BORDEAUX	55 minutes	

5 You then go to change some money at the bank. While waiting to be served you see this leaflet.

DÈS 15 ANS
L'ARGENT PRATIQUE GRÂCE
À LA CARTE KIT AUTOMATIQUE

Une carte pratique:

Elle vous ouvre l'accès direct à votre compte bancaire. Vous pouvez l'emporter partout. Elle vous donne accès aux distributeurs Caisse Éclair de la Société Générale. Dans toute la France, toute l'année, jour et nuit, elle vous permet de retirer l'argent dont vous avez besoin, dans la limite du solde de votre compte.

Une carte personnelle:

La carte est à votre nom et ne peut être utilisée que par vous pour l'excellente raison qu'elle fonctionne avec un code secret dont vous êtes le seul à connaître le numéro (4 chiffres, c'est facile à se souvenir). Pour votre sécurité, gardez-le bien secret.

Une carte facile à utiliser:

Vous introduisez votre carte dans la Caisse Éclair, vous attendez l'affichage électronique qui vous donne les indications à suivre pour composer sur le clavier votre numéro de code, puis le nombre de billets désirés. Au bout de quelques secondes vous avez votre argent . . .

(a) What is it advertising?
(b) What advantages does it mention? Give any **four**.
NEAB, 1993 (Higher Level)

6 VACANCES À CHEVAL

Pour pratiquer l'équitation de randonnée, une manière particulièrement savoureuse de parcourir un paysage, il n'est pas nécessaire d'être un très grand cavalier. Pour faire la randonnée libre, vous pouvez partir à deux ou en groupe, sur des selles confortables, avec des chevaux bien adaptés, sur des circuits bien balisés. A l'étape: un bon lit et un bon dîner en auberge ou dans un gîte. Renseignez-vous au centre équestre de Bonne Famille.

(a) What kind of a holiday is being advertised?
(b) How much previous experience do you need?
(c) Will you be able to do this on your own?
(d) What three details are given about the activity?
(e) What will be waiting for you afterwards?
(f) From where can you get more information?

Letters

La Baule, le 10 mars

Monsieur le Gérant
Hôtel Matignon
La Baule, France

Madame F Smith
42 Acacia Avenue
Hornsea
London
Grande-Bretagne

Madame,

Nous accusons réception de votre lettre du 22 février. Nous vous proposons deux chambres: une chambre à deux personnes avec douche et WC et une chambre à un lit avec salle de bain. Le prix des chambres est de 400F la double et de 300F la chambre individuelle, sans petit déjeuner. Le petit déjeuner est à 35F. Si vous voulez manger à l'hôtel, la pension complète est de 2,800F la semaine par personne et la demi-pension est de 1,850F la semaine. Vous pouvez garer votre voiture devant l'hôtel.

Notre hôtel se trouve dans une rue tranquille près du port de plaisance. Il n'y a pas de piscine à l'hôtel mais notre plage privée est à cent mètres de l'hôtel. La ville de la Baule est une station balnéaire qui se trouve sur la côte Atlantique. Près du port il y a un aquarium et un musée qui sont ouverts du 1er juin au 1er dimanche d'octobre. L'aquarium groupe les animaux marins les plus représentatifs du bassin. Le musée présente les oiseaux, reptiles et poissons de la région.

Nous vous serions reconnaissants de nous envoyer une somme de 500F comme garantie aussitôt que possible.

Veuillez agréer, Madame, l'expression de mes sentiments distingués.

Denis Sagan

7 **(a)** How many rooms are being offered?
(b) Give details.
(c) Is breakfast included?
(d) What extras are available?
(e) Explain what 'pension complète' means.
(f) What are the arrangements for parking the car?
(g) Describe the location of the hotel.
(h) What facilities for swimming are there?
(i) What two places of interest are mentioned?
(j) What does the hotel manager ask at the end of the letter?

Magazines

8 You have read this letter on the problem page of a French magazine for teenagers.

Cher OK!

Michaela, ma meilleure amie, et moi avons un gros problème. Mes parents m'empêchent de sortir avec elle, et son père lui interdit de me voir. Et pourtant, ça fait 10 ans que nous sommes amies et voisines. Tous les soirs à 20 heures on se retrouve dans nos deux jardins pour parler. Aussi, on se voit en secret, et nous avons la même ambition: devenir chanteuses. Nous écrivons nos propres chansons et composons notre musique. On a déjà participé à des compétitions, et nous sommes toujours arrivées premières.

Pourquoi est-ce que nos parents sont si peu compréhensifs?

Kim

(a) What is the reaction of Kim's parents to her friendship with Michaela?
(b) How do you know that Kim and Michaela live near each other?
(c) What is their ambition?
(d) How do you know that they have had some success in achieving their ambition?

ULEAC, 1993 (Higher Level)

Brochures

9 You are staying with your family in Brittany at the 'Camping de la Baie'. Study this information leaflet which was given to you on arrival.

CAMPING DE LA BAIE
LA TRINITÉ-SUR-MER

Bienvenue au Camping de la Baie!

Consultez ces quelques lignes qui vous permettront de mieux profiter de votre séjour.

☆ Le bureau d'accueil est ouvert tous les jours.

☆ Magasin: (en face de l'entrée du camping, près de la plage).
Plats cuisinés à emporter.

☆ Sur le camping:
Piscine chauffée avec toboggan aquatique (entrée gratuite).
Jeux pour enfants - Télévision - Tennis de table - Location de planches à voile.
Salle de repassage avec machine à laver (fer à repasser à disposition au bureau).

AVIS

1 Nous vous prions de bien vouloir prévenir la réception la VEILLE de votre départ et de régler alors votre séjour.

2 Nous demandons à notre clientèle de bien vouloir respecter le sommeil de leur voisin entre 22h30 et 8h00. La circulation des automobiles est interdite durant ces heures. Nous vous conseillons d'utiliser le parking situé à l'entrée du camping, mais de ne pas oublier de garder avec vous les objets de valeur.

3 La vitesse est limitée à 10 KMH à l'intérieur du camping. Un système de sens unique existe. La sortie du camping s'effectue par la sortie sur la plage.

4 Les feux ouverts sont interdits. Veuillez utiliser les barbecues collectifs mis à votre disposition.

5 Les chiens ne sont autorisés à l'intérieur du camping que tenus en laisse.

BON SÉJOUR

Answer these questions **in English**.

(a) Where, precisely, is the camp shop? (give 2 answers)
(b) What extra service is available there?
(c) What are the important points made in number 1 of the 'AVIS'? (give 2 points)
(d) What advice is given to motorists who leave their car on the car park at the entrance?
(e) What is forbidden, according to point 4 of the 'AVIS'?
MEG, 1993

Newspapers

10 You are on a motoring holiday in France with your family. You have been given the task of finding out about difficulties on the roads around the holiday time of August 15th.

Read this extract from a French newspaper.

Circulation difficile sur les routes du 15 août.

De nombreuses locations de villa se terminent le 15 août. Le 15 août, jour férié, tombe un jeudi, convenable pour 'faire le pont' avec le week-end. Autant de raisons pour déverser sur les routes une foule d'automobilistes en vacances ou en week-end prolongé. On en attend cinq millions d'ici dimanche.

A partir de cet après-midi, la circulation sera dense avec de sérieux risques d'embouteillages sur l'ensemble du territoire. Dans l'Ouest les difficultés sont apparues dès hier. A 11h on déplorait neuf kilomètres de voitures arrêtées entre Pontorson et le Mont Saint-Michel. Un gros ralentissement aussi à la Roche-Bernard. Avant de franchir le pont sur la Vilaine, les automobilistes roulaient au pas sur huit kilomètres dans le sens Nantes-Vannes. En Ille-et-Vilaine, un accident de poids lourd dans les virages de Romazy a perturbé la circulation presque toute la journée.

Il faut surtout éviter les routes d'accès à la plupart des villes de la côte. D'une manière générale la circulation sera dense aujourd'hui. Vendredi les routes de la côte méditerranéenne et de la côte atlantique seront particulièrement chargées.

Samedi: circulation dense dès la fin de la matinée sur les principales routes de l'Ouest, du Sud et du Sud-Ouest.

Dimanche sera la journée la plus difficile avec des ralentissements inévitables sur toutes les routes en provenance de la côte. Prenez patience et n'oubliez pas votre bouteille thermos.

Answer these questions **in English.**

(a) What factors are combining to make traffic problems worse than usual on this Bank Holiday? (First paragraph) (give 2 answers)
(b) What traffic problems were experienced yesterday near Pontorson and La Roche-Bernard? (give 2 answers)
(c) What caused disruption of the traffic near Romazy?
(d) When, on Saturday, will traffic get heavy in the West?
(e) Which roads in particular will be affected on Sunday?
MEG, 1993

11 A French Canadian visitor comes to your school and you ask him to write something about French-speaking Canada for you. This is what he writes.

Bonjour à tous,

Je m'appelle Frédéric Dompierre, Jai vingt-six ans et je viens du Canada. Au Canada il y a une province appelée le Québec et dans cette province, près de six millions de personnes parlent Français. Je suis donc Québecois ou Canadien-Français, c'est la même chose.

La ville où j'habite s'appelle Montréal. C'est une ville de deux millions d'habitants. L'hiver au Canada est très froid. Au mois de Janvier la température descend parfois jusqu'à trente-cinq degrés sous zéro. Il y a également de grosses chutes de neige. Jusqu'à 1 mètre, 1 mètre 50. Même deux mètres dans les régions plus au nord.

À Montréal, j'habite avec ma femme qui s'appelle Lucie. Elle n'est malheureusement pas venue en Angleterre. Elle viendra cependant me visiter à Noël.

J'ai deux soeurs et un frère. Ma première soeur s'appelle Violaine. Mon père s'est remarié avec une autre femme avec qui il a eu Jeanne et Philippe.

Ma mère s'appelle Ginette et elle est professeur. Mon père s'appelle François et il est compositeur. ♫♩

Je suis venu en Angleterre comme assistant enseignant et je vais aider des étudiants en difficulté à apprendre le Français.

Je vous dis au revoir et à bientôt.

Fréderic

(a) What does he say about Québec Province?
(b) What information does he give about the Canadian winter?
(c) What does he say about Lucie?
(d) Who are Jeanne and Philippe?
NEAB, 1993 (Higher Level)

12 WRITING

12.1 Introduction

Extract from the The National Criteria/French

Basic level writing: 'Candidates should be expected, within a limited range of clearly defined topic areas (mirroring those of the common-core assessment objectives for speaking), to carry out writing tasks which might include, for example, a simple letter in response to a letter in easily comprehensible French or to instructions in English, and short messages (post-cards, lists, notes) in response to instructions in English or easily comprehensible French.'

Candidates aiming at the award of Grade C and above will be required to take the Basic level Writing Test. To gain Grades A and B candidates will normally be required to take a test of writing at the Higher level.

Higher level writing: 'Candidates should be expected to write in continuous French, on a wider range of clearly defined topic areas, in response to a written stimulus in English or in easily comprehensible French, or in response to a visual stimulus.'

Letter writing does not form part of the compulsory common-core element of GCSE French, but it is a necessary element for those candidates aiming at the Higher level grades. The various types of letters which you may be asked to write in GCSE French will be either *formal* or *informal.*

THE INFORMAL LETTER

These are letters written to friends and relatives on a personal level. As in English, they differ in content and style from formal letters. The variety and authenticity of style, however, will be just as important as grammatical accuracy.

THE FORMAL LETTER

These are letters which you write to known or unknown officials, representatives, agents, etc. For example, you may be asked to write to a hotel to confirm a booking, or to a tourist information office requesting information, or to a lost property office, etc. All of the above letters would require you to write to someone in a formal capacity. There are special ways of writing these letters, especially for the beginnings and endings and you must know how to cope with these under examination conditions.

There are many things that you can do to practise letter writing even though you will not know, until you open your exam paper, exactly what you must include in your letter(s). Here are some of the things you must do in preparation for this part of the exam . . .

1 Learn your verb tenses carefully. The tenses which you are most likely to need for letter writing are: present, future, perfect, imperfect and conditional.

2 Learn the topic vocabularies carefully, e.g. holidays, accidents, daily routine, school, town, etc.

3 Learn how to set out and write both formal and informal letters.

12.2 Informal Letters

To a friend of your own age, you should begin the letter with . . .
e.g. to Pierre — Cher Pierre, or Mon cher Pierre, or Cher ami,
e.g. to Anne-Marie — Chère Anne-Marie, or Ma chère Anne-Marie, or Chère amie,

To a friend of your own age, you should end the letter with . . .
Amitiés,
or Amicalement, or A bientôt, or Bien à toi, or other phrases which you have been taught and know to be appropriate.

If you are writing to a friend of your own age, you should use the 'tu' form of the verb to address him/her.

If you are writing to an adult (e.g. parent/s of your friend), you should use the 'vous' form of the verb.

French people do not write their address in full at the top right-hand side of a letter when writing to a friend. They just put the date and the place . . . e.g.

Paris, le 3 octobre

They usually put their name and address on the back/top of the envelope after 'Expéd: (Expéditeur).'

USEFUL EXPRESSIONS FOR INFORMAL LETTERS

Thanking for letter received

Merci de ta gentille lettre qui m'a fait grand plaisir.
or Je te remercie de ta dernière lettre.
or J'ai été très heureux/heureuse d'avoir de tes nouvelles.
or J'ai été très content(e) de recevoir ta lettre.
or J'ai reçu ta lettre avec plaisir.

Apologies for a late reply

Je m'excuse de ne pas t'avoir écrit plus tôt mais . . .
or Excuse-moi de n'avoir pas écrit plus tôt mais . . .
or Je t'écris un peu en retard car . . .
or J'espère que tu m'excuseras de t'écrire avec un peu de retard
or Je suis désolé(e) de te répondre avec un peu de retard

General statements

Any combination of the following . . .

Je profite	d'un moment	libre	pour	t'écrire
	d'un instant			t'envoyer un petit mot
	d'un après-midi	de repos		
	d'un jour			te répondre

Expressing good wishes

Je te souhaite de bonnes vacances. (*for a good holiday*)
Je te souhaite un joyeux Noël. (*for Christmas*)
Je te souhaite un bon anniversaire. (*for a happy birthday*)
Je te souhaite bonne chance. (*for good luck*)
Je te souhaite 'bon voyage'. (*for a journey*)

Accepting invitations

Je te remercie de ta lettre qui m'a fait enormément plaisir.
J'aimerais bien venir passer une (deux, etc.) semaine(s) chez toi au mois de . . ./pendant les grandes vacances.
Je serai en vacances à partir du . . .
Je pourrai venir en avion/par le ferry/par le train . . .

Refusing an invitation

Je te remercie de ton invitation à faire un séjour chez toi pendant les grandes vacances.
Malheureusement je ne peux pas accepter.
Je suis désolé(e) d'être forcé(e) de refuser.
J'ai déjà promis d'aller rendre visite à mes grands-parents, qui habitent au Canada . . .

Giving invitations

J'écris pour te demander si tu peux venir passer (e.g. une/deux semaines) . . . chez moi pendant les grandes vacances.
Nous pourrons venir te chercher à l'aéroport de . . ./à la gare de . . .

Expressing regret

Je suis désolé(e) de te dire que . . .

Expressing pleasure

Je suis ravi(e) de te dire que . . .

Endings

Mes parents t'envoient leur bon souvenir/leurs amitiés. (*Best wishes from your parents*)
Dis le bonjour de ma part à tes parents/toute la famille. (*Your best wishes to your correspondent's parents/family*)

Other endings . . .
Je vais te quitter car j'ai beaucoup de devoirs à faire.
or Je te quitte car j'ai beaucoup de travail à faire.

Before you actually end your letter, it is a good idea to use a 'winding-up' phrase, but *not* that awful expression 'I must go now'. This sounds even worse in French than it does in English! Here are some more useful 'winding-up' phrases . . .

Je te quitte en espérant te lire bientôt, *or* En attendant le plaisir de te lire, *or* Mes parents te disent un petit bonjour, *or* Ecris-moi vite, *or* Je te quitte, *or* Bonjour de ma part à ta famille, *or* A bientôt de te lire, etc.

Here are some examples of the type of letter you might be asked to write.

BASIC LEVEL

1 You are going to Paris to stay with your pen-friend, Nathalie. In her last letter she includes this note from her mother.

J'attends ta visite avec impatience mais j'ai encore certaines choses à te demander.

D'abord Nathalie m'a dit qu'on mange beaucoup en Angleterre au petit déjeuner. C'est vrai? Et quels sont tes plats préférés?

Et ensuite, qu'est-ce que tu veux faire pendant ton séjour? Enfin, qunad vas-tu arriver à la gare du Nord?

Amicalement

Danielle Martinez
(La maman de Nathalie)

Write a reply to Madame Martinez, in **French.**
Tell her:
—what you have for breakfast;
—what foods you **don't** like;
—one thing you'd like to do during your visit;
—you are going to arrive at 3 pm, on 29th May.
Ask her
—what the weather is like in Paris in May;
—what her telephone number is.
Remember to give your letter a suitable **beginning** and **ending**.
Write neatly and put down **all** the information you are asked to give. The number of words is not important.
NEAB, 1993

HIGHER LEVEL

1 The above letter may also be set at the Higher level but you will probably be asked to write about 150 or more words. You would also be expected to give much more detail, e.g. personal characteristics as well as a physical description of your family, greater detail about the area in which you live and why it is an interesting/uninteresting place, etc.

2 You are now writing your second letter to your French penfriend. Thank him/her for his/her letter. Say that you think French schoolchildren have a long school day but also longer holidays than you. Say that French schoolchildren are lucky not to have to wear school uniform. Describe your own school uniform and your school. Write out your own class time-table in French. Say which subjects you like/dislike and why. Describe what clubs and societies you have in school. Say how much homework you have each day/week. Finish your letter by saying that you are enclosing a photo of yourself and your family. Say that you are wearing your school uniform in the photo. End your letter by saying that you hope to hear from him/her soon. (Use about 180 words.)

12.3 Formal Letters

MINISTÈRE
DE L'ÉDUCATION NATIONALE

COMITÉ D'ACCUEIL
DES ÉLÈVES DES ÉCOLES PUBLIQUES
4, Rue des Irlandais, 4
PARIS-V

Tél: KELlermann 10.83
C. C. P. Paris 2259 84

GF/LL/8554

Paris, le 22 juin 1987

Monsieur Le Proviseur
Lycée, Émile Zola
24 Avenue des invalides
Annecy

Groupe no 6505

Monsieur,

J'accuse réception de votre lettre du 15 juin. Je regrette de ne pouvoir donner notre accord sur la nouvelle composition de votre groupe.

Conformément aux conditions d'accès mentionnées dans le programme de Comité d'Accueil, pour 19 personnes de moins de 21 ans, 4 adultes seulement peuvent être reçus.

J'espère que vous pourrez modifier l'effectif de votre groupe en conséquence et dans l'attente de votre réponse, je vous prie d'agréer, Monsieur, l'expression de mes sentiments distingués.

Le Directeur

p.o. G. FRENAIS

Copie adressée au centre de CANNES

When writing formal letters in French, you must follow certain basic rules . . .

1 Write your own name and address at the top *left*-hand side of the page.

2 Write the name and address of the person to whom you are writing at the *right*-hand side of the page before you begin the letter.

NB The above instructions are the opposite of the instructions you will have learnt for setting out a formal letter in English. (You may find it easier to remember this rule if you also remember that the French drive on the opposite side of the road!)

3 Begin your formal letter *only* with the word *Monsieur* or *Madame* or *Mademoiselle* (this latter is not used as frequently as *Madame*). In any case, leave out Cher/Chère at the beginning of a formal letter.

4 Use the *vous* form throughout the letter to address the person to whom you are writing.

Example of a formal letter layout . . .

Paris, le 3 Octobre.

Guy Ferrière

4 Rue des Moines

Paris VII

Madame la Directrice

Lycée Goncourt

45 Boulevard Saint-Germain

Toulouse

Madame,

....

Veuillez agréer Madame, l'expression de mes sentiments distingués.*

Guy Ferrière

*This formal ending is used at the end of most formal letters. There are some variations also to be found, e.g. Je vous prie d'agréer, Monsieur/Madame l'expression de mes sentiments distingués.

Here are some useful expressions for formal letters . . .

On receipt of a letter

J'accuse réception de votre lettre.

Requesting information

Je voudrais savoir . . ., *or* Voulez-vous me dire . . ., *or* Voulez-vous m'envoyer . . ., *or*
Je vous serais (bien) reconnaissant si vous pouviez me fournir* . . .

HIGHER LEVEL

Applying for jobs

You have read an advert in the newspaper . . .
J'ai lu dans les petites annonces du (e.g. *Figaro*) du . . . (date) que vous cherchez . . . *or*
En réponse } à votre annonce dans le journal . . . du . . ., j'ai l'honneur
Comme suite } de poser ma candidature au poste de . . .
Possible jobs . . .
(une) jeune fille au pair *(au pair girl)*
(un) moniteur/(une) monitrice *(youth leader, instructor)*
(un(e)) pompiste *(petrol pump attendant)*
(un) garçon de café/une serveuse *(waiter/waitress)*
(un) vendeur/(une) vendeuse *(shop assistant)*
(un) plongeur/(une) plongeuse *(washer-up in restaurant)*
(un) gardien/(une) gardienne de plage *(beach life-guard)*
(un(e)) secrétaire *(secretary)*
(une(e)) babysitter *(babysitter)*

Ce poste m'intéresse beaucoup parce que . . . (You are very interested in the job . . .)
Je suis intéressé(e) par ce poste car . . . (reasons why)

J'adore les enfants.

J'aime travailler dans les restaurants/magasins/les garages/sur les plages, etc.

Je voudrais perfectionner ma connaissance de la langue française.
Je vous prie de bien vouloir trouver ci-joint mon c.v. (curriculum vitae) et une lettre de recommandation du censeur de mon collège (offering further information in support of your application . . .).

Endings . . .

Je me permets donc d'offrir mes services. *Or*
Je vous prie donc de prendre ma demande en considération. Veuillez agréer, Monsieur/Madame l'expression de mes sentiments distingués.

Expressing thanks

Je vous remercie beaucoup de . . .
Je vous suis très reconnaissant(e) . . .
Avec mes remerciements anticipés . . . (at the end of a letter/in anticipation).

Expressing intention

J'ai l'intention de . . .
Je compte . . .

Booking accommodation

Je voudrais retenir une/deux (etc.) chambre(s) . . .
Il me faut une/deux (etc.) chambre(s).

In reply to an advert

J'ai lu dans le journal . . .
J'ai lu dans les petites annonces . . .
J'ai lu votre annonce dans le journal . . .

* fournir *to provide.*

Including material

Veuillez trouver ci-joint . . .
Je vous prie de bien vouloir trouver ci-joint . . .

Cancelling arrangements

Je regrette beaucoup de me trouver dans l'impossibilité de . . .
Je vous prie d'annuler ma réservation.

Complaining

J'ai le regret de vous informer que . . .
Je ne suis pas du tout satisfait(e) de . . .
J'ai à me plaindre de . . .
Cela ne répondait pas du tout à ce que j'attendais.
Le service était affreux.
J'espère que vous ne tarderez pas à me donner satisfaction.

Expressing regret

Je suis désolé(e) de vous dire que . . .

Expressing pleasure

Je suis ravi(e) de vous dire que . . .
Je suis très content(e) de vous dire que . . .

QUESTIONS

Tourist office

You are writing to the Syndicat d'Initiative at Auxerre. Say that you intend visiting Auxerre this summer and ask for brochures about the town.

Ask for some information about hotels which are comfortable but not too expensive.
Ask for information about the surrounding area and a list of local activities.
Ask if you will be able to hire bicycles in the town.

Lost property

On returning from your holiday in France, you discover that you have left your watch in the hotel where you were staying Write to the hotel ('La Coquille' in Guincamp) to ask if they have found it. Give all the necessary details (e.g make, type, when and where you left it, etc.)

Applying for jobs

Abbreviations:

env.	envoyer	rech.	recherche
expér.	expérience	se prés.	se présenter
indép.	indépendant(e)	socx.	sociaux
min.	minimum		

1 You read the following advert for a job in the newspaper Ouest-France on 18 April . . .

Rech. jeune fille au pair
pour Côte Atlantique
juillet/août
travaux ménagers
logée indép., nourrie
Mme Jourdan, 43 av. Foch,
LA ROCHELLE.

Write a letter in French applying for the post. Give all the necessary details.

2 You read the following advert in the Figaro for 10 June . . .

Rech. SECRÉTAIRE/STÉNODACTYLO
pour Direction des Ventes,
expérimenté(e), initiative,
organisé(e), avantages socx.,
cantine.
Env. C.V., photo,
TRONCHET FRÈRES, 8 Boulevard Plessy,
AVALLON.

Write a letter in French to this firm applying for the job advertised. Give all the necessary details and ask for further information about the social advantages mentioned.

3 You have read an advertisement in your local newspaper for jobs at EuroDisney. Write a letter of application to EURODISNEY, B.P. 105 F.77777, Marne-la-Vallée, Cédex 4, France.
(a) Begin and end your letter appropriately.
(b) Say that you saw an advertisement for the job in your newspaper.
(c) Say how old you are and for how long you have been learning French.
(d) Say that you would like to work in EuroDisney and explain what sort of job you would be interested in.
(e) Ask what the conditions of employment would be, such as hours of work and wages.
(f) Explain that you would be available for work during July and August.
(g) Mention any experience you may have which would be relevant to the job.
(h) Say that you visited EuroDisney last year and say what you thought of it.
(i) Ask for a reply as soon as possible as you are also thinking of working in Great Britain this year.
WJEC, 1993

Confirmation letters

1 A group of folk-dancers from Brittany is planning a visit to your town and region. You have been asked to organize the visit by writing to confirm the arrangements.
Read the letter given below . . .

Monsieur, J'accuse réception de votre lettre du 15 mars. Je suis heureux de vous annoncer que les préparatifs pour la visite de nos danseurs sont maintenant complets.

Nous comptons arriver en car le jeudi 16 avril vers six heures du soir. Nous attendons avec un grand plaisir d'être parmi vous et de faire la connaissance des familles qui nous recevront chez eux. Nous vous remercions vivement de tous les préparatifs que vous avez faits pour assurer notre confort ainsi que le succès de cette visite.

Avec nos amitiés les plus sincères,

Now write a reply in French to the above letter confirming the date of the visit and the time of the party's arrival. Give some details of your school and the surrounding area and outline the programme given below.

Thursday 16 April	
6p.m.	arrival at school meeting with host families evening with host families at home
Friday 17 April	
10a.m.	rehearsal at school
12.30p.m.	lunch at school
2p.m.	visit to nearby town
5.30p.m.	reception at town hall
7p.m.	folk dancing display at town hall
Saturday 18 April	
10a.m.	visit to local sweet factory
lunch	at home of hosts
afternoon	rehearsal
5.30p.m.	tea at sports centre
7p.m.	dancing display at sports centre
Sunday 19 April	
morning	and lunch at home of hosts
afternoon	excursion to beauty spot
tea	at beauty spot
7.30p.m.	disco at sports centre
Monday 20 April	
10a.m.	departure from school

2 On the last day of your holiday in Ajaccio, Corsica, you lost your bag and its contents. You reported this at the police station but when you returned to Britain you received a letter asking you to complete a full report in French.

(a) Explain why you were in Ajaccio and where you were staying.
(b) Describe what you lost. (Give three details)
(c) Say when you noticed your loss.
(d) Say where you think you lost your bag.
(e) Describe what you did about it.
(f) Explain what problems the loss caused you.

Write neatly and put down all the information you are asked to give. The number of words is not important.
NEAB, 1993

12.4 Cards

BASIC LEVEL

Here are some useful expressions for writing postcards . . .

Je passe une semaine à . . . *I am spending a week at/in* . . . (name of town/village)

Me voici en vacances à . . . *Here I am on holiday at/in* . . . (name of town/village)

Il fait beau/très chaud, etc. *The weather is fine/very hot, etc.*

Je vais à la plage tous les jours. *I go to the beach every day.*

Je me baigne tous les jours. *I swim every day.*

J'ai visité . . . *I have visited* . . .

Je m'amuse beaucoup. *I'm enjoying myself very much.*

Je m'ennuie. *I'm bored.*

Je reste à l'hôtel car il pleut. *I stay in the hotel because it's raining.*

Je rentre . . . prochain(e). *I go home next* . . .

However, as in English, postcards can be written in an abbreviated form. Here are some such abbreviations . . .

Nous voici à . . . *Here we are at* . . . (name of town/village)
Nous voici en . . . *Here we are in* . . . (name of country)
Bien arrivé(e)(s). *Have arrived safely.*
Sommes arrivé(e)s . . . *We have arrived* . . .
Fait beau/chaud/froid. *The weather is fine/hot/cold.*
Beaucoup de monde. *There are a lot of people here.*
M'amuse beaucoup. *I'm enjoying myself very much.*
Fais ski/voile/planche à voile etc. *Am skiing / sailing / windsurfing etc.*
Suis bronzé(e)/malade/etc. *I am sun-tanned/ill/etc.*
Bon hôtel *Good hotel*
Bon camping *Good campsite*
Hôtel bien/mal equipé *Hotel well/badly equipped*
Hôtel cher *Hotel expensive*
Ville chère *Town expensive*
Vues superbes *Superb views*
Excellente cuisine *Excellent food*
Mauvaise cuisine *Food awful*
Camping formidable *Camping/campsite great*
Ville formidable *Great town*

Grande piscine *Large swimming-pool*
Belles promenades *Fine walks*
Ai visité *Have visited*
Ai mal (e.g. aux pieds) *My feet hurt*
Vais . . . demain *Am going . . . tomorrow*
Rentre . . . *Returning . . .*

and to end with . . .
Bises or Amitiés *Love*

EXAMPLES

1 From a holiday resort.

Nous voici à Carnac. Bon hôtel au bord de la mer. Temps splendide. Me baigne tous les jours.

Bises . . .

2 In a mountain resort.

Bien arrivés à Chamonix. Faisons du ski tous les jours. Fait très froid. Marie est tombée et s'est cassé la jambe. Elle reste dans sa chambre.

Amitiés . . .

3 From a campsite.

Fais du camping depuis quelques jours. Pleut tout le temps. Je m'ennuie. Rentre Samedi.

Amitiés . . .

New Year's cards

French people send New Year's cards rather than Christmas cards. Here is an example . . .

Chers amis,

Permettez-moi au seuil de ce nouvel an de vous souhaiter un très joyeux Noël ainsi qu'une très bonne année. J'espère que cette carte vous trouvera tous en excellente forme.

Mes meilleurs souvenirs.

Carole.

Useful vocabulary for cards

Bon Anniversaire *Happy Birthday*
Bonne Année *Happy New Year*
Joyeux Noël *Happy Christmas*
Meilleurs Vœux *Best wishes*
Tous mes vœux de bonheur *My best wishes for your happiness*

QUESTIONS

1 You have received this postcard from a French friend.

COULEURS ET LUMIÈRE DE FRANCE
L'Auvergne pittoresque
LE PUY DE SANCY (Puy-de-Dôme)
(altitude 1 886 m)

le 10 avril

Je passe quinze jours à la montagne avec ma famille.
Nous faisons beaucoup de longues promenades.
Hier, nous sommes allés au marché en ville.
J'ai acheté un cadeau pour mon copain.
Est-ce que tu vas m'écrire pendant les vacances?
Amitiés
J.

Editions d'art Yvon

Write a reply postcard of similar length in French. You do not have to put an address. The content of the postcard is to be as follows:
(a) Say that you are spending the holidays at home.
(b) Say that you do a lot of cycling.
(c) Say where you went yesterday (NOT to the market).
(d) Say what present you bought for your mother.
(e) Say that you will write a letter soon.
(f) Finish off and sign the card.
ULEAC, 1993

HIGHER LEVEL

Announcements for Births, Engagements, Weddings, Deaths are usually formal in French, e.g.

Births

LAURENT a la joie de vous faire part de la naissance de sa petite soeur
ELISABETH
de la part de M. et Mme Denis BEAUDET

Engagements

M. et Mme Lucien CHABANS
M. et Mme Alexandre LECERF
sont heureux de vous annoncer les fiançailles
de leurs enfants
FLORENCE et ALAIN

Weddings

M. et Mme Michel DUFAU
M. et Mme Gaston CABROL
ont l'honneur de vous faire part du mariage de leurs enfants
CAROLINE et GILBERT
qui aura lieu en la chapelle Notre-Dame-de-Compassion, ce samedi 26 avril à 15 heures.

Deaths

Mme Henri FLEURIOT
et toute la famille
ont la douleur de vous faire part du décès de
M. Henri FLEURIOT
survenu le 12 mai à Paris.
La cérémonie religieuse sera célébrée le mardi 17 mai à 8h 30 à la crypte de l'église Saint-Jean-Baptiste de Grenelle, sa paroisse.

Replies to such announcements can be more personal but are still relatively formal, e.g:

Reply to a birth announcement

. . . Je suis ravi d'apprendre la naissance de . . . Je vous félicite et lui souhaite tout le bonheur possible.

Reply to an engagement announcement

. . . Je suis ravi d'apprendre que tu es maintenant fiancé(e) . . .
Je vous souhaite, à tous les deux, tout le bonheur possible.

Reply to a wedding announcement

. . . J'ai été très heureux/heureuse de recevoir votre faire-part.
Je vous adresse toutes mes félicitations et tous mes voeux de bonheur.

Reply to a bereavement announcement

. . . J'ai été désolé(e) d'apprendre la mort de . . .
Veuillez recevoir mes condoléances les plus sincères.

12.5 Notes/Lists/Forms

GENERAL ADVICE

The advice for writing Notes/Lists is similar to that for writing postcards. It is usually done in abbreviated form but it must be *comprehensible*.

Here is a shopping list for some essential medical supplies before going on holiday . . .

mouchoirs en papier
crème antiseptique
sparadrap
bandage
quelque chose pour le rhume de foin

The list above contains the key-words but not the words for 'the'.

Similarly, an abbreviated form is used for writing notes. All you need to convey is the essential information.

e.g. You are alone in your penfriend's house when the telephone rings. You have to write a note for your penfriend's mother. The call is from a friend of hers (Janine) who can't come tomorrow because her father is ill. She will come on Friday instead.

The note you write might read as follows . . .

Janine a téléphoné. Ne peut pas venir demain. Père malade. Viendra vendredi.

You may also be asked to write out in French for your penfriend a list of things that you will do when he comes to stay with you . . . e.g:

Sunday	church
Monday	sports centre
Tuesday	shopping
Wednesday	swimming-pool
Thursday	trip
Friday	visit grandparents
Saturday	disco

Your notes in French would read as follows . . .

dimanche	église
lundi	complexe sportif
mardi	achats
mecredi	piscine
jeudi	excursion
vendredi	visite grands-parents
samedi	disco

Some examining groups may ask you to fill in a form in French. Here is an example . . .

You are applying for a French penfriend and have been asked to give the following details. Complete this form in French.

Collège ______________________

Adresse (du collège) ______________________

Votre nom ______________________

Prénom(s) ______________________

Date de naissance ______________________

Matières étudiées ______________________

Langues parlées ______________________

Intérêts ______________________

____

____

QUESTIONS

Your school has received exchange forms from a French school.
Fill in the section on interests with your five favourite hobbies (e.g. cars, stamps, reading, dancing). Do NOT include games or sport (these appear elsewhere on the form).
Fill in the section on school subjects with your five favourite subjects (e.g. German, history, art).
Write in FRENCH

PASSETEMPS ....

MATIÈRES PRÉFÉRÉES ....

12.6 Continuous Writing: Reports/Accounts

HIGHER LEVEL

At the Higher level, candidates may be required to write a report or account in French. This may take the form of a personal narrative, an accident, event, etc. which has happened to you. You may be asked to write this account in a letter or as a simple report in itself. Do check your examining group's syllabus to see which type of writing test you will have to do.

Try to think in French at all stages. Keep your account simple but *accurate*. Use those words and phrases which you know to be correct and which you have learned thoroughly beforehand. During the examination is not a time to experiment with new forms of writing. It is the time to show the examiner what you *know*, *understand* and *can do*.

Some continuous writing tests may be based on a series of pictures or on a written stimulus in English or French. Some specimen questions are given on the next page. (Always check to see if there are any special instructions, e.g. tenses to use, number of words, etc.)

Imagine that the events in the picture happened to you. Write an account **in French** of 100–120 words about the incident to a French friend.

WJEC, 1993

13 ANSWERS

Please note that the answers to the specimen GCSE questions are entirely those of the author, and that the Examining Groups accept no responsibility whatsoever for their accuracy or method of working.

13.1 Self-Test Unit

1 STRUCTURES AND GRAMMAR REVISION

Articles and nouns

les animaux
les cadeaux
les chevaux
les fils
les journaux
les yeux
les oiseaux
messieurs
mesdames
les timbres-poste

Adjectives

vieux/vieille
joli/jolie
grand/grande
blanc/blanche
cher/chère
premier/première
doux/douce
favori/favorite
beau/belle
nouveau/nouvelle

Adverbs

mal
heureusement
trop
vraiment
mieux
souvent

Pronouns

qui
dont
chacun(e)
n'importe qui
quelqu'un

Conjunctions

quand
parce que/car
donc
puisque
dès que/aussitôt que

Prepositions

parmi
devant
avant
à droite
à pied
jusqu'à
de l'autre côté
en vacances

Verbs

Present tense

1 Il finit
2 Nous mangeons
3 Vous appelez
4 Je viens
5 Elles vont
6 Tu jettes
7 Elle veut
8 Nous commençons
9 Ils sont
10 Elles ont
11 Vous faites
12 Il écrit
13 Tu sais
14 Vous dites
15 Nous nous couchons
16 Je reçois
17 Elles s'asseyent
18 Elle doit
19 Ils connaissent
20 Vous prenez

Future tense

1 Ils auront
2 Je pourrai
3 Elle s'assiéra
4 Vous viendrez
5 Tu voudras
6 Ils appelleront
7 Nous ferons
8 Il faudra
9 Tu seras
10 Elles recevront
11 Je courrai
12 Elle devra
13 Vous enverrez
14 Tu finiras
15 Il pleuvra
16 Elles répéteront
17 Je saurai
18 Nous apercevrons
19 Tu tiendras
20 Nous cueillerons

Imperfect tense

1 Nous finissions
2 Il était
3 Ils avaient
4 Vous alliez
5 Je faisais
6 Elles pouvaient
7 Elle envoyait
8 Il voulait
9 Je jetais
10 Vous disiez

Conditional tense

1 Je voudrais
2 Ils iraient
3 Nous serions
4 Tu pourrais
5 Vous demanderiez
6 Elle dirait
7 Elles auraient
8 Je viendrais
9 Il ferait
10 Vous enverriez

Perfect tense

1 Il a dû
2 Elle s'est assise
3 Vous avez mis
4 J'ai suivi
5 Tu es retourné(e)
6 Nous sommes descendu(e)s
7 Elles ont vu
8 Il a pris
9 Je suis devenu(e)
10 Nous avons vécu
11 Il s'est souvenu
12 Vous avez ouvert
13 Tu as connu
14 Ils ont reçu
15 Nous avons voulu
16 Je suis rentré(e)
17 Elles ont eu
18 Elle a craint
19 Vous avez été
20 Il a pu

Past historic tense

1 They put
2 I had to
3 We took
4 They had
5 She knew
6 They saw
7 They came
8 He was
9 He made/did
10 She drank

Imperative and present participle

1 knowing
2 being
3 having
4 Finish!
5 Be!

Negatives

Je n'aime pas les devoirs.
Je n'y vais jamais.
Personne n'est arrivé.
Elle n'a rien mangé.

2 FUNCTIONS

1 Au secours!
2 D'accord.
3 Cela ne fait rien.
4 Félicitations.
5 Allez tout droit.
6 C'est dommage.
7 Je m'intéresse beaucoup à. . .
8 Enchanté, monsieur/mademoiselle.
9 A bientôt.
10 Ce n'est pas possible.
11 Je suis désolé(e).
12 Bon anniversaire! Bonne année! Courage! Dors/dormez bien!
13 Je regrette mais je ne comprends pas.
14 Il est interdit de. . .

3 NOTIONS

Direction/distance

au loin
partout
à gauche
à droite
le nord
de l'autre côté
tout droit
là-bas

Place/position

ensemble
sous
tout près

Quality

roux
de cuir
en inox/d'acier inoxydable
de laine
de dentelle

Number/quantity

treize
trente-neuf
soixante-trois
quatre-vingt-quatre
cent un

une bouteille de
un pot de
une livre de
une boîte de
un paquet de

Emotions/feelings

avoir peur
ennuyer
déranger
s'amuser
heureux/heureuse
rire
triste
gronder

Time

enfin
avant
de temps en temps
une demi-heure
déjà
le lendemain matin
plus tard
bientôt
demain
longtemps

Dates/festivals

féliciter
Pâques
le Jour de l'An
l'anniversaire

4 VOCABULARY TOPIC AREAS

Café/hotel/restaurant

le petit déjeuner
la tasse
l'ascenseur
une chambre à un lit
la douche
l'assiette
la pension complète
la boisson
un invité
le déjeuner

Camping

le matérial de camping
la poubelle
un emplacement
le sac à dos
le bidon à eau
le sac de couchage
le camping gaz
le marteau
le piquet
le terrain de camping

Clothes

la ceinture
le blue-jean
la chemise de nuit
la poche
la taille
la manche
les chaussettes
la chemise
le chandail/le gilet
le veston/la veste

Countries/nationalities

la Belgique
la Grande-Bretagne
l'Écosse
la Suisse
le Pays de Galles
le Royaume-Uni
une Autrichienne
un Allemand
une Indienne
un Grec

Countryside

un rouge-gorge
un cygne
la grange
la fermière
un troupeau
le verger
le berger
la fourmi
les cailloux
le ruisseau

Daily routine

prendre une douche
se brosser les dents
attraper l'autobus
prendre le goûter
s'endormir

Education

la chimie
le collège, le lycée
l'informatique
le proviseur
apprendre
dessiner
l'emploi du temps
l'uniforme scolaire
étudier
être reçu/réussir à un examen

Food/drink

le petit pain
les chips
les raisins
le jus de fruit
la côtelette
un steak bien cuit
le veau
les choux de Bruxelles
le yaourt
le sel

Health/illness

un furoncle
la varicelle
être enrhumé
J'ai la tête qui tourne
s'évanouir
le poste de secours
la grippe
se fouler la cheville se faire une entorse

Human body

la cheville
la figure/le visage
le coeur
le dos
le poignet
la lèvre
la langue
l'épaule
le pouce
le menton

Accident/injury

Au secours!
un accident de la route
être piqué par
renverser
(se) casser
couper
un accident grave
un brancard
coincer
(se) blesser

Home/rooms

un immeuble
le placard
le rez-de-chaussée
le/la concierge
le séjour/la salle de séjour
le/la locataire
louer
fermer à clé
l'étage
nettoyer
le robinet
le savon
la table de chevet
la couverture
l'étagère
le couvert
l'aspirateur
l'électrophone
le magnétoscope
faire la vaisselle

Garden

l'allée
la plate-bande/ le parterre
la serre
la brouette
la bascule

Jobs/professions

le douanier
l'ingénieur
le comptable
la ménagère
le gérant
le routier
le coiffeur
l'avoué/le notaire
le personnel
le chômeur

Leisure

jouer aux cartes
le bricolage
le delta-plane/sport de l'aile libre
l'équitation
une boum
la spéléologie
le patinage
la planche à voile
les jeux vidéo
la natation

The media

la météo
le feuilleton
le sondage
le quotidien
une chaîne

Personal identification

les yeux verts
les cheveux roux
mince
de taille moyenne
les cheveux courts
laid(e)
les cheveux blonds

Family/friends

la petite-fille
le neveu
cadet/te
la tante
le/la meilleur(e) ami(e)

Pets

le lapin
la tortue
l'âne
l'épagneul
le cochon d'Inde
la souris

Seaside

la falaise
le transa(t)
la glace
le phare
le rocher
faire de la voile
le seau et la pelle
le parasol
faire du ski nautique
prendre des bains de soleil/se bronzer

Services

toucher un chèque
des chèques de voyage
le guichet
le portefeuille
l'appareil photo
la boîte aux lettres
mettre une lettre à la poste
le timbre-poste
composer le numéro
l'annuaire
le Syndicat d'Initiative/l'Office de Tourisme
une liste des randonnées

Shopping

la librairie
le consommateur
la bijouterie
le kiosque à journaux
la boucherie
le sous-sol
(C'est) combien?
la vitrine
la papeterie
peser

Town

le Syndicat d'Initiative
la gare routière
le bureau des objets trouvés
le passage clouté
le centre sportif
le quartier
le passage souterrain
les feux
la place
le rond-point

Travel

l'avion
l'arrêt d'autobus
l'aérogare
la galerie
le pneu
la plaque d'immatriculation
le quai
la valise
le billet d'aller et retour
le chariot

Weather

Il neige
des éclaircies
l'aube/le point du jour
l'arc-en-ciel
une averse
nuageux
la météo
au printemps
la chaleur
le clair de lune

13.2 The Oral Exam: Conversation

Family

Basic level

1 Il y en a (e.g., quatre)

2 J'ai (e.g. une soeur et un frère)

Higher level

1 e.g. Ma soeur Louise est l'aînée

2 Mon frère Paul est le cadet.

3 e.g., Ils sont en chômage. (*out of work*)

4 Oui, j'ai une nièce et un neveu/Non, je n'en ai pas.

Family pets

Basic level

1 Oui, j'ai un chat/un chien, etc.

2 Il s'appelle . . .

3 Il est gros et noir, etc.

4 Il aime manger de la viande/Il aime boire du lait, etc.

Higher level

1 Parce qu'ils sont mignons et de toute façon mon épagneul ce n'est pas seulement un chien, c'est un ami.

2 Parce qu'on n'a pas besoin de les promener!

3 Parce que j'y suis allergique. Je crains toujours le poil de chat. Cela me fait éternuer sans arrêt.

Daily routine

Basic level

1 Je me lève à . . . (e.g. sept heures et demie)

2 J'ai fait mes devoirs/J'ai regardé la télévision.

3 Je suis allé en ville avec mes amis.

4 Je suis allé à l'église/J'ai rendu visite à mes grands-parents.

5 Je jouerai au tennis avec mes amis.

6 Je les fais dans ma chambre.

7 J'en ai beaucoup.

8 Je me couche à . . . (e.g. dix heures)

9 Oui mes parents me donnent de l'argent de poche.

10 J'achète des disques et des livres/Je l'économise (*to save*).

Higher level

1 Je me lève vers sept heures. C'est ma mère qui me réveille car j'ai horreur du réveil. Ma mère m'apporte une tasse de thé – elle est très gentille. D'habitude je prends une douche

mais si je suis pressé je me lave et me brosse vite les dents. Je prépare mon uniforme scolaire la veille car je ne me débrouille pas très bien le matin! Je prends un petit déjeuner rapide, toujours préparé par ma mère. Puis vers huit heures je quitte la maison en courant car je suis toujours en retard pour l'école.

2 Oui je fais du babysitting.
. . . je livre les journaux.
. . . je travaille comme caissière au supermarché.
. . . je travaille comme pompiste à une station-service.
. . . je lave les carreaux. (*window-cleaning*)
. . . je suis garçon de café en ville.
. . . je suis serveuse dans un café.
. . . je suis employé(e) de magasin.

Education

Basic level

1 Oui, j'habite à . . . kilomètre(s) de l'école.
Non, j'habite tout près de l'école.

2 J'étudie . . . (le français, l'anglais, les maths, etc.)

3 Je préfère . . . (le français).

4 J'y arrive à . . . (huit heures et demie).

5 Je quitte l'école à . . . (quatre heures).

6 Je vais en classe le lundi, mardi, mercredi, jeudi et vendredi.

7 J'ai l'intention de quitter l'école cette année/dans deux ans.

8 Je l'apprends depuis . . . (cinq ans).

9 Il y en a . . . (trente).

10 Nous en avons . . . (cinq).

Higher level

1 Je voudrais continuer mes études à l'université de . . . J'espère devenir . . .

2 Alors, j'arrive à l'école vers neuf heures. Je suis toujours en retard car je trouve difficile de me lever de bonne heure. Mon professeur me gronde chaque jour mais sans résultat! Il y a un rassemblement des élèves dans la grande salle à neuf heures dix puis les cours commencent à neuf heures et demie. Après deux cours il y a la récréation pendant un quart d'heure, puis encore trois cours. L'après-midi il n'y a que trois cours et pas de récréation. Si l'on a une heure de perme (*free lesson*) on peut aller travailler à la bibliothèque. Moi, je préférerais rentrer à la maison mais ce n'est pas permis.

3 C'est un Collège d'Enseignement Secondaire. Il y a deux mille élèves et cent vingt professeurs. Nous avons beaucoup de salles de classe et des laboratoires de sciences ainsi que des ateliers et trois gymnases. Il y a deux cantines où on peut manger à midi mais beaucoup d'élèves préfèrent manger en ville dans des snacks. Nous avons quelques aires de jeux, des terrains de sports et cinq courts de tennis. Pour ceux qui ne sont pas sportifs, il y des clubs culturels ou on peut faire du dessin, de la sculpture ou jouer d'un instrument musical ou chanter.Il y a aussi des groupes qui aident les handicapés pendant leurs heures libres.

Food and drink

Basic level

1 J'ai mangé du pain grillé (*toast*).
. . . un oeuf à la coque (*boiled egg*).
. . . du bacon et un oeuf sur le plat (*fried egg*).
Je n'ai rien mangé pour le petit déjeuner.

2 J'ai bu du café (thé) au petit déjeuner aujourd'hui.

3 Je prends le petit déjeuner à . . . (e.g. huit heures)
Je prends le déjeuner à . . . (e.g. midi)
Je prends le goûter à . . . (e.g. quatre heures et demie)
Je prends le dîner (le souper) à . . . (e.g. huit heures)

4 J'aime . . . (e.g. les oranges)

5 Je préfère . . . (e.g. les haricots verts)

6 Oui, je rentre à la maison pour déjeuner.
Non, je déjeune à la cantine de l'école.
Non, je mange en ville au café.

7 Pour le petit déjeuner, j'ai mangé des croissants. A midi nous avons mangé de la viande, des légumes, de la salade, du fromage, et des fruits. Pour le souper, j'ai mangé une omelette, des pâtes, et un yaourt. J'aime bien les yaourts français.

8 C'est une sorte de gâteau chaud qu'on sert avec une sauce chaude et sucrée.

Higher level

1 J'achèterais des tranches de jambon (*slices of ham*), des pizzas, du pain, des pêches et de l'eau minérale.

2 J'achèterais des pommes de terre qui ne coûtent pas beaucoup puis je les mangerais avec des haricots blancs à la sauce tomate.

3 Oui, l'année dernière je me suis rendu compte que j'avais quelques kilos de trop et que mes amis se moquaient de moi. On m'a prescrit un régime sans danger pour ma santé. J'ai dû manger à des heures regulières et on m'a défendu de manger entre les repas. J'ai maigri de 5kg.

4 J'adore les pâtes (*pasta*) et surtout les nouilles (*noodles*), mais ça fait grossir (*put on weight*) donc je ne peux les manger qu'une fois par semaine.

Free time

Basic level

1 J'aime regarder la télé, écouter des disques, sortir avec mes amis, etc.

2 J'aime jouer au tennis.
J'aime monter à cheval.
J'aime jouer au football.
J'aime regarder la télévision.

3 Je préfère les livres d'aventures, (les romans, les romans policiers, la poésie, etc.)

4 Je préfère la musique pop (classique)

5 Je préfère les comédies, (les westerns, les films policiers, les films d'horreur).

6 J'y vais une fois par semaine, (mois).

7 Oui, je joue du piano, (du violon, de la guitare, de la flûte, etc.)

8 Je regarde la télévision ou j'écoute mes disques.

9 Je préfère le football, (le tennis, le squash, etc.)

10 On peut pratiquer le rugby, le hockey, le cricket et le tennis.

Higher level

1 Je suis amateur de théâtre. Je suis membre d'un groupe qui monte des pièces de théâtre trois fois par an. J'ai presque toujours un rôle dans les pièces mais j'aide aussi à faire les costumes et à peindre les décors. Dans une semaine nous allons jouer *La Cantatrice Chauve* d'Ionesco.

2 Je vais souvent au cinéma avec mes amis. J'aime toutes sortes de films – les westerns, les films d'espionnage, les films d'horreur et même les dessins animés. Ma mère est ouvreuse (*usherette*) donc je peux entrer dans le cinéma gratis. Mes amis, malheureusement, doivent payer leur place!

3 Oui je suis fana/fanatique de tennis. Je suis membre du club de tennis en ville et j'y joue chaque jour après les classes. J'aime bien regarder les matchs internationaux à la télé mais je préfère jouer au tennis moi-même.

4 Je préfère les émissions pour la jeunesse et les feuilletons mais je trouve qu'il y a trop de feuilletons américains à la télé. Je ne m'intéresse pas trop aux émissions politiques mais les documentaires m'intéressent s'ils sont au sujet des jeunes.

Holidays

Basic level

1 Oui, j'aime voyager. J'aime visiter les endroits intéressants.
Non, je n'aime pas voyager. Je préfère rester à la maison.

2 Je préfère passer les vacances au bord de la mer parce que j'aime faire de la planche à voile. (*wind-surfing*)
Je préfère passer les vacances à la campagne car je déteste la mer.

3 Oui, j'aime faire du camping car j'aime la vie de plein air.
Non, je n'aime pas faire du camping parce que je suis paresseux/paresseuse.

4 Je suis allé en France.
Je suis resté à la maison

5 Oui, l'année dernière nous sommes allés en Italie.
Non, mais j'espère le faire cette année. On fait des projets pour aller en France.

6 J'irai en France/Je resterai à la maison.

7 Je voudrais visiter les Etats-Unis

8 J'ai visité l'Espagne, l'Autriche et la France.

9 J'en ai . . . (e.g. douze)

Higher level

1 D'abord j'aurai un petit emploi pour gagner de l'argent. Je travaillerai comme . . . (e.g. caissière/pompiste/garçon de café, etc.) pour quatre semaines. Puis je partirai en vacances avec mes amis. Nous allons faire un tour de la France à vélo. Nous resterons dans des auberges de jeunesse.

2 Parce que nous pourrons organiser librement nos voyages et les auberges vous accueillent dans une ambiance amicale. On a aussi l'occasion de recontrer des jeunes de tous les pays.

3 Oui, j'y suis allé l'année dernière. J'ai bien profité de mes vacances car je suis resté chez mon correspondant à Grenoble. J'ai dû parler français tout le temps parce que les parents de Pierre-Yves ne parlent pas bien l'anglais. Nous avons fait des randonnées partout sur des chemins fleuris; nous avons escaladé les rochers et nous nous sommes baignés dans les eaux fraîches des sources. La France me manque beaucoup et j'espère y retourner l'année prochaine.

Home

Basic level

1 J'habite une maison individuelle. (*detached*)

2 Elle est grande et blanche. Il y a neuf pièces. Nous avons un grand jardin devant et derrière la maison.

3 Elle est petite. Les murs sont bleus et les rideaux sont blancs. J'ai un lit, une armoire, une table de toilette et une table de chevet.

Higher level

1 Je tapisserais les murs. (*to cover, e.g. with wallpaper*)
Je repeindrais le plafond. (*repaint the ceiling*)
J'accrocherais des tableaux aux murs. (*hang pictures*)
J'installerais mon magnétophone et le téléviseur.
Je choisirais un tapis blanc et des rideaux roses.

Garden

1 Oui je travaille dans le jardin.

2 Je travaille dans le jardin pour gagner de l'argent de poche.
Je tonds le gazon. (*cut the grass*)
J'arrache les mauvaises herbes. (*to do the weeding*)
Je cultive des légumes. (*grow vegetables*)
(See **vocabulary topic areas** for extra vocabulary.)

Shopping

Basic level

1 Il y a une épicerie, une pharmacie et une boulangerie près de chez moi.

2 Les magasins ferment à cinq heures et demie généralement en Grande Bretagne. Ils ferment à sept heures en France et même à huit heures dans quelques régions.

3 Je préfère faire mes achats chez les petits commerçants parce que le service est toujours personnel.
Je préfère faire mes achats dans un hypermarché car ils ont toujours un grand choix de provisions.

4 On peut y acheter toutes sortes de choses – vêtements, meubles, provisions, livres, vaisselle et jouets.

Higher level

1 Il y a une grande surface à deux kilomètres de chez moi. On peut y acheter de tout. On y trouve une boucherie, une droguerie, une parfumerie, une pâtisserie. On peut y acheter des jouets, des aliments animaux (*petfood*), des installations-maison, des vins, des surgelés (*frozen food*), n'importe quoi!

2 Faire des achats dans une grande surface coûte moins cher et on peut faire tous les achats au même endroit.
Mais la grande surface est souvent très éloignée de la maison et on n'y trouve pas un bon acceuil.

Time and date

Basic level

1 Je me lève à dix heures le samedi.

2 Je me lève à midi le dimanche.

3 Je me couche à onze heures le samedi.

4 Je quitte la maison à . . . (e.g. huit heures)

5 Je dois rentrer à la maison à . . . (e.g. cinq heures)

6 A dix heures.

7 A six heures du soir.

8 Le mercredi.

9 Je me lève de bonne heure. Je cherche mes cadeaux puis je les ouvre.

10 Je rends visite à mes grands-parents.

11 Mon anniversaire, c'est le . . . (e.g. le dix mars)

12 J'inviterai des amis à une boum chez moi. Mes parents vont sortir ce soir-là donc nous pourrons faire beaucoup de bruit!

Higher level

1 D'habitude je reste chez moi mais il y a beaucoup de choses à faire en ville et aux environs. Il y a un grand complexe sportif tout près de la maison où on peut jouer au badminton, nager, faire de l'escrime, jouer au pingpong, etc. A deux kilomètres de la ville il y a un musée folklorique, un centre d'équitation et un vieux château.

2 Je suis allé en France avec ma famille. Nous avons fait du camping dans le Midi. Il a fait très, très chaud et nous avons dû nous abriter du soleil pour éviter des coups de soleil. Nous avons rencontré des Français qui habitent Paris et ils nous ont invités à passer quelques jours à Paris chez eux l'année prochaine. Nous attendons avec impatience notre retour en France.

3 Je ferai un stage au centre de plein air de Brecon (*outdoors pursuits course*).
On peut y faire de la voile*, de la spéléo*, et aussi de l'escalade*/la varappe.*

Town and region

Basic level

1 Mon village est très joli. Il n'y a pas beaucoup de maisons mais il y a quelques fermes aux environs. Dans le village il y a une église, une épicerie et deux auberges.

2 Ma ville est grande. Il y a trente-cinq mille habitants. Il y a un grand centre commercial, un complexe sportif et un jardin public. On y trouve aussi une zone industrielle.

3 Je préfère la ville parce que j'aime aller au cinéma avec mes amis et j'aime faire des achats au centre commercial.
Je préfère habiter à la campagne parce que j'ai un cheval et je fais des promenades à cheval tous les jours.

4 Il y a le train et les autocars, mais presque tout le monde a une voiture.

5 Il y a un château qui date du seizième siècle. Il y a aussi un musée folklorique et des ateliers artisanaux (*craft workshops*).

* faire de la voile *sailing* faire de la spéléo *pot-holing* faire de l'escalade *climbing* faire de la varappe *rock-climbing*

Higher level

1 J'habite une région touristique. Les villages sont pittoresques, surtout les ports de pêche. La côte est très découpée et a l'aspect sauvage mais il y a des plages de sable dans la région qui attirent beaucoup d'estivants (*summer visitors*). Nous, les habitants, préférons l'hiver car il y a trop de monde au bord de la mer en été.

2 Il faut absolument voir la cathédrale. L'édifice actuel a été bâti au douzième siècle. On a reconstruit le clocher au quinzième siècle mais la statue du Christ est tout à fait moderne. Dans les petites chapelles il y a les tombeaux gothiques des princes qui habitaient cette région il y a longtemps.

3 Il y a tant de régions qu'il faut visiter; tout dépend de tes/vos goûts personnels. Moi, j'aime toutes les régions de la Grande-Bretagne. J'aime les montagnes de l'Écosse et l'isolement qu'on y trouve. Si la neige y tombe abondamment en hiver, on peut faire du ski.
J'aime la région des lacs car on peut faire des randonnées à pied. En été le sud de l'Angleterre a un climat qui ressemble beaucoup au climat de la Bretagne. On peut passer des vacances agréables sans jamais quitter notre pays.

4 J'aime bien la Provence car on y trouve de tout - montagnes, vallées, plaines, littoral. Cette variété de paysages, cette diversité de vues ne cessent jamais de m'étonner. Tout le monde a entendu parler de la Côte d'Azur mais ce que j'aime beaucoup ce sont les champs de lavande du Vaucluse, en été, et les arbres fruitiers en fleurs- abricotiers, amandiers, oliviers - au printemps.

Travel/transport

Basic level

1 Je prends un car de ramassage. (*school bus*)
J'y vais à pied. (*on foot*)

2 A un kilomètre seulement.

3 Non, je préfère le train. Je ne peux pas supporter de longs voyages en voiture.

4 On peut prendre l'avion, le ferry et le hovercraft ou traverser par le Tunnel.

5 On peut le faire mais ça peut être dangereux.

Higher level

1 On me l'a appris à l'école mais je n'ai jamais eu l'occasion de le faire. On dit qu'il faut chercher le nom de la station en tête de ligne, puis si on doit changer de ligne on cherche le nom de la station de 'Correspondances' puis la tête de ligne encore une fois.

2 Parce que de tous les moyens de transport, c'est le plus rapide.

3 Parce que c'est plus pratique et parce qu'il n'y a qu'un seul tarif.

Weather

Basic level

1 En été il fait chaud.
En hiver il fait très froid. Il neige souvent.
En automne il fait beau.
Au printemps il fait froid. Il pleut souvent.

2 Il a fait très, très chaud. De temps en temps il y a eu des averses mais le soleil a brillé tous les jours.

Higher level

1 Non, pas du tout! De temps en temps il fait du brouillard en hiver mais il peut faire beau aussi. Il est vrai que le ciel est souvent couvert en hiver et au printemps mais en été et en automne il peut faire vraiment beau.

2 A la météo on dit qu'il va geler et qu'il faut faire attention sur les routes à cause du verglas. (*black ice*)

3 Je préfère un climat tempéré, comme celui de la France; j'aime surtout son climat méditerranéen. J'adore le soleil mais pas le soleil des pays tropicaux.

4 Il a fait très chaud. Il y a eu une vague de chaleur dont les effets ont fait peur. Dans la région où nous étions il y a eu une sécheresse épouvantable. On manquait d'eau dans les robinets. Les températures ont atteint des records jamais égalés. Il y a eu beaucoup d'incendies dont un mortel – un pompier a été brûlé vif dans les Landes.

13.3 The Oral Exam: Role-Play

BASIC LEVEL

Seeking accommodation—campsite/hotel/youth hostel

1 Au terrain de camping

(a) Est-ce que vous avez une place libre pour une nuit, monsieur?
(b) Je suis seul et j'ai une tente.
(c) Où sont les lavabos et les WC, s'il vous plaît?
(d) Où est-ce que je pourrai acheter du pain demain matin, monsieur?

2 A l'auberge de jeunesse

(a) Est-ce que vous avez des lits, monsieur?
(b) Nous sommes trois, monsieur.
(c) Nous voudrions louer des sacs de couchage.
(d) Est-ce que le petit déjeuner est compris?

3 A l'hôtel

(a) Est-ce que vous avez des chambres libres pour cette nuit, monsieur?
(b) Je voudrais une chambre pour une personne, avec salle de bains.
(c) C'est combien la nuit? Le petit déjeuner est compris?

GCSE Question

(a) Je voudrais rester une nuit.
(b) Avez-vous une chambre à deux lits.
(c) Est-ce qu'il y a un restaurant?
(d) Je partirai de bonne heure.
(e) Je peux payer maintenant?

Asking for information/asking the way

1 Au bureau de renseignements

(a) Est-ce que les magasins sont ouverts tous les jours de la semaine?
(b) Qu'est-ce qu'il y a à voir en ville et aux environs?
(c) Je m'intéresse beaucoup aux châteaux. Est-ce qu'il y en a un près d'ici?
(d) Et pour y aller, monsieur?

2 Dans la rue

(a) Pardon, monsieur (madame), pouvez-vous m'aider s'il vous plaît?
(b) Pour aller à l'Hôtel Moderne, s'il vous plaît?
(c) Est-ce qu'il faut prendre l'autobus?

GCSE Question

(a) Je voudrais aller à la cathédrale.
(b) C'est loin?
(c) Il y a un bus?
(d) C'est combien?
(e) Où se trouve l'arrêt d'autobus, s'il vous plaît?

Meeting people/invitations

1 **(a)** Je suis heureux (heureuse) de faire votre connaissance, monsieur (madame).
(b) J'ai deux valises.
(c) Je voudrais une limonade, s'il vous plaît.
(d) Je n'ai pas grand'faim.
(e) Merci, monsieur (madame), je suis très fatigué.

2 **(a)** Merci pour l'invitation. Oui, je veux bien y aller.
(b) A quelle heure la boum commence-t-elle?
(c) Où est-ce qu'on se rencontre avant la boum?

Illness/injury

1 **(a)** Je ne vais pas très bien, j'ai mal aux dents.
(b) J'ai dû prendre de l'aspirine pendant la nuit.
(c) Voulez-vous téléphoner au dentiste, s'il vous plaît, monsieur (madame)?

2 **(a)** Bonjour, monsieur.
(b) J'ai mal a la tete.
(c) Je ne peux rien manger.
(d) Quand faut-il les prendre?
(e) Merci pour l'ordonnance et au revoir, monsieur.

GCSE Question

1 Pour aller à l'hôpital, s'il vous plaît?
2 Ce n'est pas cher.
3 Il y a un magasin de fleurs tout près?

Garage

A la station-service

(a) Voulez-vous faire le plein d'essence, monsieur?
(b) Ça fait combien, monsieur?
(c) Est-ce que vous vendez des cartes routières?
(d) Je voudrais une carte du Nord de la France, s'il vous plaît.

GCSE Question

(a) Du super,s'il vous plaît.
(b) C'est combien?
(c) Faites le plein, s'il vous plaît.
(d) Voulez-vous vérifier l'eau?
(e) Un litre d'huile,s'il vous plaît.

Travel

A la gare

1 **(a)** Un billet simple de seconde classe pour Paris, s'il vous plaît.
(b) Je n'ai qu'un billet de 100 francs.
(c) A quelle heure part le train?
(d) Où se trouve la salle d'attente, s'il vous plaît?

2 **(a)** Est-ce que l'autobus va à Notre Dame?
(b) Alors deux billets s'il vous plaît.
(c) Nous sommes des étudiants.
(d) Je n'ai pas de monnaie.
(e) Je le regrette.

GCSE Question

(a) Pour aller à la gare s'il vous plaît?
(b) C'est loin?
(c) On peut y aller en bus?

Restaurant/café

1 A la terrasse d'un café

(a) Je préfère m'asseoir à la terrasse.
(b) Est-ce que tu veux prendre des croissants?
(c) Garcon! Un café noir et un café-crème, s'il vous plaît.
(d) Oui. Depuis combien de temps habites-tu ici?

GCSE Question

(a) Un jus d'orange s'il vous plaît.
(b) Vous avez des sandwichs?
(c) Je n'aime pas le fromage.

2 Au restaurant

(a) Avez-vous une table pour quatre personnes?
(b) Qu'est-ce vous voulez prendre?
(c) Trois steak-frites, et est-ce que vous avez une salade aussi?
(d) L'addition s'il vous plaît. Est-ce que le service est compris?

Cinema/theatre

1 **(a)** Nous pourrions aller au cinéma.
(b) Passe-moi le journal, s'il te plaît. Il y a un bon film au cinéma Rex.
(c) Il commence à vingt et une heures trente. Nous devons nous dépêcher.
(d) As-tu assez de l'argent?

2 **(a)** Je voudrais bien y aller.
(b) Je voudrais voir un film français.
(c) On y va ce soir?
(d) A quelle heure commence-t-il?
(e) D'accord. A sept heures et demie.

GCSE Question

(a) C'est une comédie?
(b) Il finit à quelle heure?
(c) Une place à trente francs, s'il vous plaît.

Post office/telephoning

1 **(a)** Je voudrais téléphoner à un ami.
(b) Son numéro est Lisieux soixante-deux, zéro trois, vingt-quatre.
(c) Quelle cabine, s'il vous plaît?
(d) Merci monsieur (madame), ça coûte combien pour trois minutes?

2 **(a)** Je voudrais envoyer des cartes postales en Angleterre, s'il vous plaît.
(b) C'est combien, une carte postale pour l'Angleterre?
(c) Alors, cinq timbres à . . . francs, s'il vous plaît.

Shopping

1 **(a)** Je voudrais un demi-kilo de raisins, s'il vous plaît.
(b) Est-ce que les petites pêches sont bonnes à manger?
(c) Est-ce que les oranges sont plus chères que les pêches?

2 *Chez le boulanger-pâtissier*
(a) Deux gros pains, s'il vous plaît.
(b) Elles coûtent combien les tartes aux fraises?
(c) Elles sont chères, mais j'en prendrai une.
(d) Oui. Je n'ai pas mangé le petit déjeuner.

GCSE Question

(a) Où est le café, s'il vous plaît?
(b) Quel café préférez-vous?
(c) Un kilo de café, s'il vous plaît.
(d) C'est combien?
(e) J'aime le café français.

Bank/lost property

1 **(a)** Je voudrais toucher un chèque de voyage, s'il vous plaît.
(b) Voilà mon passeport, monsieur (madame). C'est un chèque de vingt livres.
(c) Oui, je signerai ici. Où se trouve la caisse?

2 **(a)** Mon père a perdu son portefeuille.
(b) Il l'a perdu cet après-midi devant l'Hôtel de Ville.
(c) Il y avait cinq cents francs, des photos et son permis de conduire.

HIGHER LEVEL

Garage

1 **(a)** Bonjour monsieur/madame/mademoiselle. Vingt-cinq litres de super s'il vous plaît.
(b) Voulez-vous vérifier l'huile, s'il vous plaît?
(c) Voulez-vous vérifier le niveau d'eau aussi?

(d) La roue de secours a une crevaison. Pouvez-vous la réparer aujourd'hui?
(e) Je vous dois combien?

2 **(a)** Notre voiture est en panne. Pouvez-vous envoyer quelqu'un?
(b) Nous sommes sur la route de Niort, à cinq kilomètres de Belleville.
(c) Nous n'avons pas eu d'accident.
(d) Nous ne pouvons pas démarrer.
(e) Pouvez-vous envoyer un camion de dépannage?

GCSE Question

(a) Deux cents francs d'essence s'il vous plaît.
(b) C'est tout.
(c) Il y a un restaurant près d'ici?
(d) C'est à quelle distance?
(e) Puis-je téléphoner d'ici?

Seeking accommodation

Hotel

(a) Bonjour, mademoiselle, je m'appelle monsieur . . . j'ai réservé une chambre.
(b) Je l'ai réservée par téléphone il y a deux jours.
(c) C'est une chambre pour deux personnes avec douche.
(d) Puis-je payer par carte de crédit?
(e) La chambre se trouve à quel étage, s'il vous plaît?
(f) Merci, mademoiselle.

Camping

(a) Bonjour, monsieur.
(b) Je regrette mais je dois porter plainte au sujet du camping.
(c) Notre emplacement est trop près des poubelles.
(d) Les douches sont sales et il n'y a pas d'eau chaude.
(e) Il y a tant de bruit la nuit que je ne peux pas dormir.
(f) Nous partirons demain, monsieur.

Youth hostel

(a) Bonjour, monsieur.
(b) Avez-vous des places libres pour cette nuit?
(c) Nous sommes quatre, deux garçons et deux filles.
(d) Peut-on louer des sacs de couchage et des couvertures?
(e) Où est-ce que nous pouvons laisser nos vélos?
(f) Le repas du soir est à quelle heure s'il vous plaît? Y a-t-il un téléphone ici?

GCSE Question

(a) C'est bien l'Hôtel du Commerce, près du marché?
(b) Je voudrais réserver une chambre pour une personne.
(c) ....
(d) (e.g.) Une chambre tranquille avec douche.
(e) Pour arriver à l'hôtel?
(f) Je ne peux pas arriver avant minuit.
(g) Voulez-vous m'envoyer les détails de ma réservation?

Illness/injury

(a) J'étais au coin de la rue quand l'accident est arrivé.
(b) Un cycliste a tourné à gauche sans regarder où il allait.
(c) Il a renversé une dame qui traversait la rue.
(d) Je m'appelle . . . je suis descendu(e) à l'hôtel . . .
(e) L'accident est arrivé il y a une demi-heure.

2 **(a)** Je me suis foulé le poignet.
(b) Il me fait très mal.
(c) Je jouais au tennis quand il est arrivé.
(d) Il me faut aller à l'hôpital?
(e) Je rentre chez moi la semaine prochaine.

GCSE Question

(a) Mon ami s'appelle ....
(b) On l'a attaqué près de Notre Dame à minuit.
(c) Mon ami s'est cassé le bras.

(d) J'étais là mais je ne me suis pas blessé.
(e) ....
(f) Il avait quarante ans à peu près et il portait des lunettes.

Asking for information/directions

1 **(a)** Pardon, monsieur/madame.
(b) Nous n'avons presque plus d'essence. Y a-t-il une station-service près d'ici?
(c) Elle est ouverte toute la journée?
(d) Nous sommes à combien de kilomètres de Paris?
(e) Merci, monsieur/madame.

2 **(a)** Pardon, monsieur/madame.
(b) Je cherche la Rue St Honoré. C'est loin?
(c) Faut-il prendre le métro ou peut-on y aller à pied?
(d) Les taxis coûtent cher? Où puis-je en trouver un, s'il vous plaît?
(e) Merci, monsieur/madame.

GCSE Question

(a) Pour aller à la gare SNCF, s'il vous plaît?
(b) Je suis à pied.
(c) C'est loin?
(d) Je suis en retard.
(e) Merci. Au revoir.

Lost property

(a) Bonjour, mademoiselle/monsieur.
(b)J'ai perdu mon appareil (photographique).
(c) Je l'ai perdu hier soir sur la place du marché.
(d)C'est un Kodak.
(e) Je m'appelle . . . Je suis à l'hôtel . . .

GCSE Question

(a) On a volé mon argent.
(b) C'était le train de Paris.
(c) Je me suis réveillé à cinq heures et l'argent avait disparu.
(d) Je l'ai raconté à un agent de police dans le train.
(e) ....
(f) Non, j'ai toujours mon passeport.

Meeting people/invitations

1 **(a)** J'espère parler beaucoup de français pendant mon séjour.
(b) J'espère perfectionner ma connaissance de la langue française.
(c) Je suis très fatigué(e) après mon long voyage.
(d) J'ai rencontré dans le train des Français qui s'appellent Vermorel.
(e) Je voudrais me coucher. A quelle heure faut-il me lever demain?

2 **(a)** Je voudrais bien y aller.
(b) Je n'ai jamais vu de film français.
(c) On y va ce soir?
(d) La séance commence à quelle heure?
(e) C'est loin, le cinéma?

GCSE Question

(a) Vous avez une très belle maison.
(b) Vous habitez ici depuis combien de temps?
(c) Où se trouvent les magasins les plus proches?
(d) Les repas sont à quelle heure?
(e) Vous regardez beaucoup la télévision?

Restaurant/café

1 **(a)** Je préfère m'asseoir à la terrasse, à l'ombre.
(b) Merci, monsieur, ça va très bien.
(c) Je voudrais quelque chose à boire de bien frais.
(d) Je prendrai un citron pressé.
(e) J'ai trop chaud pour manger pour le moment.

2 **(a)** Garçon, s'il vous plaît!
(b) L'addition, s'il vous plaît.
(c) Je crois qu'il y a une erreur.
(d) Je n'ai pris qu'un café crème et un gâteau.
(e) Voulez-vous vérifier l'addition, s'il vous plaît?

GCSE Question

(a) Ma sœur est venue en France à Pâques.
(b) ....
(c) Elle a mangé beaucoup de glaces.
(d) Elle m'a dit de prendre un café liégois.
(e) Où est-ce que je peux les acheter?
(f) Je ne suis jamais allé à un café français.
(g) (e.g.) Je voudrais y faire des courses aussi.

Shopping

1 **(a)** Bonjour, mademoiselle/monsieur. Où est le rayon des disques s'il vous plaît?
(b) Je cherche des disques de musique pop.
(c) Quels disques figurent au { palmarès cette semaine? / hit parade }
(d) Quel est le chanteur/le groupe français le plus populaire?
(e) Puis-je écouter le disque?

2 **(a)** Bonjour, mademoiselle/monsieur. Où est le rayon des T-shirts, s'il vous plaît?
(b) Avez-vous des T-shirts en jaune?
(c) De la taille . . .
(d) Avez-vous des T-shirts moins chers?
(e) Merci, mademoiselle/monsieur. Où faut-il payer?

GCSE Question

(a) J'ai acheté cette radio-cassette hier.
(b) ....
(c) Je voudrais l'échanger.
(d) Oui, je voudrais la même en noir.
(e) Je voudrais un remboursement.
(f) Je voudrais la radio-cassette à huit cents francs.

Telephoning

(a) Bonjour, mademoiselle/monsieur.
(b) Puis-je téléphoner en Grande Bretagne d'ici?
(c) Je voudrais téléphoner en PVC.
(d) Je m'appelle . . . Le numéro de téléphone est . . .

Post office

(a) Bonjour, mademoiselle/monsieur.
(b) Je voudrais envoyer des lettres en Angleterre.
(c) C'est combien pour une lettre?
(d) C'est combien pour une carte postale?
(e) Alors, trois timbres pour les lettres et cinq timbres pour les cartes postales, s'il vous plaît.

GCSE Question

(a) C'est combien pour envoyer une lettre?
(b) Puis-je y mettre de l'argent?
(c) Puis-je envoyer une lettre recommandée?
(d) Elle arrivera avant le week-end?
(e) Où est la boîte aux lettres, s'il vous plaît?

At the tourist office

1 **(a)** Bonjour, mademoiselle/monsieur.
(b) Avez-vous une liste des hôtels dans cette ville?
(c) Pouvez-vous recommander un bon hôtel?
(d) Nous cherchons un hôtel calme pas loin du centre-ville.
(e) Il se trouve à quelle distance d'ici?

2 **(a)** Bonjour, mademoiselle/monsieur.
(b) Avez-vous des renseignements sur la région?
(c) Y a-t-il des visites guidées?
(d) Le château est ouvert à quelle heure?
(e) On peut y aller à pied?

GCSE Question

(a) Les trains pour Perpignan partent à quelle heure?
(b) Je voudrais arriver avant sept heures du soir.
(c) (e.g.) Je vais y rencontrer mes parents.
(d) Il y a une réduction pour les jeunes?
(e) Le car, c'est moins cher?
(f) Le voyage dure combien de temps?
(g) Non, merci ....

Travel

1 **(a)** J'ai deux valises.
(b) Je vais porter ce sac.
(c) Il y a un cadeau pour le père de mon correspondant dedans.
(d) Il a coûté cher, alors je préfère le garder avec moi.
(e) Je vais rester trois semaines en France.

2 **(a)** Bonjour, mademoiselle. Où est la place soixante-huit, s'il vous plaît?
(b) L'avion va décoller à quelle heure?
(c) A quelle heure est-ce qu'on arrive à Londres?
(d) Où faut-il mettre mon sac?
(e) Merci, mademoiselle.

GCSE Question

(a) Je voudrais avoir des renseignements sur les trains pour Montpellier.
(b) ....
(c) Le TGV, c'est direct pour Montpellier?
(d) Il y a toujours des places?
(e) C'est combien, un billet simple en première classe?
(f) Oui. Il y a un wagon-restaurant?

At the travel agency

(a) Bonjour, mademoiselle/monsieur.
(b) Je voudrais visiter la vallée de la Loire.
(c) Je voudrais y aller en car.
(d) Avez-vous une liste des hôtels modestes et confortables?
(e) Je voudrais y rester cinq jours à peu près.

13.4 The Oral Exam: Oral Composition

Visual material

1 Il faut aller jusqu'au rond-point puis tourner à droite. Continuez tout droit jusqu'au rond-point prochain. Tournez à gauche. Continuez au rond-point. Tournez à droite et vous verrez l'église à votre gauche.

2 Il faut aller jusqu'au rond-point puis tourner à droite. Continuez tout droit jusqu'au rond-point prochain. Tournez à gauche. Continuez au rond-point prochain. Tournez à gauche encore une fois puis vous verrez l'église à votre droite.

3 Allez jusqu'au rond-point. Tournez à gauche. Continuez jusqu'au rond-point prochain. Tournez à droite. Continuez un peu et alors vous verrez l'église à votre gauche.

4 Allez tout droit jusqu'au rond-point. Tournez à droite. Continuez un peu puis vous verrez l'église à gauche.

(You will have noticed that the beginnings of the above instructions were the same in English but that there are different ways of giving these orders in French. Do remember that often there will be more than one way of giving a correct answer. Try to vary your oral work by using different expressions which you know to be CORRECT.)

5 Il y en a dix.
On peut prendre le bac.
Il y a des forêts sur l'Ile D'Oléron.
Non elle est plus petite que l'Ile D'Oléron.

6 Ils commencent à huit heures.
On en a trois.
C'est l'heure du déjeuner.
Le vendredi.

7 On peut y voir le Grand Ballet argentin.
Le 20 et 21 juillet.
A Châteaudun et à Orléans.
Il y a un Parc Floral où on peut assister à un critérium des roses à massif et aussi à un critérium des dahlias.

8 J'en connais quelques-unes.
Je suis allé . . . (e.g. à la Côte Atlantique)
Les Pyrénées se trouvent entre l'Espagne et la France.
C'est une sorte de caravane traînée par des chevaux ou par une automobile.
Elle se trouve à l'ouest de la France.

9 Oui, bien sûr.
On peut faire de la voile.
On peut assister au bal de l'Election de la Reine.
On peut assister au Festival d'Art Contemporain.
Le douze juin.

10 e.g. Nous sommes arrivés à Arlège le premier août. Il faisait très chaud. Nous avons monté la tente à côté des arbres puis nous avons préparé notre souper. Le lendemain nous avons fait le tour de la ville. Nous avons regardé les bateaux dans le port de plaisance. Puis nous sommes allés au Syndicat d'Initiative pour nous renseigner sur le complexe sportif. L'après-midi nous avons nagé à la piscine. Le soir nous avons dîné au restaurant Bon Acceuil en ville. Nous avons mangé du poulet rôti et mes parents ont bu du vin rouge. Pendant notre séjour nous avons décidé d'aller en Espagne. Nous avons pris le car à huit heures du matin. Nous avons traversé les Pyrénées. Quelle belle région! Les montagnes et la neige sont supers! Nous avons passé une très bonne journée en Espagne. Le soir nous sommes retournés en France.

Photographs

1 On peut y faire des achats.
Non.
Il s'ouvre à neuf heures moins le quart.
Il se ferme le samedi soir à sept heures.
Il s'appelle le Coop.

2 C'est le jour du marché.
Il fait très beau.
On fait des commissions.
Cette scène se passe en été.
On voit des magasins.

3 Il s'appelle Les Dunes.
Trente-huit francs.
Douze francs.
Un franc dix.
Oui.

4 Cette scène se passe en ville.
Il fait beau.
Elle demande la direction.
Il indique la direction.
On peut traverser sur le passage clouté.

13.5 Listening Comprehension

BASIC LEVEL

A l'aéroport

1 **(a)** The English Channel.
(b) Two thousand feet.
(c) At Heathrow.
(d) Cloudy.

2 **(a)** Two hundred and forty.
(b) Passengers are about to embark.
(c) Gate number eleven.

A L'hôtel

(a) There is no reservation but a family room is available.
(b) There is no shower. It costs 240 francs per night.
(c) He is doing his military service after finishing his university studies. He is in Dieppe visiting his grandmother in hospital.
(d) He lives near the Belgian frontier. There is nothing to do there.

A la douane

You are being asked for your passport/if you have anything to declare.

Au bureau des objets trouvés

Where you lost it/what make it is.

A la banque

Go to the counter where there is the sign 'change'.

Directions

1 Take the first street on the right.

2 Go straight on.

3 On the third floor.

4 Opposite the station.

Les visites

1 **(a)** Wednesdays.
(b) Two o'clock in the afternoon.
(c) One and a half hours.
(d) At the entrance to the museum.

2 **(a)** It is not far/It is fantastic.
(b) (Any two) It is expensive/It costs 250 francs per day/It takes two days to visit.
(c) Go to the cinema.

A l'hôtel/en vacances

1 Your room is on the third floor. It is room number 42.

2 There is no restaurant in the hotel, but there is a good restaurant opposite the hotel.

3 It will be cold and cloudy all day.

4 Goodbye. Have a nice walk.

5 He doesn't know how to get there as he is a stranger himself.

6 Where did you lose it/what was inside?

7 Your travel agent.

8 There will be a delay at the airport tomorrow. The plane will leave at midday instead of ten o'clock.

Medical situations

1 **(a)** If it's urgent/what is wrong with you.
(b) In a quarter of an hour.

2 **(a)** No.
(b) A prescription.
(c) A chemist's at the corner of the street.

3 Three tablets a day.

4 Give you a filling

Social situations

1 **(a)** In front of the cinema.
(b) At eight o'clock.

2 **(a)** Special reduction for students.
(b) A romance/love film.
(c) An adventure film.
(d) The British friend will choose.

3 **(a)** Tuesday morning at ten o'clock.
(b) At Heathrow airport.

4 **(a)** From Jean-Pierre.
(b) To tell Bruno to meet his friends at the café at nine o'clock.

Travel

1 **(a)** The fast train from Lille.
(b) Arriving.
(c) Platform 5.

2 **(a)** Dijon.
(b) At eleven o'clock.
(c) Two.
(d) In the first five coaches.

3 A quarter of an hour.

4 By bus.

Tourist information

1 A swimming-pool/sports centre/cycle-racing track.

2 Five kilometres.

3 **(a)** In front of the bus station.
(b) 2 km.
(c) First on the left.

Weather

1 Cold and cloudy.

2 Sunny.

3 (Very) cold.

HIGHER LEVEL

1 **(a)** Fifth form.
(b) Modern languages.
(c) Biology.
(d) Eight o'clock.
(e) Two hours.
(f) At home.
(g) Two o'clock.
(h) Half past five.
(i) She has too much homework.
(j) She goes out with her friends.

2 **(a)** At Royan at his grandparents' house.
(b) A month.
(c) It was rebuilt after being destroyed during the Second World War.
(d) At the sailing school.
(e) He went wind-surfing

3 **(a)** Go for a boat trip.
(b) Because their feet hurt after walking about so much.
(c) On the sideboard.
(d) An hour and a quarter.
(e) Because they will be back in time for tea.

4 **(a)** Two brothers and one sister.
(b) She has two nieces.
(c) Thirteen.
(d) She is slim and of medium build.

(e) Contact lenses.
(f) He is a civil servant.
(g) Retire.
(h) She is a housewife.
(i) For the EEC.
(j) English.

5 (a) Channel 2.
(b) The swimming-pool.
(c) Her parents always choose the programmes they want to see.
(d) Listens to her records.
(e) A portable television.
(f) That she is very lucky

6 (a) In the eighties.
(b) Building a multi-storey car-park and sports centre in the middle of the town.
(c) Because he uses both the car-park and the sports centre.
(d) Twice a week.
(e) The increase in crimes and vandalism.
(f) The increase in noise and litter.
(g) The cinema.
(h) He used to go there every week when he was little.
(i) Science-fiction.
(j) Star Wars on channel three at ten o'clock.

7 (a) He is on his way to the dentist's.
(b) To Antoine's.
(c) He has just bought a motorbike.
(d) Because he is always short of money.
(e) His parents have bought it for his birthday.
(f) Because he has to earn money before being able to buy a motorbike.
(g) He doesn't need one since his bike is under 50ccs.
(h) At the dentist's.
(i) To have a filling or to have the tooth out.
(j) He doesn't mind so long as the tooth stops hurting.

8 (a) The TGV.
(b) The express train..

9 (a) Outside, near the door.
(b) Medium.

10 Fireworks.

11 The price is unbeatable/the gadget will do everything for you/no more long hours in the kitchen/ life will be easier and happier.

12 (a) 20 kilometres.
(b) To the thirteenth century.
(c) In the fifteenth century.
(d) The octagonal tower.
(e) Modern sculpture.
(f) It has recently been restored.
(g) In the great drawing-room.
(h) An exhibition of Aubusson tapestries.

13 (a) Fifteen.
(b) Railway accident.
(c) About twenty.
(d) Between Gap and Briançon near the Serre-Ponçon dam.
(e) Tiredness on the driver's part or an animal on the line.

14 (a) A contagious illness is spreading.
(b) Hundreds.
(c) An increase in the number of people ill.
(d) Direct contact with drops of saliva.
(e) Half of the population over the age of five is likely to be affected.
(f) The incubation period.
(g) No.
(h) People begin to get better.
(i) Any treatment.
(j) Except for mild pain-killers and cough-syrup.

13.6 Listening Comprehension Specimen Questions

1 **(a)** Don't go alone.
(b) Too carefully planned.
(c) Go with someone with whom you get on well.
(d) Get information about it.
(e) Remember that you are in someone else's country.

2 **(a)** Four.
(b) To ask for a table in the no-smoking area.
(c) There is a good view of the castle from there which will be lit up in half an hour.
(d) Tasted French wine.
(e) Order several bottles of wine.

3 **(a)** 2 roast chickens/5 slices of ham/three small tins of pâté.
(b) Credit card.
(c) His money and cheque book have been stolen.
(d) His camera has been stolen.
(e) Brand new/ a present from his wife/ will never see the photos he has taken.

4 **(a)** E
(b) D
(c) F
(d) A
(e) B

5 **(a)** On the right.Opposite the cathedral.
(b) A lot of new postcards.
(c) Would you like a little bag?
(d) He'll be with you immediately.

6 **(a)** Armed robbery.
(b) He had found it in a dustbin.
(c) When he left the shop,he found that his moped had been stolen.

7 **(a)** To do her maths homework.
(b) She will be late returning home and the town is dangerous at that time.
(c) She thinks that he doesn't like Jean-Paul.
(d) He thinks that Jean-Paul is responsible and polite.
He thinks that Jacques is lazy and disrespectful.
(e) She suggests that her father comes to pick her up in the car at half past ten.

8 **(a)** 4 km.
(b) On foot.
(c) 35 francs.
(d) 8 p.m.

9 **(a)** They died.
(b) In the church.
(c) The ceiling fell in.
(d) 10.
(e) The mayor and two young girls.

10 **(a)** Long hours and difficult customers.
(b) She worked indoors.
(c) She prepares the food.
(d) She can take home some of the food.

11 (a) In preparation for the new school year.
(b) Children's clothes.

12 (a) As he could not afford the bus he had to walk 10 km to get there and it took too long.
(b) Makes toys.
(c) Pay for his brother to go to school.
(d) Some live too far away and others have parents who need them to work on the farm.

13 (a) Stay inside the boat.
(b) The boat will arrive at Dieppe in five minutes. Passengers are asked to return to their cars.

14 (a) Working in (3 out of 5) a Travel Agents/Bank/Shop/Town Hall/Hairdressers.
(b) 8.30am to noon/2pm to 6pm.

15 (a) (i) organised the visit.
take responsibility for the visit.
(ii) Help as little as possible.
(b) If she comes to France to work one day, she will know what to do.

16 (a) He's starting something new.
(b) Tennis – competition (beating someone).
Singing – personal work or freedom.
(c) You cannot do both at the same time.
(d) The end of a career.
(e) Other people think thirty is old.
Noah thinks thirty is young or you are at your best/life begins at thirty.
(f) Rubbish/poor.
(g) Great (positive)/fan.
(h) He's lived in New York for five years.
95 out of his 100 records are in English/vast majority or The classics are in English.

17 (a) Parents.
(b) Bathroom.
(c) Omelette.
(d) Bus.
(e) Canteen.

13.7 Reading Comprehension

TEST YOURSELF PHOTOS

1 (c)
2 (d)
3 (a)
4 (b)

BASIC LEVEL

Public notices and brochures

1 (a) Bureau
(b) the sea

2 (a) 9 a.m./2.30 p.m.
(b) 55.74.37.27
(c) Parc Monjauze
(d) Place Charles de Gaulle

3 Tuesdays

4 A dangerous crossroad

5 Bike hire

Exhibitions

6 **(a)** Local traditions.
(b) On Tuesdays.

Guides

7 Swimming-pool; beaches; lake; sailing; wind-surfing; boating; pedalos; tennis; skating; horse-riding; climbing lessons; bowls; miniature golf; clay-pigeon shooting; cycling; leisure park; casino; cinema; library; museums; craft shops.

8 **(a)** From the first of May to the first of October.
(b) Groups of 25–30 people can be received.
(c) Marvellous views.
(d) There are walks and excursions.

9 **(b)** Self St. Martin, Place St. Martin

Postcards

10 **(a)** At the railway station
(b) Saturday
(c) At half past seven

Guides

11 **(a)** The beautiful island.
(b) In a bay.
(c) Scrubland.
(d) He was born there.
(e) There are pleasure boats and fishing boats.
(f) The modern part of Ajaccio is on a hillside overlooking the port. There are white blocks of flats.

Letters

12 **(a)** She goes to the Hervé Bazin school in the centre of Nancy.
(b) She is in the fourth form – Year 10.
(c) Her English teacher gave her the name and address.
(d) To Eastbourne.
(e) The meals, because the vegetables were always served with the meat and with the same gravy.
(f) Maths, natural science, French, English, German, history and geography.
(g) A photo of herself.

Menus

13 **(a)** Raw chopped vegetables or Russian salad.
(b) Roast chicken or grilled ham.
(c) Chips or salad.
(d) Ice cream or cherry tart.
(e) Yes.

Newspapers

14 **(a)** On Friday.
(b) At the Émile Zola technical school in Aix-en-Provence.
(c) A javelin pierced his throat.
(d) He was training for the baccalauréat exam.
(e) Another pupil was responsible for the accident.

Weather report

15 **(a)** Sunset.
(b) Overcast and rainy.
(c) Fairly strong southerly wind.
(d) Bright intervals and showers. / Changeable.
(e) Bright intervals.

(f) Stormy with showers.
(g) Moderate south-westerly.

Newspapers

16 (a) Yesterday.
(b) At the top of Arson street/near the roundabout in the town centre/in Giardelli square.
(c) She was knocked over by a car.
(d) She was also knocked over by a car.
(e) A vehicle ran into him.

Time-tables

17 Tuesdays, Fridays and Sundays

Letters/notes

18 (a) Last year she used to go swimming six hours each week
(b) Her parents give her 100 francs each month.She uses it to pay for the cinema but not to buy clothes.

HIGHER LEVEL

Advertisements

1 **(a)** From the first of January to the thirty-first of December.
(b) Completed application form/some form of identification, e.g identity card or if applying by post, a photocopy of both sides of your identity card/a personal photo.
(c) Parental permission in writing.
(d) 4 francs.

Signs

2 **(a)** Brown.
(b) A few seconds.
(c) A Roman town.
(d) The places which are accessible from the motorway.
(e) A castle.
(f) The region you are travelling through, the countryside, the places of interest.
(g) The main centres of interest for tourists.
(h) It is a Gallo-Roman town.
(i) In the south of France.
(j) Tourist information.

3 **(a)** Ten times a year.
(b) On the first day of the month.
(c) The Palais Garnier and the Salle Favert.
(d) A writer or a well-known cultural figure.
(e) What they remember best about the Paris Opera.

Brochures

4 *Les services*

(a) Rest areas.
(b) Service areas.
(c) Petrol pumps/shops/cafeterias/restaurants.
(d) Public telephones.

La sécurité

(a) They are four to five times safer than ordinary roads.
(b) On the hard shoulder.
(c) Park as far to the right as possible. Switch on your hazard warning lights and use the hazard warning triangle.

En cas de crevaison

(a) Try to move your car out of the line of traffic.
(b) Half an hour.

Attention à la fatigue

(a) You will travel for 72 metres out of control.
(b) Break the monotony of driving by changing speed/alter the temperature inside the car/have frequent stops.

Vérifiez vos pneus

(a) It can burst if you travel too fast for too long.
(b) Inflate the tyre 200 gms over the given tyre pressure.

Advertisements

5 **(a)** Bank card
(b) Can be used all over France/ 24 hours a day/ to withdraw money from cash-points./Only you can use the card as it has a secret code.

6 **(a)** Pony-trekking.
(b) Very little.
(c) No. In twos or in a group.
(d) You will be provided with a comfortable saddle, a suitable horse, a well-marked route.
(e) A good bed and a good meal.
(f) From the riding centre at Bonne Famille.

Letters

7 **(a)** Two.
(b) Double room with shower and w.c/single room with bath.
(c) No.
(d) Breakfast at 35 francs.
(e) Full board.
(f) Cars can be parked in front of the hotel.
(g) It is in a quiet street near the marina.
(h) There is a private beach a hundred metres from the hotel.
(i) There is an aquarium and a museum.
(j) He asks for a 500F deposit.

Magazines

8 **(a)** They will not allow her to go out with her.
(b) She says that they are neighbours.
(c) To become singers.
(d) They have taken part in competitions and have come first.

9 **(a)** Opposite the entrance/near to the beach
(b) Take-away food
(c) Warn them of your departure the day before/pay then
(d) Do not leave any valuables in the car
(e) Fires

Newspapers

10 **(a)** The 15th falls on a Thursday and many French will take a long weekend break/end of rental period for holiday homes
(b) Stationary traffic/slow-moving traffic
(c) Lorry accident
(d) In the late morning
(e) Roads from the coast

Letters

11 **(a)** 6 million people speak French there
(b) Very cold. Sometimes the temperature falls to 35 degrees below freezing
(c) His wife has never been to England but will come to visit him at Christmas
(d) His step sister and brother

13.8 Writing

INFORMAL LETTERS: BASIC LEVEL

A specimen answer is provided for the GCSE examination question only. Answers are not given for the other informal letters because these will vary widely according to the personal circumstances of each individual. Learn the phrases/sentences from the example section carefully and then use them where appropriate, in your own personal way.

Chère Madame,

Merci bien de votre gentille lettre. Chez nous, on ne mange pas beaucoup pour le petit déjeuner. On prend des céréales en flocons et du pain grillé avec de la confiture. Il n'y a que les petits pois que je n'aime pas. Pendant ma visite, je voudrais bien aller au cinéma voir un film français. J'espère arriver le 29 mars à trois heures de l'après-midi.

Quel temps fait-il à Paris au mois de mai? Quel est votre numéro de téléphone s'il vous plaît?

A bientôt. . .

FORMAL LETTERS: HIGHER LEVEL

(Your name and address)

EURODISNEY,
B. P. 105 F77777,
Marne-la-Vallée,
CEDEX 4,
FRANCE
(Date)

Messieurs,

J'ai lu votre annonce dans mon journal local. J'ai seize ans et j'apprends le français depuis cinq ans. Je voudrais travailler à EURODISNEY. Je m'intéresse au poste de réceptionniste. Je voudrais me renseigner sur les conditions du travail, les heures et le salaire possible. Je pourrais travailler pendant les mois de juillet et d'août. J'ai déjà travaillé comme réceptionniste dans un hôtel en Grande Bretagne. En plus, j'ai visité EuroDisney l'année dernière. C'était sensas!

Dans l'attente d'une réponse rapide, (je pense aussi à la possibilité de travailler en Grande Bretagne cette année), veuillez agréer, Messieurs, l'expression de mes sentiments distingués.

Tourist office

(your name and address)

(your town/date)
Monsieur le Directeur
Syndicat d'Initiative
Auxerre
France

Monsieur,
Je compte visiter Auxerre cet été. Voulez-vous m'envoyer des dépliants de la ville et aussi des renseignements sur les hôtels. Nous cherchons un hôtel confortable mais pas cher. Je vous serais bien reconnaissant si vous pouviez me fournir des renseignements sur la région et une liste des activités locales. Peut-on louer des vélos en ville?

Avec mes remerciements anticipés, je vous prie d'agréer, Monsieur, l'expression de mes sentiments distingués.

Lost property

(your name and address)

(your town/date)
Monsieur le Gérant
Hôtel La Coquille
Guincamp
France

Monsieur,
En rentrant de France, j'ai trouvé que j'avais laissé ma montre à votre hôtel. J'espère que vous l'avez trouvée dans la chambre 23. J'ai quitté votre hôtel le 5 septembre. C'est une montre suisse en argent. Si vous l'avez trouvée, je vous serais bien reconnaissant si vous pouviez me l'envoyer à l'adresse ci-dessus.
Avec mes remerciements anticipés, je vous prie d'agréer, Monsieur, l'expression de mes sentiments distingués.

Applying for jobs

1 (your name
and address)

(your town/village), le 6 mai

Madame,
Notre professeur de français, Monsieur Brown, nous a donné votre lettre. Mon frère, Paul, et moi voudrions passer un mois en France pendant les grandes vacances pour perfectionner notre connaissance de la langue française. Nous avons déjà travaillé trois semaines en France l'année dernière comme plongeurs dans un restaurant à Carnac, en Bretagne. C'était un travail assez dur car nous devions travailler au restaurant jusqu'à une heure du matin. Nous n'avons pas eu l'occasion de rencontrer des Français car nous avons passé toutes nos journées dans la cuisine du restaurant. Nous aimons beaucoup être en plein air et serions très contents d'aider dans votre ferme. Je crois qu'il y a des chèvres et des moutons à garder. Nous avons déjà de l'expérience avec les moutons car notre oncle tient une ferme au Pays de Galles où nous travaillons de temps en temps. Combien de chèvres et de moutons avez-vous? Est-ce qu'on les garde dans des prés ou est-ce qu'ils sont libres d'errer à la montagne? Où est-ce que nous logerons? Faut-il apporter notre tente?

Nous attendons votre prochaine lettre avec impatience.

Je vous prie d'agréer, Madame, mes sentiments les meilleurs.

2 (your name
and address)

(your town/date)
Tronchet Frères
8 Boulevard Plessy
Avallon

Messieurs,
En réponse à votre annonce dans *Le Figaro* du 10 juin, j'ai l'honneur de poser ma candidature au poste de secrétaire/sténodactylo. J'ai dix-huit ans et je travaille actuellement à temps partiel pour la direction des ventes d'une grande usine à Calais. J'y travaille depuis six mois mais je cherche un poste à plein temps. J'aime bien le travail de bureau et j'ai un brevet de sténodactylo. Pour références je vous prie de vous adresser à Monsieur P. Schumann, Agence Bruno, rue Henri Quatre, Calais. Je vous serais bien reconnaissant(e) si vous pouviez me fournir d'autres renseignements et m'indiquer les avantages sociaux de ce poste.
Veuillez agréer, Monsieur, l'expression de mes sentiments distingués.

Confirmation letters

1 Answers to the first part of this letter will depend on the personal situation and style of the individual writer but given below are suggestions for the outline programme.

jeudi 16 avril	18.00h	arrivée à l'école accueil/familles/hôtes soirée en famille
vendredi 17 avril	10.00h	répétition générale à l'école
	12.30h	déjeuner à l'école
	14.00h	visite/ville
	17.30h	accueil/Hôtel de Ville
	19.00h	Fête folklorique/Hôtel de Ville
samedi 18 avril	10.00h	visite/usine de bonbons déjeuner en famille
l'après-midi		répétition générale
	17.30h	goûter/complexe sportif
	19.00h	Fête folklorique/complexe sportif
dimanche 19 avril		matin/déjeuner en famille
l'après-midi		excursion/endroit pittoresque
	19.30h	Disco/complexe sportif
lundi 20 avril	10.00h	départ de l'école

2 (Your name
and address)

La Préfecture de Police,
Ajaccio,
Corse.

le 20 août 1993

Messieurs,
Je viens de rentrer en Grande Bretagne après avoir passé deux semaines de vacances à Ajaccio. Je suis descendu à l'Hôtel Napoléon. Le dernier jour de mes vacances, j'ai perdu mon sac en ville. Le sac est grand, rouge et en cuir. Je me suis rendu compte que j'avais perdu mon sac, en rentrant à l'Hôtel vers cinq heures. Je crois que je l'ai perdu au jardin public au centre-ville. Je suis retourné au jardin public le chercher mais je ne l'ai pas trouvé. C'était vraiment un désastre pour moi parce qu'il contenait mon passeport et les clés de ma maison. Heureusement que j'avais laissé d'autres clés chez mon voisin. J'espère que ces détails vous aideront à trouver mon sac.
Veuillez agréer, messieurs, l'expression de mes sentiments distingués.

CARDS: BASIC LEVEL

Je passe les vacances à la maison.
Je fais beaucoup de cyclisme.
Hier je suis allé au supermarché.
J'ai acheté un stylo pour ma mère.
J'écrirai une lettre bientôt. Amitiés. . .

NOTES/LISTS/FORMS

Passetemps: e. g. la lecture, la télé, la musique, la radio, les timbres-poste
Matières Préférées: e. g. l'anglais, le dessin, les maths, le français, la gymnastique

CONTINUOUS WRITING: REPORTS/ACCOUNTS: HIGHER LEVEL

1 J'ai quitté la maison à deux heures de l'après-midi pour aller en ville faire des achats. Je suis allé au supermarché près du centre-ville puis je me suis promené au jardin public. A quatre heures je suis rentré chez mon correspondant. Je me suis bien étonné de trouver la porte ouverte car je savais que la famille était à l'hôpital et ne retournerait qu'à six heures du soir. En entrant dans la maison, j'ai vu le désordre partout. Évidemment des cambrioleurs y sont entrés. J'ai remarqué qu'on avait pris la télé et le magnétoscope du salon..

2 Ma famille et moi venons de passer quinze jours à Carnac. Le premier jour des vacances nous sommes allés à la plage car il faisait très chaud. Mes parents et moi sommes restés à la plage, mais mon frère a décidé de se reposer sur un matelas pneumatique dans l'eau. Mon frère ne sait pas nager. Malheureusement il est allé trop loin sur la mer et il a commencé à paniquer. Mes parents m'ont demandé d'aller le sauver car je sais bien nager. Quand nous sommes retournés à la plage mes parents, fâchés, ont bien grondé mon frère.

3 L'année dernière mon ami Pierre et moi avons passé les grandes vacances à faire du camping. Un jour nous avons décidé d'aller à la plage à vélo. Il faisait beau et nous nous sommes bien amusés à la plage. Nous avons joué au tennis et nous avons nagé dans la mer. Mais à la fin de l'après-midi, nous nous sommes aperçus qu'on avait volé les vélos et nos affaires. Nous avons dû retourner à la tente à pied. En route, il a commencé à pleuvoir. Quand nous sommes arrivés à la tente, nous avons trouvé qu'on avait jeté nos affaires hors de la tente. Tout était trempé. Quelles vacances!

14 FAUX AMIS

Check the following words carefully. They resemble English words but in fact have different meanings.

assister à	to be present at
les cabinets	lavatories
le car	coach
causer	to chat
la cave	cellar
la crêpe	pancake
le délit	crime, offence
se dresser	to rise up
la figure	face
la journée	day
la lecture	reading
la librairie	bookshop
la location	hiring, renting
le médecin	doctor
la ménagère	housewife
le Métro	underground railway (*not* a car)
la monnaie	(loose) change
passer	to spend (*time*)
le pensionnaire	boarder
le pétrole	crude oil
le photographe	photographer
la place	square
le plat	dish
le record	record (e.g. sports, *not* music)
rester	to stay
le robinet	tap
sensible	sensitive
travailler	to work
la veste	jacket
le water (-closet)	W.C., toilet

Note the following in reverse:

to assist	aider
cabinets (*furniture*)	les meubles (mpl) à tiroir
car	l'auto (f), la voiture
to cause (to be done)	faire (faire)
cave	la caverne
crepe	le crêpe
delight	les délices (fpl), le plaisir
to dress	s'habiller
figure	la taille (*body*), le chiffre (*number*)
journey	le voyage
lecture	une conférence
library	la bibliothèque
location	l'emplacement (m), la situation
medicine	le médicament
manager	le directeur, le gérant
Metro car	*la* Metro (NB all cars are feminine)
money	l'argent (m)
to pass	réussir à (*succeed*), croiser (*e.g. person in the street*)
pensioner	le (la) retraité(e)
petrol	l'essence (f)
photograph	la photographie
place	l'endroit (m)
plate	l'assiette (f)
record (*musical*)	le disque
to rest	se reposer
robin	le rouge-gorge
sensible	raisonnable, sensé
to travel	voyager
vest	le maillot
water	l'eau (f)

15 USEFUL IDIOMS

aussitôt dit, aussitôt fait	no sooner said than done
casser la croûte	to have a snack
C'est du gâteau	It's a piece of cake.
courir à toutes jambes	to run quickly (*person*)
courir à plat ventre	to run quickly (*animal*)
crier à tue-tête	to shout at the top of one's voice
donner un coup de main	to give a helping hand
dormir comme une souche	to sleep like a log
l'avoir échappé belle	to have a lucky escape
faire l'école buissonnière	to play truant
faire la grasse matinée	to sleep late
Au feu!	Fire!
mouillé jusqu'aux os	soaked to the skin
sain et sauf	safe and sound
Au secours!	Help!
un temps de chien	foul weather
tourner le bouton	to switch on
Tout est bien qui finit bien.	All's well that ends well.
travailler d'arrache-pied	to work very hard

16 COMMON PITFALLS

Listed below are some of the words most frequently misspelt or misunderstood by candidates.

agent	policeman
a**r**gent	money
le bois	wood
la boisson	drink
chev**a**ux	horses
chev**e**ux	hair
combien **de** or **d'**	how much, how many

Combien **de** pommes veux-tu?
How many apples do you want?

but Combien **des** pommes sont rouges?
How many of the apples are red?

habi**t**er	to live in
s'habi**ll**er	to get dressed
monter	to go up
mont**r**er	to show
payer	to pay (*for*)
plusie**u**rs	several
r**a**conter	to tell (*a story*)
r**en**cont**r**er	to meet
la veille	the day before/eve
la v**i**eille	the old woman

17 GLOSSARY

Adjective This is a word which describes a noun or pronoun. It gives information about colour, size, type, etc.
e.g. la **jolie** fille.

Adverb This is a word which describes a verb.
e.g. Il travaille **bien**.

Clause Part of a sentence which has a subject and finite verb.
e.g. If he comes, . . .

Conjugation A scheme showing which parts of a verb go together.
e.g. J'ai fini, tu as fini, il a fini, elle a fini, nous avons fini, vous avez fini, ils ont fini, elles ont fini.

Infinitive That part of the verb which means 'To . . .'
e.g. **aller** to go
avoir to have

Irregular verbs Those verbs which do not follow the set patterns.

Present participle This is part of a verb which is expressed by '-ing' in English when it means 'by', 'while', or 'on' doing something.
e.g. go*ing*, eat*ing*, look*ing*, etc.

Past participle This is part of the verb which is used with 'avoir' or 'être' to form the perfect tense.
e.g. J'ai **donné**,
Je suis **allé**, etc.

Prepositions These are words which are placed in front of nouns or pronouns.
e.g. at (home), on (the table), with (me), for (them), etc.

Pronouns Words used instead of nouns but referring to them.
e.g. 'Il', 'elle', 'nous', 'vous', etc.

(a) **Interrogative pronouns** These are pronouns which ask questions.
e.g. **qui**?
que?

(b) **Relative pronouns** These are pronouns which link parts of a sentence together.
e.g. L'enfant **qui** travaille.
L'enfant **que** vous voyez.
also **lequel**, etc.

Reflexive verbs These are verbs which refer to actions done to oneself.
e.g. **se laver** to wash oneself.

Superlative/comparative Expressions which mean 'most' (superlative) and 'more' (comparative).
e.g. Il est **plus intelligent** que son frère.
He is *more intelligent* than his brother.
Il est **le plus intelligent**.
He is *the most intelligent*.

Tenses
(a) **Present tense** Those parts of the verb which tell us about the present.
e.g. Je vais en ville.
I am going to town.

(b) **Future tense** Those parts of the verb which tell us about the future.
e.g. J'irai en ville, tu iras en ville etc.
I shall go to town, you will go to town.

(c) **Conditional tense** Those parts of the verb which imply a condition.
e.g. J'irais en ville. . .
I would go to town. . .

(d) Imperfect tense A tense which tells you what *was happening* in the past. It describes continuous or repeated actions in the past.

e.g. Il pleuvait.
It was raining.
Nous jouions au tennis tous les jours.
We used to play tennis every day.

(e) Perfect tense A tense which tells you what *has happened* in the past. It recounts completed events.

e.g. Samedi dernier nous sommes allés au cinéma.
Last Saturday we went to the cinema.

Glossary of GCSE Terms

Common-core–that part of the course/exam which all candidates must take.

Coursework–part of the course assessed by the teacher; for French this will usually mean oral testing.

Differentiation–setting tests for candidates of different ability in order to show what they know, understand and can do at their particular level.

Function(s)–what we do with language, e.g. give/seek information, socialize, etc.

National Criteria–the national requirements for the subject.

Notion(s)–concepts expressed in speech and writing, e.g. quantity, location, size, etc.

Role-play–an oral exercise/test in which the candidate and examiner assume the roles of, e.g., customer/shopkeeper, tourist/guide, etc.

18 VOCABULARY

French/English Vocabulary

A
à bientôt see you soon
à bord de on board
à côté de next to
à demain see you tomorrow
à droite on the right
à gauche on the left
à l'heure on time
à la mode in fashion
à peine scarcely
à peu près approximately
à pied on foot
à temps partiel part-time
à travers across
une **abeille** bee
abîmer to spoil
aboyer to bark
un **abri** shelter
abriter to shelter
absolument absolutely
accabler to overwhelm
accepter to accept
accompagner to accompany
d'**accord** all right/agreed
s'**accoutumer à** to become accustomed to
accueil welcome/reception
accueillir to welcome
achats: faire des achats to go shopping
acheter to buy
achever to finish
l'**acier** (m) steel
un **acteur**/une **actrice** actor/actress
les **actualités** (fpl) news (e.g. TV); current affairs
actuellement now, at this present time
l'**addition** (f) bill
s'**adresser à** apply to . . .
un **aéroglisseur** hovercraft
un **aéroport** airport
les **affaires** (fpl) business
une **affiche** notice
affreux awful
une **agence de voyages** travel agency
s'**agenouiller** to kneel
un **agent** policeman
s'**agir de** to be a question of . . .
un **agneau** lamb
agréable nice
aider to help
aigre bitter
une **aiguille** needle
l'**ail** (m) garlic
une **aile** wing
ailleurs elsewhere
aimable nice
aimer to like/love
aimer mieux to prefer
aîné elder
ainsi so, thus
alimentation (f) groceries
une **allée** path, drive
l'**Allemagne** Germany
allemand German
aller to go
aller chercher to fetch
aller bien to be/feel well
allumer to light
les **allumettes** (fpl) matches
alors then
l'**alpinisme** mountaineering
amarrer to moor
améliorer to improve
une **âme** soul
amener to bring
amer bitter
un(e) **ami**(e) friend
l'**amitié** (f) friendship
une **ampoule** light-bulb/blister
s'**amuser** to enjoy oneself
un **an**/une **année** year
ancien old/former
anglais English
l'**Angleterre** (f) England
animé busy (e.g., of a street)
un **anneau** ring
un **anniversaire** birthday
un **annuaire** telephone directory
annuler to cancel
apercevoir to notice
apparaître to appear
un **appareil (-photo)** camera
un **appartement** flat
appartenir à to belong to
appeler to call
s'**appeler** to be called
apporter to bring
apprendre to learn
s'**apprêter** to get ready
s'**approcher** to approach
(s')**appuyer** to lean
après after
l'**après-midi** afternoon
une **araignée** spider
un **arbitre** referee
un **arbre** tree
un **arc-en-ciel** rainbow
l'**argent** (m) money
une **armoire** wardrobe
arracher to snatch, to tear out
un **arrêt d'autobus** bus-stop
(s')**arrêter** to stop
arrière behind, back (in football, etc.)
l'**arrivée** (f) arrival
l'**arrondissement** (m) district (of Paris)

un **ascenseur** lift
un **aspirateur** vacuum-cleaner
un **assassinat** murder
s'**asseoir** to sit down
assez enough
une **assiette** plate
assis sitting
assister to help
assister à to be present at
un **atelier** workshop
attaquer to attack
atteindre to reach
attendre to wait for
s'**attendre à** to expect
atterrir to land
attraper to catch
au bord de by the side of
au bout de at the end of
au début de at the beginning of
au fond de at the bottom/end of
au lieu de instead of
au mois de in the month of
au moyen de by means of
au revoir good-bye
au secours! help!
au sujet de about
au-dessous de beneath
au-dessus de above
l'**aube** (f) dawn
une **auberge** inn
une **auberge de jeunesse** youth hostel
aucun any
ne . . . **aucun** not . . . any
augmenter to increase
aujourd'hui today
auparavant before/previously
aussi also
aussitôt immediately
autant as much
un **autobus** bus
un **autocar** coach
l'**automne** (f) autumn
l'**automobiliste** (m,f) motorist
une **autoroute** motorway
(faire de) l'**auto-stop** hitch-hiking
autour de around
autre other
autrefois previously
autrement otherwise
avaler to swallow
s'**avancer** to advance
avant before/forward (in football, etc.)
avare miser
avec with
l'**avenir** (m) future
une **averse** shower
avertir to warn
aveugle blind
un **avion** plane
un **avis** notice
changer d'**avis** to change one's mind
un **avocat** barrister
avoir envie de to want/feel like
avoir raison to be right
avoir sommeil to feel sleepy
avoir tort to be wrong
avouer to admit
ayant having

B

le **baccalauréat** school-leaving certificate
les **bagages** (mpl) luggage
la **bague** ring
la **baguette** long French loaf
se **baigner** to bathe
la **baignoire** bath
le **bain** bath (e.g. to take a bath)
bâiller to yawn
baisser to lower
se **balader** (fam.) to go for a walk
un **baladeur** walkman (head-phones/cassette)
balayer to sweep
balbutier to stammer
la **balle** ball/bullet
le **ballon** ball (e.g. football)
la **bande magnétique** tape (in a tape-recorder)
la **banlieue** suburbs
la **banque** bank
la **banquette** bench
le **baptême** baptism
la **baraque** hut
la **barbe** beard
la **barque** (small) boat
la **barrière** gate
bas low
la **basse-cour** farmyard
le **bassin** pond
la **bataille** battle
le **bateau** boat
le **bâtiment** building
la **batterie** battery/drums
battre to beat
se **battre** to fight
bavarder to chat, gossip
beaucoup de a lot of
le **bébé** baby
bêcher to dig
belge Belgian
le **berceau** cradle
la **berge** (steep) bank of a river
le **berger** shepherd
la **besogne** job, task, work
besoin need
(faire) des **bêtises** to act the fool
le **béton** concrete
le **beurre** butter
la **bibliothèque** library
bientôt soon
la **bienvenue** welcome
la **bière** beer
la **bijouterie** jeweller's, jewellery
les **bijoux** (mpl) jewels
le **billet** note/ticket
le **bistrot** pub
bizarre strange
blanc white
le **blé** corn
(se) **blesser** to hurt/injure
la **blessure** wound
bleu blue
un **bleu** a bruise
le **bloc sanitaire** washrooms and toilets
le **blouson** jacket
boire to drink
le **bois** wood
la **boisson** drink

la **boîte** box/tin
boiter to limp
le **bol** bowl
bon marché cheap
le **bonbon** sweet
(faire) un **bond** to leap
bondir to leap
le **bonheur** happiness
le **bonhomme** chap, fellow
le **bonhomme de neige** snowman
bonjour hello
la **bonne** maid (*servant*)
bonne année happy new year
la **bonté** kindness
bonsoir good evening
le **bord** edge
la **botte** boot
la **bouche** mouth
boucher to block
le **boucher** butcher
la **boucherie** butcher's shop
le **bouchon** cork
la **boue** mud
bouger to move
la **bougie** candle
bouillir to boil
la **bouilloire** kettle
le **boulanger** baker
bouleverser to knock over, upset
bousculer to jostle
la **boum** party
le **bout** end
la **bouteille** bottle
la **boutique** shop
le **bouton** button
le **brancard** stretcher
le **bras** arm
(nager à) la **brasse** to swim breast-stroke
brave good, honest
bricoler to do odd jobs
briller to shine
la **brioche** cake
le **briquet** cigarette lighter
briser to break
se **bronzer** to sunbathe
brosser to brush
la **brouette** wheel-barrow
le **brouillard** fog
le **bruit** noise
la **bruine** drizzle
brûler to burn
la **brume** mist
brun brown
bruyamment noisily
le **buisson** bush
le **bureau** desk/office
le **but** aim/goal

C

la **cabine téléphonique** telephone kiosk
(se) **cacher** to hide
le **cachet** tablet
le **cadavre** corpse
le **cadeau** present
cadet(te) younger
le **cahier** exercise book
le **caillou** pebble
la **caisse** cash-desk/till
le **caleçon de bain** swimming-trunks
le/la **camarade** friend
le **cambrioleur** burglar
le **camion** lorry
la **campagne** countryside
le **canard** duck
le **carnet** notebook
carré squared
le **carrefour** crossroads
la **carte** map
le **carton** cardboard
casser to break
la **casserole** saucepan
le **cassis** blackcurrant
le **cauchemar** nightmare
causer to chat
la **ceinture** belt
célèbre famous
célibataire single, unmarried
cependant however
certainement certainly
cesser to stop
chacun(e) each
chahuter to make a din
la **chaise** chair
la **chaleur** heat
la **chambre** bedroom
le **champignon** mushroom
la **chance** luck
le **chandail** sweater
la **chanson** song
chanter to sing
le **chapeau** hat
chaque each
la **charcuterie** delicatessen
charger to load
le **chariot** trolley
chasser to hunt
le **château** castle
chaud hot
le **chauffage** heating
les **chaussettes** socks
les **chaussures** shoes
chauve bald
chavirer to capsize
le **chemin** way, path
la **chemise** shirt (*man*)
le **chemisier** shirt (*woman*)
cher(chère) dear
chercher to look for
le **cheval** horse (pl. les **chevaux**)
la **table de chevet** bedside table
les **cheveux** hair
chez at the house of
le **chien** dog
le **chiffon** rag
le **chiffre** figure
la **chimie** chemistry
choisir to choose
le **choix** choice
le **chômage** unemployment
le **chômeur** unemployed person
la **chose** thing
le **chou** cabbage
le **chou-fleur** cauliflower
chouette! great!
la **chute d'eau** waterfall
chuchoter to whisper

ci-dessous (here) below
ci-dessus above (mentioned)
le **cidre** cider
le **ciel** sky
le **cierge** candle (in a church)
la **circulation** traffic
le **cirque** circus
le **citron** lemon
clair light
la **clarté** brightness
la **clé/clef** key
le **client** customer
le **clochard** tramp
la **cloche** bell
le **clou** nail
le **cochon** pig
le **coeur** heart
le **coiffeur** hairdresser
le **coin** corner
(être en) **colère** to be angry
le **colis** parcel
le **collant** pair of tights
le **collège** school
collectionner to collect
coller to stick
le **collier** necklace
la **colline** hill
combien how much
commander to order
comme as
le **commencement** beginning
commencer to begin
comment how
le **commerçant** shopkeeper
commettre to commit
le **commissariat de police** police station
(faire) des **commissions** to do the shopping
commode convenient
le **compartiment** compartment
complet full
composer un numéro to dial a number
composter to (date) stamp
comprendre to understand
compter to count
le **comptoir** counter
le **concierge** caretaker
le **conducteur** driver
conduire to drive
une **conférence** lecture
la **confiture** jam
le **congé** holiday, leave
connaître to know
un **conseil** a piece of advice
conseiller to advise
conserver to preserve
la **consigne** left luggage office
construire to build
continuellement continually
continuer to continue
contre against
le **contrôleur** ticket-collector
le **copain**/la **copine** chum/pal
la **corbeille** basket
le **corps** body
la **correspondance** connection
le **correspondant**/la **correspondante** penfriend
corriger to correct
la **côte** coast
le **côté** side
le **coteau** hillside
le **cou** neck
le **couchant** setting sun
la **couchette** berth, bunk
le **coude** elbow
coudre to sew
couler to flow
la **couleur** colour
un **coup d'oeil** glance
un **coup de pied** kick
un **coup de téléphone** a telephone call
coupable guilty
couper to cut
la **cour** yard
courageux/courageuse courageous
couramment fluently
le courrier post, mail
courir to run
le **cours** lesson, course
la **course** race
(faire) des **courses** to go shopping
court short
le **couteau** knife
le **couvert** place setting
le **couvercle** lid
la **couverture** blanket
couvrir to cover
cracher to spit
craindre to fear
la **cravate** tie
le **crayon** pencil
le **crépuscule** twilight
creuser to dig, hollow out
la **crevaison** puncture
crevé punctured
crever to burst
croire to think, believe
croiser to pass (e.g. someone in a street), to cross
la **croix** cross
la **cuiller** spoon
cueillir to pick, gather (e.g. fruit)
le **cuir** leather
(faire) **cuire** to cook
la **cuisine** kitchen
la **cuisinière** cooker
cultiver to grow
curieux curious
le **curé** priest

D

d'abord first of all
d'accord all right
d'ailleurs moreover
d'habitude usually
d'occasion second-hand
le/la **dactylo** typist
davantage moreover
débarrasser (la table) to clear (the table)
se **débarrasser de** to get rid of
se **débattre** to struggle
de bonne heure early
de bonne humeur in a good mood
debout standing
se **débrouiller** to manage
le **début** beginning

décharger to unload
déchirer to tear
décider to decide
décoller to take off (of an aircraft)
la **découverte** discovery
découvrir to discover, uncover
décrire to describe
décrocher to lift (e.g. telephone receiver), to unhook
déçu disappointed
dedans inside
défendre to forbid
défense de it is forbidden to . . .
les **dégâts** (mpl) damage
dehors outside
déjà already
le **déjeuner** lunch
déjeuner to have lunch
le **délit** crime, offence
demain tomorrow
démarrer to set off
déménager to move house
demeurer to live, remain
démodé out of date
la **denrée** commodity
la **dent** tooth
se **dépêcher** to hurry
dépenser to spend
un **dépliant** leaflet
déplier to unfold
déposer to put down
depuis since
déranger to disturb
dériver to drift
dernier/dernière last
à la **dérobée** stealthily
descendre to go down
se **déshabiller** to get undressed
désolé(e) sorry
dès que as soon as
dessiner to draw
les **dessins animés** cartoons
se **détendre** to relax
détruire to destroy
devant in front of
devenir to become
deviner to guess
les **devoirs** (mpl) homework
devoir to have to
Dieu God
digne worthy
le **directeur** headmaster
la **directrice** headmistress
se **diriger vers** to make one's way towards
discuter to discuss
disparaître to disappear
disponible available
se **disputer** to quarrel
le **disque** record
distinguer to distinguish, to make out
se **distraire** to amuse oneself
distrait absent-minded
une **dizaine** about ten
le **doigt** finger
le/la **domestique** servant
C'est **dommage**! It's a pity!
donc so
donner to give
donner sur to overlook
dormir to sleep
le **dortoir** dormitory
le **dos** back
la **Douane** the Customs
le **douanier** the customs officer
doubler to overtake
doucement gently
la **douche** shower
la **douleur** pain
se **douter de** to suspect
une **douzaine** a dozen
le **drap** sheet
le **drapeau** flag
se **dresser** to rise up
la **drogue** drugs
le **droit** law, right
à **droite** on the right
tout **droit** straight on
drôle funny
dur hard
durer to last

E

échanger to exchange
s'**échapper** to escape
les **échecs** (mpl) chess
une **échelle** ladder
un **éclair** lightning
une **éclaircie** bright interval
éclairer to lighten
éclater de rire to burst out laughing
une **école** school
les **économies** (fpl) savings
l'Écosse (f) Scotland
s'**écouler** to pass (of time)
écouter to listen
écraser to crush, squash
écrire to write
effrayer to frighten
effroyable frightful
égal(e) equal
une **église** church
s'**égarer** to lose one's way
s'**élancer** to dash, rush forward
un **électrophone** record-player
un/e **élève** pupil
s'**éloigner** to move away
embêter to annoy
un **embouteillage** traffic jam
embrasser to kiss
une **émission** broadcast
emmener to take (a person)
s'emparer de to get hold of
empêcher to prevent
(faire) des **emplettes** (fpl) to go shopping
emporter to carry, take away
s'**emporter** to lose one's temper
s'**empresser de** to hurry to . . .
emprunter to borrow
ému thrilled
enchanté delighted
encombré crowded, packed
s'**endormir** to fall asleep
un **endroit** place
énerver to get on someone's nerves
s'**enfuir** to flee
enlever to take off, away

ennuyer to annoy, bore
s'**ennuyer** to be bored
ennuyeux annoying, boring
enregistrer to record
être **enrhumé** to have a cold
l'**enseignement** (m) education, teaching
enseigner to teach
ensemble together
ensuite then, afterwards
entendre to hear
entendu/bien entendu of course
entourer to surround
entre between
l'entrée (f) entrance
entreprendre to undertake
entr'ouvert half-open
l'**entretien** (m) upkeep
envelopper to wrap
(avoir) **envie de** to feel inclined to
environ about
les **environs** (mpl) the surrounding area
envoyer to send
épatant amazing, splendid
une **épaule** shoulder
une **époque** period, time
épouser to marry
épouvantable dreadful
les **époux** married couple
éprouver to feel, experience
épuiser to exhaust
une **équipe** team
errer to wander
une **erreur** mistake
un **escalier** stairs
un **escargot** snail
l'**Espagne** (f) Spain
espagnol Spanish
espérer to hope
une **espèce** kind, species
un **espion** spy
l'**espoir** (m) hope
essayer to try
l'**essence** (f) petrol
essoufflé out of breath
essuyer to wipe
l'**est** (m) east
l'**estomac** (m) stomach
un **étage** floor, storey
éteindre to extinguish, put out
s'**étendre** to lie, stretch out
une **étoile** star
s'**étonner** to be astonished
étouffer to stifle, suffocate
un **étranger** stranger
étroit narrow
s'**évanouir** to faint
s'**éveiller** to wake up
un **événement** event
éviter to avoid
exactement exactly
un **examen** exam
s'**excuser** to apologize
un **exemple** example
une **expérience** experiment
une **explication** explanation
expliquer to explain
une **exposition** exhibition
exprès on purpose

F

fabriquer to make
en **face de** opposite
se **fâcher** to get angry
la **façon** way, manner
facile easy
le **facteur** postman
faible weak
faillir to fail
la **faim** hunger
avoir **faim** to be hungry
la **falaise** cliff
falloir to be necessary
il **faut** it is necessary
il **faudra** it will be necessary
fatiguer to tire
la **faute** fault
le **fauteuil** armchair
faux/fausse false
féliciter to congratulate
félicitations congratulations
la **fente** slot
fermer to close
le **fermier** farmer
la **fermière** farmer's wife
la **fermeture éclair** zip
férié/un jour férié public holiday
fêter to celebrate
le **feu** fire
la **feuille** leaf
les **feux** (mpl) traffic lights
les **feux d'artifice** (mpl) fireworks
la **ficelle** string
la **fiche** form (official paper)
fier proud
la **fièvre** fever
(avoir) de la **fièvre** to have a temperature
la **figure** face
la **fin** end
finir to end
flâner to stroll, hang about
la **fleur** flower
le **fleuve** river
les **flots** (mpl) waves
le **foin** hay
la **fois** occasion, time
foncé dark (colour)
le **fonctionnaire** civil servant
le **fond** bottom, end
fondre en larmes to burst into tears
formidable terrific
fort strong
fou/folle mad
la **foule** crowd
se **fouler la cheville** to twist one's ankle
le **four** oven
la **fourchette** fork
le **fracas** din
frais/fraîche fresh
les **frais** (mpl) expenses, cost
la **fraise** strawberry
français(e) French
franchir to cross
frapper to strike
freiner to brake
les **freins** (mpl) brakes
le **frère** brother
frissonner to shudder

les **frites** (fpl) chips
(avoir) **froid** to be cold
le **fromage** cheese
froncer les sourcils to frown
frotter to rub
fumer to smoke
le **fusil** gun

G

gâcher to spoil, waste
gagner to win, earn
le(la) **gamin(e)** child, kid
le **gant** glove
garder to keep
la **gare** railway station
la **gare routière** bus station
gaspiller to waste
le **gâteau** cake
gâter to spoil, damage
gauche left
le **gazon** lawn, turf
geler to freeze
gémir to moan, groan
gêner to annoy, hinder
le(s) **genou(x)** knee(s)
les **gens** people
le **gérant** manager
le **gîte** lodging
glisser to slip, slide
gonfler to inflate
la **gorge** throat
le **gosse** kid
le **goût** taste
le **goûter** (afternoon) tea
goûter to taste
la **goutte** drop
la **grange** barn
gras fat
gratuit free
grave serious
le **grenier** loft
la **grève** strike
grimper to climb
la **grippe** 'flu
gris grey
gronder to scold
gros big, large
la **guêpe** wasp
ne . . . **guère** scarcely
guérir to cure
la **guerre** war
le **guichet** booking office

H

s'**habiller** to get dressed
les **habits** (mpl) clothes
d'**habitude** usually
la **haie** hedge
les **haricots** (mpl) beans
la **hausse** rise, increase
hausser les épaules to shrug one's shoulders
haut high
hésiter to hesitate
l'**herbe** (f) grass
l'**heure** (f) time, hour
heureusement happily
heureux happy
heurter to bump (into), knock
hier yesterday
l'**hiver** (m) winter
hocher la tête to shake one's head
(avoir) **honte de** to be ashamed of
un **horaire** time-table
hors de outside of
l'**hôtel de ville** (m) town hall
une **hôtesse de l'air** air hostess
l'**huile** (f) oil

I

ici here
une **idée** idea
un **immeuble** block of flats
un **imperméable** raincoat
imprimer to print
un **incendie** fire
un **inconnu** stranger
incroyable unbelievable
indiquer to point out
un **individu** individual
un **infirmier**/une **infirmière** nurse
un **ingénieur** engineer
inonder to flood
(s') **inquiéter** to worry
(s') **installer** to install (oneself)
un **instituteur**/une **institutrice** junior school teacher
interdit forbidden
un **intérêt** interest
un(e) **interne** boarder
interroger to question
interrompre to interrupt
introduire to introduce
un **intrus** intruder
ivre drunk

J

jadis formerly
jamais ever
ne . . . **jamais** never
la **jambe** leg
le **jambon** ham
le **jardin** garden
jaune yellow
la **jetée** pier
jeter to throw
le **jeton** counter, token
le **jeu** game
jeune young
la **jeunesse** youth
joindre to join
joli(e) pretty
jouer to play
le **jouet** toy
le **jour** day
le **journal** newspaper
la **journée** day
le **juge** judge
juger to judge
les **jumeaux** (mpl)/les **jumelles** (fpl) twins
les **jumelles** (fpl) (also) binoculars
la jupe skirt
le **jus** juice
jusqu'à until

K

le **képi** peaked cap

la **kermesse** village fair
le **kiosque** kiosk
klaxonner to sound one's horn

L

là there
là-bas over there
le **lac** lake
lâcher to let go
laid(e) ugly
la **laine** wool
laisser to leave
le **lait** milk
la **laitue** lettuce
la **lame** blade/wave
lancer to throw
la **langue** tongue/language
le **lapin** rabbit
la **larme** tear
las tired
le **lavabo** wash-basin
(se) **laver** to wash
lécher to lick
la **leçon** lesson
le **lecteur** reader
léger light
les **légumes** (mpl) vegetables
le **lendemain** the next day
lent slow
lequel/laquelle/lesquels/lesquelles which/who
la **lessive** washing-powder/the washing
la **lettre** letter
la **levée** letter collection
lever to lift
se **lever** to get up
la **lèvre** lip
la **librairie** bookshop
libre free
la **licence** university degree
lier to tie, bind
le **lieu** place
le **lièvre** hare
la **ligne** line
le **linge** household linen
lire to read
le **lit** bed
le **littoral** coast(line)
la **livraison** delivery (of goods)
le **livre** book
la **livre** pound
livrer to deliver
le **locataire** tenant
la **location** hire
la **loge** (porter's) lodge/box (theatre)
la **loi** law
loin far
lointain(e) distant
le **loisir** leisure
Londres London
longtemps a long time
la **longueur** length
le (gros) **lot** the (first) prize (in a lottery)
la **loterie** lottery
louche shady, suspicious
louer to hire, rent
le **loup** wolf
lourd heavy
le **loyer** rent
la **lueur** glimmer, gleam
la **luge** toboggan
luire to shine, glow
la **lumière** light
lundi Monday
la **lune** moon
les **lunettes** (fpl) spectacles
la **lutte** struggle
lutter to wrestle
le **lycée** high school

M

la **mâchoire** jaw
le **maçon** mason
le **magasin** shop
le **magnétophone** tape-recorder
le **magnétoscope** video-recorder
maigre thin
la **maille** stitch
le **maillot de bain** swimming-costume
la **main** hand
maintenant now
le **maire** mayor
la **mairie** town hall
la **maison** house
le **maître** master
la **maîtresse** mistress
mal badly
le **mal**/les **maux** evil(s), hurt(s)
malade ill
la **maladie** illness
malgré in spite of
le **malheur** misfortune
malheureusement unfortunately
malheureux/malheureuse unhappy
la **malle** trunk, box
malpropre dirty
la **manche** sleeve
la **Manche** English Channel
le **mandat** (postal) postal order
le **manège** roundabout, merry-go-round
manger to eat
la **manière** manner
la **manifestation** demonstration
manquer to lack, miss
le **manteau** coat
la **maquette** (scale) model
le **maquillage** make-up
le **marché** market
mardi Tuesday
la **mare** pond
la **marée** tide
le **mari** husband
le/la **marié**(e) married person
le **marin** sailor
la **marmite** (stew)pan
la **marque** (trade)mark, brand
(avoir) **marre de** to be fed up with
le **marron** chestnut
le **marteau** hammer
le **mât** mast
le **matelas** mattress
le **matelot** sailor
la **matière** matter, subject
le **matin** morning
la **matinée** morning
la **matraque** truncheon

maussade sullen
mauvais bad, evil
le **mazout** (fuel) oil
le **mécanicien** mechanic
méchant unpleasant, naughty
le **médecin** doctor
le **médicament** medicine
la **méduse** jellyfish
méfier to mistrust
meilleur better, best
mêler to mix
même same
la **menace** threat
menacer to threaten
le **ménage** household, housekeeping
la **ménagère** housewife
le **mendiant** beggar
mener to lead
mentir to tell lies
le **menton** chin
le **menuisier** carpenter
la **mer** sea
merci thank you
mercredi Wednesday
la **messe** mass (church)
la **météo** weather forecast
le **métier** trade, profession
le **métro** underground railway
mettre to put
les **meubles** (mpl) furniture
le **meunier** miller
le **meurtre** murder
le **microsillon** LP record
midi midday
le **miel** honey
mien/mienne mine
la **miette** crumb
mieux better, best
mignon sweet, adorable
le **milieu** middle
mince thin
le **ministère** ministry
la **mode** fashion
les **moeurs** manners, customs
moi me
moindre least
moins less
le **mois** month
la **moitié** half
mon/ma/mes my
le **monde** world
monsieur/messieurs gentleman/gentlemen
la **montagne** mountain
monter to go up
la **montre** watch
montrer to show
se **moquer de** to make fun of
le **morceau** piece, bit
mordre to bite
mort dead
la **mort** death
le **mot** word
le **motard** motorway policeman
la **moto** motorbike
mou/molle soft
la **mouche** fly
le **mouchoir** handkerchief
la **mouette** seagull
mouillé wet
le **moulin** mill
mourir to die
le **moustique** mosquito
la **moutarde** mustard
le **mouton** sheep
mouvoir to move
le **moyen** means
moyen(ne) average
muet(te) dumb
le **mur** wall
le **musée** museum
la **musique** music
myope shortsighted

N

nager to swim
la **naissance** birth
naître to be born
la **nappe** tablecloth
la **natation** swimming
la **natte** pigtail
le **naufrage** shipwreck
le **navet** turnip
la **navette** shuttle
néanmoins nevertheless
négliger to neglect
le **négociant** merchant
la **neige** snow
neiger to snow
nettement clearly
nettoyer to clean
neuf brand new
le **neveu** nephew
le **nez** nose
la **niche** recess, (dog) kennel
le **nid** nest
la **nièce** niece
le **niveau** level
la **noce**/les **noces** wedding
Noël Christmas
noir(e) black
le **nom** name
le **nombre** number
le **nord** north
la **note** bill
notre/nos our
nouer to tie, knot
les **nouilles** (fpl) noodles
nourrir to feed
la **nourriture** food
nouveau/nouvelle new
(se) **noyer** to drown
le **nuage** cloud
nuire to harm
le **numéro** number

O

obéir to obey
un **objet** object
obligé(e) compelled
l'**obscurité** (f) darkness
les **obsèques** (fpl) funeral
une **occasion** opportunity
d'**occasion** second-hand
l'**occident** (m) west
occupé(e) busy
un **oeil** eye (NB pl. les **yeux**)

un **oeuf** egg
une **oeuvre** work
une **offre** offer
offrir to offer
un **oignon** onion
un **oiseau** bird
l'**ombre** (f) shade
un **oncle** uncle
une **onde** wave
un **ongle** nail
opprimer to suppress, stifle
l'**or** (m) gold
un **orage** storm
une **ordonnance** prescription
une **oreille** ear
l'**orient** (m) east
un **os** bone
oser to dare
un **otage** hostage
ôter to take off
ou or
où where
oublier to forget
l'**ouest** (m) west
un **ours** bear
ouvert(e) open
un **ouvre-boîte** tin-opener
un **ouvre-bouteille** bottle-opener
un **ouvrier** workman
ouvrir to open
OVNI (objet volant non identifié) unidentified flying object, UFO

P

pagayer to paddle (canoe)
la **paille** straw
le **pain** bread
paisible peaceful
la **paix** peace
le **palais** palace
le **palier** landing
le **palmarès** hit parade
le **panais** parsnip
le **panier** basket
(être) en **panne** to break down
le **pansement** dressing
le **pantalon** trousers
le **pape** pope
le **papier** paper
le **papillon** butterfly
le **paquebot** liner (ship)
Pâques Easter
le **paquet** packet
par through
paraître to appear
le **parapluie** umbrella
le **parasol** sunshade
parce que because
le **pardessus** overcoat
le **pare-brise** windscreen
pareil like, similar
paresseux/paresseuse lazy
parfait(e) perfect
parfois sometimes
le **parfum** perfume
le **parking** car-park
le **parlement** parliament
parler to speak
parmi amongst
la **parole** word
le (la) **parrain(e)** godfather/godmother
partager to share
le **parterre** flower bed/(*theatre*) pit
le **parti** party
particulier special, personal
la **partie** part
partir to leave
partout everywhere
parvenir to reach
le **passage à niveau** level crossing
le **passage clouté** pedestrian crossing
passer to go along, spend (time)
la **passerelle** footbridge
le **passe-temps** pastime
passionant(e) fascinating
patauger to paddle (in water)
la **pâte** pastry/pasta
la **patère** coatpeg
patienter to wait patiently
les **patins** (mpl) skates
le **patinage** skating
patiner to skate
le **patineur** skater
la **patinoire** skating rink
la **pâtisserie** cake shop
le **patron** boss
la **patrouille** patrol
la **patte** paw
la **paume** palm
la **paupière** eyelid
pauvre poor
payer to pay
le pays country
le **paysage** landscape
le **paysan** peasant
le **PDG (président-directeur général)** managing director
le **péage** toll
la **peau** skin
la **pêche** fishing/(also) peach
pêcher to fish
le **pêcheur** fisherman
le **peigne** comb
peindre to paint
la **peine** punishment/trouble
le **peintre** painter
la **peinture** painting
peler to peel
le **pèlerinage** pilgrimage
la **pelle** (child's) spade
le **peloton** main body, group
la **pelouse** lawn
pencher to lean
pendant during
le **pendentif** pendant
pendre to hang
la **pendule** clock
pénible painful
la **péniche** barge
la **pensée** thought
penser to think
la **pension** allowance/boarding-house, -school
le **pensionnat** boarding-school
la **pente** slope
La Pentecôte Whitsun
pépier to cheep

le **pépin** pip
perdre to lose
le **père** father
perfectionner to improve, perfect
périmé out of date
périr to perish
permettre to allow
le **permis** licence
la **perruche** budgie
le **persil** parsley
le **personnage** character
persuader to persuade
la **perte** loss
peser to weigh
la **pétanque** game of bowls
petit(e) little (adj.)
peu little (adv.)
le **peuple** people
(avoir) **peur** to be frightened
peut-être perhaps
le **phare** lighthouse
la **pharmacie** chemist's
le **phoque** seal
la **photographie** photo
la **physique** physics
la **pièce** piece/coin/room/play
le **pied** foot
le **piège** trap
la **pierre** stone
le **piéton** pedestrian
le **pilote** pilot
la **pilule** pill
le **ping-pong** table-tennis
le **pique** spade(s) (cards)
le **pique-nique** picnic
pique-niquer to picnic
le piquet stake, tentpeg
la **piqûre** prick, sting, bite
pire worse (adj.)
pis worse (adv.)
la **piscine** swimming-pool
la **piste** track
la **pitié** pity
le **placard** cupboard
le **plafond** ceiling
la **plage** beach
la **plaie** wound
plaindre to pity
la **plainte** complaint
plaire to please
plaisanter to joke
le **plaisir** pleasure
la **planche** plank, board
le **plancher** floor
la **plâque** plate (number, name)
plat flat
le **plateau** tray
plein(e) full
pleurer to cry
pleuvoir to rain
plier to bend
la **pluie** rain
la **plupart** the majority
plus more
plusieurs several
plutôt rather, sooner
le **pneu** tyre
la **poche** pocket
la **poêle** fryingpan
le **poêle** stove
le **poids** weight
le **poignard** dagger
le **poignet** wrist
le **poil** hair (animal)
poinçonner to punch (ticket)
le **poing** fist
la **pointure** size (shoes)
la **poire** pear
les (petits) **pois** (mpl) peas
le **poisson** fish
la **poitrine** chest
le **poivre** pepper
poli polite
le **polisson** naughty child
la **politique** politics
polluer to pollute
la **pomme** apple
la **pomme de terre** potato
la **pompe** pump
le **pompier** fireman
le **pompiste** petrol-pump attendant
le **pont** bridge
portatif portable
la **porte** door
le **porte-bagages** roof-rack (car)
le **portefeuille** wallet
porter to carry
le **portillon** gate
poser to put down
poser une question to ask a question
la **poste** post, mail
le **poste** post, station
le **pot** pot, jar
potable drinkable
la **poterie** pottery
la **poubelle** dustbin
le **pouce** thumb
la **poudre** powder
la **poule** hen
le **poulet** chicken
le **pouls** pulse
le **poumon** lung
pour for
le **pourboire** tip
le **pourcentage** percentage
pourpre purple
pourquoi why
pourtant yet, however
pousser to push
la **poussière** dust
pouvoir to be able
la **prairie** field
préalable beforehand
précieux precious
précipiter to plunge, hurry
précis precise
préférer to prefer
le **préfet** prefect
premier first
prendre to take
le **prénom** Christian name
préparer to prepare
près near
presque almost
la **presse** press
presser to press, squeeze

le **pressing** dry-cleaners
la **pression** pressure
la **prestation** benefit, allowance
le **prestidigitateur** conjurer
prêt ready
le **prêt-à-porter** ready-to-wear
prêter to lend
le **prêtre** priest
la **preuve** proof
prévenir to warn
la **prévision** forecast
prier to beg
la **prière** prayer
le **printemps** spring
la **priorité** priority
le **prix** price, cost
le **problème** problem
prochain(e) next
proche close by
produire to produce
le **produit** product
le **professeur** teacher
profiter to take advantage of
profond deep
la **profondeur** depth
la **proie** prey
le **projet** plan
la **promenade** walk
la **promesse** promise
promettre to promise
prononcer to pronounce
le **propos** purpose, intention
propre clean
le **propriétaire** proprietor
protéger to protect
le **proviseur** headmaster
la **prune** plum
publier to publish
puis then
puisque since
la **puissance** power
la **punaise** bug/drawing-pin
punir to punish
le **pupitre** desk

Q

le **quai** quay/platform (railway)
quand when
quant à as for
la **quantité** quantity
le **quart** quarter
le **quartier** district
quel/quelle what, which
quelque some
quelquefois sometimes
quelqu'un someone
la **queue** queue, tail
qui who
le **quincaillier** ironmonger
une **quinzaine** fortnight
quitter to leave
quoi what
quotidien daily

R

le **rabais** reduction
raccommoder to mend
un **raccourci** shortcut
raccrocher to hang up
raconter to tell, relate
le **radis** radish
raide stiff, steep
le **raisin** grape
ralentir to slow up
ramasser to pick up
la **rame** oar
ramener to bring back
le **rang** row, line
ranger to put away
râper to grate
rappeler to call again, -back
rapporter to bring back
la **raquette** racket
(se) **raser** to shave
rater to fail
ravi delighted
le **rayon** department (shop), shelf, ray
le **récepteur** receiver
la **recette** recipe
recevoir to receive
le **réchaud** stove
réclamer to complain
la **récolte** harvest
recommander to recommend
la **récompense** reward
reconnaître to recognise
la **récréation** relaxation, playtime, break
reculer to move backwards
la **rédaction** essay (school)
redoubler to redouble, repeat
réduire to reduce
réel real
réfléchir to reflect
refuser to refuse
regarder to look at
(être) au **régime** to be on a diet
la **règle** rule, ruler
le **règne** reign
regretter to regret
la **reine** queen
relâcher to loosen, slacken
relever to lift up again
remarquer to notice
rembourser to repay
le **remède** remedy
remercier to thank
remettre to put back
remplacer to replace
remplir to fill
remuer to stir
le **renard** fox
rencontrer to meet
le **rendez-vous** appointment, arranged meeting
rendre to give back
les **renseignements** (mpl) information
la **rentrée** return (e.g. to school)
renverser to overturn
renvoyer to send back
réparer to repair
repasser to go over/to iron
le **repère** (land)mark
répéter to repeat
répondre to reply
la **réponse** reply
le **repos** rest

reposer to rest
le **réseau** network
résister to resist
résoudre to resolve
respirer to breathe
responsable responsible
ressembler to resemble
ressentir to feel
rester to stay
le **résultat** result
le **retard** delay
retarder to delay
retenir to hold back
retentir to resound
retirer to pull back
retourner to return
la **retraite** retreat, retirement
le **retraité** pensioner
retrouver to refind
réussir to succeed
le **rêve** dream
le **réveil** alarm (clock)
(se) **réveiller** to wake up
révéler to reveal
revenir to come back
rêver to dream
le **réverbère** lamp-post, street-lamp
le **revers** reverse
réviser to revise
revoir to see again
la **revue** revue, magazine
le **rez-de-chaussée** ground floor
le **rhume** cold
le **rhume de foin** hayfever
la **ride** wrinkle
le **rideau** curtain
rien nothing
rigoler to have a laugh
rincer to rinse
rire to laugh
la **ritournelle** jingle (e.g. TV advert)
le **rivage** shore
la **rive** (also) shore
la **rivière** river
le **riz** rice
la **robe** dress
le **robinet** tap
la **rocade** by-pass
la **roche** rock
le **rocher** rock
rôder to prowl
le **roi** king
le **roman** novel
rompre to break
le **rond-point** roundabout (traffic)
ronfler to snore
ronger to gnaw
ronronner to purr
rose pink
rôti roast
la **roue** wheel
rouge red
rougir to go red/to blush
rouler to roll (along)
roux, rousse red (of hair)
la **rue** street
le **ruisseau** stream

S

le **sable** sand
le **sac** bag
le **sac de couchage** sleeping-bag
le **sac à dos** haversack
le **sac à main** hand-bag
sage well-behaved, wise
saisir to seize
la **saison** season
le **salaire** salary, pay
sale dirty
le **salon** sitting-room
saluer to greet
salut! hello!
le **sang** blood
le **sanglot** sob
sans without
la **santé** health
(à votre) **santé!** Good Health! Cheers!
satisfait satisfied
le **saucisson** sausage
sauf except
sauter to jump
sauvage wild
se **sauver** to run away
savoir to know
le **savon** soap
le **seau** bucket
la **séance** sitting, session, meeting
sec, sèche dry
secouer to shake
au **secours!** Help!
le **séjour** stay, living-room
le **sel** salt
selon according to
la **semaine** week
semblable similar
sembler to seem
le **sens** direction
le **sentier** path
le **sentiment** feeling
(se) **sentir** to feel
serrer to squeeze, shake (of hands)
la **serrure** lock
la **serveuse** waitress
la **serviette** briefcase/napkin/towel
seul(e) alone
seulement only
si if/yes (after a negative)
le **siècle** century
le **siège** seat
siffler to whistle
singulier curious, strange
le **singe** monkey
(avoir) **soif** to be thirsty
soigner to look after
le **soin** care
le **soir** evening
le **sol** ground
les **soldes** (fpl) sales
le **soleil** sun
sombre dark, gloomy
(avoir) **sommeil** to be sleepy
le **sommet** summit
le **son** sound
sonner to ring
la **sonnerie** bell (electric)
la **sortie** exit

sortir to go out
le **sou** penny
le **souci** care, worry
la **soucoupe** saucer
soudain sudden(ly)
souffler to blow
souffrir to suffer
souhaiter to wish
soulager to relieve, alleviate
soulever to lift up
le **soulier** shoe
soupçonner to suspect
soupirer to sign
le **sourcil** eyebrow
sourd deaf
sourire to smile
la **souris** mouse
sous under
le **sous-sol** basement
sous-titré subtitled
souterrain underground
se **souvenir** to remember
souvent often
le **sparadrap** sticking-plaster
le **stade** stadium
le **stage** course, period of training
le **stationnement** parking
stationner to park
le **stylo** pen
le **succès** success
le **sucre** sugar
le **sud** south
suggérer to suggest
suivre to follow
le **sujet** subject
le **supermarché** supermarket
sur on
sûr sure
le **surlendemain** the day after next, two days later
sursauter to start, give a jump
surtout especially
surveiller to watch over
le **syndicat** trade union
le **syndicat d'initiative** tourist information office

T

le **tableau** picture
le **tableau noir** blackboard
le **tablier** apron
tâcher to try
la **taille** figure, size, waist
se **taire** to be quiet
le **talon** heel
tandis que whilst
tant so much
la **tante** aunt
le **tapis** carpet
taquiner to tease
tard late
le **tarif** rate, tariff
la **tartine** slice of bread (and butter)
le **tas** pile, heap
la **tasse** cup
le **taureau** bull
le **taux** rate
le **téléférique** cable-car
tellement so
le **témoin** witness
le **temps** time, weather
tendre to hold out
tenir to hold
la **tenue** dress, clothes
terminer to end
le **terrain** ground
le **terrasse** pavement (e.g. *café*)
la **terre** ground, earth
la **tête** head
têtu stubborn
le **thé** tea
la **théière** teapot
tiède luke-warm
le **timbre** stamp
le **tire-bouchon** corkscrew
tirer to pull, draw out
tirer sur to fire on
le **tiroir** drawer
le **tissu** material
le **titre** title
le **toit** roof
tomber to fall
la **tonalité** dialling-tone
tondre to shear, mow (lawn)
le **tonnerre** thunder
le **torchon** duster
(avoir) **tort** to be wrong
la **tortue** tortoise
tôt early
toujours always, still
(se) **tourmenter** to worry
le **tourne-disque** record-player
tousser to cough
tout all
tout à coup suddenly
tout à fait completely
tout d'abord first of all
tout de suite at once
tout droit straight on
tout le monde everybody
traduire to translate
en **train de** in the process of
le **trait** feature
le **traitement** treatment
le **trajet** journey
la **tranche** slice
le **travail** work
travailler to work
traverser to cross
la **traversée** crossing
trempé soaked
très very
le **trésor** treasure
tricher to cheat
tricoter to knit
le **trimestre** term
triste sad
se **tromper** to make a mistake
trop too much
le **trottoir** pavement
le **trou** hole
trouver to find
le **truc** knack, trick, whatsit
tuer to kill
le **tuyau** pipe, tube

U

unique only
une **usine** factory
utile useful
utiliser to use

V

les **vacances** (fpl) holidays
la **vache** cow
la **vague** wave
(faire) la **vaisselle** to do the washing-up
la **valeur** value, worth
la **valise** suitcase
la **vallée** valley
valoir to be worth
varié varied
le **veau** calf
la **vedette** star (e.g., *pop*)
la **veille** eve, day before
le **vélo** bicycle
le **vendeur**/la **vendeuse** shop-assistant
vendre to sell
venir to come
le **vent** wind
la **vente** sale
le **ventre** stomach
le **verger** orchard
le **verglas** black ice
vérifier to check
la **vérité** truth
le **verre** glass
le **verrou** bolt
vers towards
pleuvoir à **verse** to pour with rain
verser to pour
vert green
la veste/le **veston** jacket
les **vestiaires** (mpl) changing-rooms, cloakrooms
le **vestibule** hall (entrance)
les **vêtements** (mpl) clothes
le **veuf**/la **veuve** widower/widow
la **viande** meat
vide empty
la **vie** life
le **vieillard** old man
vieux/**vieille** old
vilain nasty, bad
la **ville** town
le **vin** wine
le **vinaigre** vinegar
le **virage** turn, bend, corner
le **visage** face
la **visite** visit
visiter to visit
vite quickly
la **vitesse** speed
la **vitrine** shop window
vivre to live
voici here is
la **voie** road, track
voilà there is
la **voile** sailing
voir to see
le **voisin** neighbour
la **voiture** car
la **voix** voice
le **vol** flight/theft
le **volant** steering-wheel
voler to fly/steal
le **volet** shutter
le **voleur** thief
volontiers willingly
vouloir to want, wish
le **voyage** journey
voyager to travel
le **voyageur** traveller
le **voyou** hooligan
vrai true
vraiment truly
la **vue** sight, view

W

le **wagon** carriage, coach (of a train)

Y

la **yaourt** yoghurt
les **yeux** (mpl) eyes

Z

zéro nought
la **zone piétonne** pedestrian area

English/French Vocabulary

A

able: to be able pouvoir
about (=*approximately*) à peu près, environ, vers; (=*concerning*), à propos de, au sujet de;
about: to be about to être sur le point de
above en haut, au-dessus (de)
abroad à l'étranger
to **accept** accepter
across à travers
to **add** ajouter
afraid: to be afraid avoir peur
after après
again de nouveau, encore une fois
against contre
ago il y a
alarm-clock le réveil, le réveille-matin
all tout
all the same tout de même
to **allow** permettre
almost presque
alone seul(e)
along le long de
aloud à haute voix
already déjà
also aussi
although bien que, quoique
always toujours
among parmi
angry: to be angry être en colère
angry: to get angry se fâcher
to **annoy** agacer, ennuyer
another un(e) autre
to **answer** répondre
anxious: to be anxious s'inquiéter
to **appear** apparaître
to **approach** s'approcher (de)
area la région
to **argue** disputer
armchair le fauteuil
around autour de
arrival l'arrivée (f)
as comme
as far as jusqu'à
as much as autant
as soon as aussitôt que
ashamed: to be ashamed of avoir honte de
to **ask** demander
asleep endormi
asleep: to fall asleep s'endormir
astonished: to be astonished s'étonner
attraction l'attraction (f)
aunt la tante
to **avoid** éviter
away: to go away s'en aller, partir
awful affreux/affreuse

B

baby le bébé
back le dos
back: to come back revenir
back: to give back rendre
back: to go back retourner, rentrer
bad mauvais(e)
bad: too bad! tant pis!
badly mal
bag le sac
bank la banque
bank (*of river*) le bord, la rive
bar (e.g. *chocolate*) la tablette
to **bark** aboyer
barn la grange
basket le panier
bath: to have a bath, to bathe se baigner
bathroom la salle de bain(s)
beach la plage
beard: with a beard barbu
to **beat** battre
because parce que
because of à cause de
to **become** devenir
bed le lit
bed: to go to bed se coucher
bedroom la chambre (à coucher)
before (*place*) devant; (*time*) avant
beggar le mendiant
to **begin** commencer (à), se mettre à
behind derrière
to **believe** croire
bell: to ring the bell sonner
to **belong** appartenir
below en bas
beside à côté de
besides d'ailleurs
best (*adj.*) le meilleur; (*adv.*) le mieux
better (*adj.*) meilleur; (*adv.*) mieux
better: it is better (to) . . . il vaut ,mieux . . .
between entre
birthday l'anniversaire (m)
to **bite** mordre
blanket la couverture
to **book** (e.g. *room, tickets*) retenir
to **bore** ennuyer
bore: to be bored s'ennuyer
born né(e)
born: to be born naître
to **borrow** emprunter
boss le patron/la patronne
both tous les deux
to **bother** déranger
bottle la bouteille
bottom: at the bottom of au fond de
box la boîte
to **break** briser, (se) casser
breakfast le petit déjeuner
breath: out of breath essoufflé
to **bring** (*person*) amener; (*object*) apporter
to **brush** (se) brosser
building le bâtiment
bull le taureau
burglar le cambrioleur
to **burn** brûler
to **burst out laughing** éclater de rire
business les affaires (fpl), les devoirs (mpl)
bus stop l'arrêt (m) d'autobus
busy (e.g. *town*) animé (e.g. *person*) occupé
but mais
to **buy** acheter
by (*near*) près de; (*on the edge of*) au bord de

C

to **call** appeler
to be called s'appeler

camping: to go camping faire du camping
can (*to be able*) pouvoir
card la carte
careful: to be careful faire attention
carefully avec soin
caretaker le (la) concierge
carpet le tapis
cart la charrette
case (*briefcase*) la serviette; (*suitcase*) la valise
to **catch** attraper, prendre
century le siècle
Channel: the (English) Channel la Manche
to **chat** bavarder, causer
cheap bon marché
chemist le pharmacien
chimney la cheminée
to **choose** choisir
Christmas Noël
Christmas Eve la veille de Noël
church l'église (f)
cinema le cinéma
city la ville
clean propre
to **clean** nettoyer
clever habile, intelligent(e)
cliff la falaise
to **climb** grimper
clock (*in a house*) la pendule; (*on a public building*) l'horloge (f)
close (by) tout près
to **close** fermer
clothes les vêtements (mpl)
cloud le nuage
coach le car
coast la côte
coat le manteau
coin la pièce
cold: to be cold avoir froid
cold: it is cold il fait froid
cold: to catch cold s'enrhumer
cold: to have a cold être enrhumé
to **collect** collectionner
to **collide with** entrer en collision avec
colour la couleur
to **come** venir
to **come back** revenir
to **come down** descendre
to **come in** entrer
to **come out** sortir
to **come up** monter
comfortable confortable
compartment le compartiment
to **complain** se plaindre
complete complet, entier
to **complicate** confirmer
to **confirm** compliquer
to **continue** continuer
to **cook** (faire) cuire
cool frais, fraîche
corner le coin
corridor le couloir
cost le prix
to **cough** tousser
to **count** compter
country le pays
countryside la campagne
of **course** bien entendu, évidemment, naturellement
to **cover** couvrir
covered with couvert de
criminal le criminel
to **cross** traverser
crossing (*by boat*) la traversée; (*pedestrian*) le passage clouté
crossroads le carrefour
crowd la foule
to **cry** crier; (*tears*) pleurer
cupboard le placard
to **cure** guérir
curtain le rideau
customer le (la) client(e)
Customs la Douane
customs officer le douanier

D

to **dance** danser
dangerous dangereux
to **dare** oser
dark noir, obscur, sombre
dawn l'aube (f)
day le jour, la journée
day: the day after le lendemain
day: the day before la veille
dead mort
dear cher, chère
death la mort
to **decide** décider
to **declare** déclarer
deep profond
delighted enchanté, ravi
to **depart** partir
to **describe** décrire
to **deserve** mériter
diary le journal, l'agenda (m)
to **die** mourir
difficult difficile
dirty sale
to **disappear** disparaître
disappointed déçu
disco(theque) la discothèque, le dancing
to **discover** découvrir
to **discuss** discuter
dishes: to wash the dishes faire la vaisselle
distance: in the distance au loin
district (*country*) la région; (*town*) le quartier
to **disturb** déranger
to **dive** plonger
doubtless sans doute
downstairs en bas
drawer le tiroir
dreadful affreux/affreuse
to **dream** rêver
dress la robe
dress: to get dressed s'habiller
to **drink** boire
to **drive** conduire
driving-licence le permis de conduire
to **drop** laisser tomber
to **drown** se noyer
dry sec, sèche
during pendant
dust la poussière

E

each chaque
each one chacun(e)
ear l'oreille (f)
early de bonne heure
to **earn (one's living)** gagner (sa vie)
easily facilement
Easter Pâques
easy facile
to **eat** manger
edge: at the edge of au bord de
empty vide
end la fin
end: at the end of au bout de
to **end** finir, terminer
to **enjoy oneself** s'amuser
enough assez
to **escape** s'échapper
especially surtout
even même
every chaque
everybody tout le monde
everyone tout le monde
everywhere partout
examination un examen
except sauf
to **exclaim** s'écrier, s'exclamer
exit la sortie
to **expect** attendre
expensive cher, chère; coûteux, coûteuse
to **explain** expliquer
extremely extrêmement
eye un œil (pl. les yeux)

F

face la figure, le visage
factory l'usine (f)
to **fall** tomber
false faux, fausse
famous célèbre
far loin
far: as far as jusqu'à
fast (*adj.*) rapide; (*adv.*) vite
to **fear** avoir peur (de), craindre
to **feel** sentir
ferry le ferry
to **fetch** aller chercher
few peu (de)
a **few** quelques
field le champ, la prairie, le pré
to **fill** remplir
to **fight** se battre
finally enfin
to **find** trouver
fine: it is fine il fait beau
finger le doigt
to **finish** finir, terminer
fire le feu; l'incendie (m)
fireman le pompier
fireworks les feux (mpl) d'artifice
first premier, première
at first d'abord
to **fish** pêcher
flat un appartement
to **flow** couler
flower la fleur
floor le plancher
floor (=*storey*) l'étage (m)
fluently couramment
to **fly** voler
foggy: it's foggy il fait du brouillard
to **fold** plier
to **follow** suivre
following day le lendemain
food la nourriture
on **foot** à pied
for (*conj.*) car; (*prep.*) pour; (=*during*) pendant; (=*since*) depuis
to **forbid** défendre
foreigner l'étranger (m)
to **forget** oublier
to **forgive** pardonner
formerly autrefois
fortnight une quinzaine, quinze jours
fortunately heureusement
free libre
to **freeze** geler
to **frighten** effrayer
in **front of** devant
fun: to make fun of se moquer de
funny drôle
furniture les meubles (mpl)

G

game le jeu, la partie, le match
gate la barrière (*farm*; la grille (*iron*); la porte (*garden*)
generally généralement
gently doucement
to **get** (=*look for*) chercher; (=*find*) trouver; (=*obtain*) obtenir
to **get up** se lever
gift le cadeau
to **give** donner
glad content, heureux
to **glance** jeter un coup d'œil
glass le verre
glasses (*spectacles*) les lunettes (fpl)
gloomy sombre
glove le gant
to **go** aller
to **go away** s'en aller
to **go down** descendre
to **go for a walk** se promener
to **go home** rentrer
to **go in** entrer
to **go on** continuer
to **go out** sortir
to **go to sleep** s'endormir
to **go up** monter
Good evening! Bonsoir!
Good morning! Bonjour!
Good night! Bonne nuit!
good: to have a good time s'amuser
to **gossip** bavarder
grass l'herbe (f)
great! formidable! sensationnel!
ground la terre, le terrain
ground floor le rez-de-chaussée
to **grow** cultiver (*plants*); grandir (*person*)
to **grumble** grogner
to **grumble at** gronder
to **guess** deviner
guest l'invité(e) (m,f)
gun le fusil

H

hair les cheveux (mpl)
hairdresser le coiffeur, la coiffeuse
half demi
half of la moitié de
half an hour une demi-heure
hand la main
handkerchief le mouchoir
handsome beau
to **happen** arriver, se passer
happiness le bonheur
happy heureux
harbour le port
hard dur
hardly à peine, ne . . . guère
hat le chapeau
to **hate** détester
to **have to** devoir
headache un mal de tête
headache: to have a headache avoir mal à la tête
headlamp le phare
headmaster le directeur, le proviseur (*secondary school*)
health la santé
to **hear** entendre
to **hear about** entendre parler de
heart le cœur
heat la chaleur
heavy lourd
hedge la haie
Hello! Bonjour! Salut!
to **help** aider
here ici
here is voici
to **hesitate** hésiter
to **hide** (se) cacher
high haut
hill la colline
to **hit** frapper
to **hold** tenir
hole le trou
holidays les vacances (fpl)
homework les devoirs (mpl)
to **hope** espérer
host l'hôte (m)
hot chaud
housework; to do the housework faire le ménage
how comment, comme, que
how long? combien de temps?
how much combien?
however cependant
huge énorme
hundred cent
hungry: to be hungry avoir faim
to **hurry** se dépêcher
to **hurt** (se) blesser, (se) faire mal à
husband le mari
hut le cabanon, la cabane, la hutte

I

ice cream la glace
idea l'idée (f)
if si
ill malade
illness la maladie
to **imagine** (s') imaginer
immediately immédiatement
to **inform** avertir, prévenir
information les renseignements (mpl)
inhabitant un habitant
to **injure** (se) blesser
inn l'auberge (f)
inside dedans, à l'intérieur
instead of au lieu de
to **intend to** avoir l'intention de
interesting intéressant
to **interrupt** interrompre
to **introduce** (*person*) présenter
to **invite** inviter
island une île

J

jacket le veston, la veste
jewel le bijou (pl. bijoux)
job l'emploi (m), le métier
to **joke** plaisanter
journey le voyage
to **jump** sauter
just: to have just venir de . . .
just now tout à l'heure

K

to **keep** garder
key la clef (clé)
to **kill** tuer
kind (*adj.*) aimable; (*noun*) l'espèce (f) le genre, la sorte
king le roi
to **kiss** embrasser
kitchen la cuisine
knee le genou (pl. genoux)
to **kneel** s'agenouiller
knife le couteau
to **knock** frapper
to **knock down** renverser
to **know** (*person*) connaître; (*fact*) savoir

L

ladder l'échelle (f)
land la terre
language la langue
large grand
last dernier
last: at last enfin
to **last** durer
late tard, en retard
later plus tard
latter celui-ci, celle-ci
to **laugh** rire
to **laugh at** se moquer de
lawn la pelouse
lazy paresseux/paresseuse
to **learn** apprendre
at least (*minimum*) au moins; (*at all events*) du moins
to **leave** (*behind*) laisser, (+ *object*) quitter; (=*depart*) partir
left gauche (*as opposed to right*)
leg la jambe
to **lend** prêter
less moins
to **let** (=*allow*) laisser, permettre
library la bibliothèque
to **lie** mentir

to **lie down** se coucher
life la vie
lift l'ascenseur (m)
to **lift** lever, soulever
light (adj.), (*weight*) léger; (*colour*) clair
light (*noun*), la lumière
to **light** allumer
lighthouse le phare
to **like** aimer
like comme
line la ligne
to **listen to** écouter
little petit
to **live** demeurer, vivre
to **live in** habiter
living: to earn one's living gagner sa vie
lock la serrure
to **lock** fermer à clef
to **look** (*appear*) avoir l'air, paraître
to **look after** garder, soigner
to **look at** regarder
to **look for** chercher
to **look like** ressembler à
to **look up** lever la tête
lorry le camion
to **lose** perdre
to lose one's temper se mettre en colère
a lot of beaucoup
loud fort
low bas(se)
lucky: to be lucky avoir de la chance
luggage les bagages (mpl)
lunch: to have lunch déjeuner

M

mad fou, folle
magazine le magazine, la revue
main road la grande route
majority la plupart
to **make** faire
to **make for** se diriger vers
to **manage (to do)** réussir à
manager le directeur, le gérant
many beaucoup
many: so many tant
many: as many autant
map la carte
mark la note
market le marché
to **marry** épouser, se marier avec
marvellous merveilleux/merveilleuse
matter: what's the matter? qu'y a-t-il?
matter: what's the matter with you? qu'as-tu? qu'avez-vous?
may I? puis-je?
meal le repas
to **meet** rencontrer
midday midi (m)
middle: in the middle of au milieu de
midnight minuit (m)
to **miss** manquer
mistaken: to be mistaken se tromper
money l'argent (m)
month le mois
mood: in a good (bad) mood de bonne (mauvaise) humeur
moon la lune
moped le vélomoteur
more plus
morning le matin, la matinée
morning: the next morning le lendemain matin
most la plupart
motorway l'autoroute (f)
to **murmur** murmurer
museum le musée
music la musique
must devoir

N

name le nom
name: what is your name? comment t'appelles-tu? comment vous appelez-vous?
naturally naturellement
naughty méchant
near près de
nearby tout près
nearly presque
to **need** avoir besoin de
neighbour le (la) voisin(e)
neither . . . nor ni . . . ni . . . (ne)
never (ne) . . . jamais
new nouveau, nouvelle; neuf, neuve
newspaper le journal
next (*adj.*) prochain; (*adv.*) ensuite, puis
next day le lendemain
next to à côté de
nice aimable
night la nuit
nightfall la tombée de la nuit, la nuit tombante
nobody (ne) . . . personne
noise le bruit
no longer ne . . . plus
no more ne . . . plus
nothing (ne) . . . rien
not yet pas encore
note le billet
notebook le carnet
to **notice** remarquer
now maintenant
now: just now tout à l'heure
nurse un infirmier, une infirmière

O

to **obtain** obtenir
obviously évidemment
to **offer** offrir
office le bureau
often souvent
old vieux, vieille
older aîné
once une fois
once: at once immédiatement, tout de suite
only ne . . . que, seulement
to **open** ouvrir
opposite en face (de)
orchard le verger
to **order** commander
other autre
ought (*conditional tense of*) devoir
out: to go out sortir
outside dehors, à l'extérieur
over there là-bas
overcoat le pardessus
to **overtake** (e.g. *car*), doubler

to **owe** devoir
own propre
own: on one's own seul(e)
owner le (la) propriétaire

P

pain la douleur
parcel le colis, le paquet
to **park** stationner
particular (on) that particular day ce jour-là
party la boum (*young people's*); la soirée
passenger le passager, le voyageur
passer-by le passant
path le sentier, l'allée (f)
patient le client, le (la) malade
patiently patiemment
pavement le trottoir
to **pay for** payer
peace la paix
pebble le caillou (pl. cailloux)
pen le stylo
pencil le crayon
people les gens (mpl)
people: a lot of people beaucoup de monde
perhaps peut-être
to **permit** permettre
petrol l'essence (f)
to **phone** téléphoner
to **pick up** ramasser
picture le tableau
piece le morceau
pity: what a pity! quel dommage!
pity: it's a pity! c'est dommage!
to **pity** plaindre
place l'endroit (m)
plan le projet, le plan
plane l'avion (m)
plate l'assiette (f)
platform le quai
play une pièce (de théâtre)
to **play** jouer
pleasant agréable
to **please** plaire à
please s'il te (vous) plaît
pleasure le plaisir
plenty (of) beaucoup (de)
pocket la poche
point: to be on the point of être sur le point de
point: to point out indiquer
policeman l'agent (m), le policier
police station le poste de police
police superintendent le commissaire de police
polite poli
poor pauvre
to **post** mettre à la poste
postcard la carte postale
postman le facteur
post office le bureau de poste
pound (*money and weight*) la livre
to **prefer** préférer, aimer mieux
to **prepare** préparer
present un cadeau
presently tout à l'heure
to **pretend** faire semblant de
pretty joli
to **prevent** empêcher
price le prix
probably probablement
programme le programme, l'émission (f)
to **promise** promettre
proprietor le (la) propriétaire
proud fier, fière
provided that pourvu que
to **pull** tirer
to **punish** punir
pupil un(e) élève
purse le porte-monnaie
to **pursue** poursuivre
to **push** pousser
to **put (on)** mettre
to **put down** poser

Q

to **quarrel** se disputer
quay le quai
queen la reine
to **question** interroger
quick rapide
quickly vite
quiet tranquille
quiet: to be quiet se taire
quietly doucement, silencieusement
quite assez; (=*completely*) tout à fait

R

racquet la raquette
railway le chemin de fer
railway station la gare
rain la pluie
to **rain** pleuvoir
rain: it is raining il pleut
rain: it was raining il pleuvait
it rained il a plu
rarely rarement
rather assez, plutôt
to **reach** arriver à, gagner
to **read** lire
ready prêt
ready: to get ready s'apprêter, se préparer
to **realize** comprendre, se rendre compte
really vraiment
to **receive** recevoir
to **recognize** reconnaître
to **reflect** réfléchir
relative un parent
to **rely on** compter sur
to **remain** rester
to **remember** se rappeler, se souvenir de
to **rent** louer
to **repair** réparer
to **repeat** répéter
to **reply** répondre
to **resemble** ressembler à
the **rest** (*others*) les autres (m,f,pl)
to **rest** se reposer
to **return** retourner, revenir; (=*give back*) rendre
to **ride** (*horse, bicycle*), se promener (à cheval, à vélo)
right droit(e)
right: on the right à droite
right: to be right avoir raison
to **ring** sonner

to **rise** (e.g. *smoke*) monter
road (*in country*) la route; (*in town*) la rue
rock le rocher
rod (*fishing*) la canne (à pêche)
roof le toit
room la pièce, la salle; la chambre (*bedroom*); la place (*space*)
round: to go round faire le tour de
to **rush (forward)** s'élancer, se précipiter
to **rush** (=*hurry*) se dépêcher

S

sad triste
same même
same: all the same tout de même
sand le sable
to **save** sauver; (*money*) faire des économies
scarcely à peine, ne . . . guère
scarf (*long*) l'écharpe (f), (*head*) le foulard
school l'école (f)
to **scold** gronder
to **scratch** gratter
sea la mer
sea-sick: to be sea-sick avoir le mal de mer
to **search (for)** chercher
to **see** voir
to **seem** sembler, paraître, avoir l'air
to **seize** saisir
to **sell** vendre
to **send** envoyer
serious grave, sérieux
to **set off** se mettre en route
to **set out** partir
several plusieurs
shade l'ombre (f)
to **shake** secouer
shake: to shake hands serrer la main (à)
shake: to shake one's head hocher la tête
to **shave** se raser
sheet le drap
shelf le rayon
to **shine** briller
ship le navire, le paquebot
shock le choc
to **shoot** tirer
shop la boutique, le magasin
shopping: to do some shopping faire des achats (emplettes, courses, commissions)
short court
to **shout** crier
to **show** montrer
shower (*bathroom*) la douche; (*rain*) une averse
to **shut** fermer
to **shut up** se taire
sick malade, souffrant
side le côté
side: at/by the side of à côté de, au bord de
side: on the other side de l'autre côté
silly stupide
silver l'argent (m)
since (*reason*) puisque; (*time*) depuis
to **sing** chanter
to **sit down** s'asseoir
sitting assis
sky le ciel
to **sleep** dormir
sleep: to go to sleep s'endormir
to **slip** glisser
to **slow down** ralentir
slowly lentement
small petit(e)
to **smile** sourire
smoke la fumée
to **smoke** fumer
to **snatch** arracher
snow la neige
to **snow** neiger
so (=*therefore*) donc; (*extent*) si, tellement
soaked trempé(e)
somebody quelqu'un
something quelque chose
sometimes quelquefois
somewhere quelque part
soon bientôt
sorry! pardon!
sorry: to be sorry être désolé
sound le bruit, le son
South (of France) le Midi
to **speak** parler
spectacles les lunettes (fpl)
speed la vitesse
to **spend** (*money*) dépenser; (*time*) passer
in **spite of** malgré
to **spoil** gâter
in **spring** au printemps
stairs l'escalier (m)
stamp (*postage*) le timbre (-poste)
to **stand** se tenir (debout)
to **stand up** se lever
to **start** commencer, se mettre à
to **stay** rester, demeurer
to **steal** voler
stick le bâton
stick: (walking-) stick la canne
still encore, toujours
stone la pierre
to **stop** (s')arrêter
storey l'étage (m)
storm l'orage (m)
story l'histoire (f)
straight on tout droit
strange étrange
stranger un étranger, une étrangère; un inconnu, une inconnue
stream le ruisseau
street la rue
to **strike** (*hit*) frapper
strike: to go on strike se mettre en grève, faire (la) grève
strict sévère
strong fort
to **study** étudier
suburbs la banlieue
to **succeed** réussir à
success le succès
such tel(le)
sudden soudain
suddenly tout à coup
suitcase la valise
in **summer** en été
sun le soleil
supermarket le supermarché
surprised: to be surprised s'étonner
to **surround** entourer
sweet-shop la confiserie
to **swim** nager

T

to **take** (=*pick up*) prendre; (*person*) emmener
to **take away** emporter
to **take off** enlever, ôter; décoller (*plane*)
to **talk** parler
tall grand
tape-recorder le magnétophone
tea (*drink*) le thé; (*meal*) le goûter
to **teach** enseigner
teacher le professeur; le professeur d'école (*primary*)
team l'équipe (f)
to **tear** déchirer
to **telephone** téléphoner (à)
television la télévision
television set le téléviseur
to **tell** dire, raconter (*relate*)
temper: in a temper en colère
to **thank** remercier
then alors, donc, ensuite, puis
there (*pronoun*) y; (*adverb*) là
there is (are) il y a
therefore donc, ainsi
thief le voleur
thin maigre
to **think** croire, penser
thing la chose
thirsty: to be thirsty avoir soif
as **though** comme si
to **threaten** menacer
through par, à travers
to **throw** jeter
ticket le billet
ticket office le guichet
till (=*until*) jusqu'à
time (*by the clock*) le temps, l'heure; (=*occasion*) la fois
time: a long time longtemps
time-table (*school*) un emploi de temps; (*train*) l'horaire (m), l'indicateur (m)
tip le pourboire
tired fatigué(e)
today aujourd'hui
together ensemble
tomorrow demain
too trop (*much*); aussi (*also*)
top le haut, le sommet
tourist le (la) touriste
towards vers
traffic la circulation
to **travel** voyager
tree l'arbre (m)
trip une excursion
to **trouble** déranger
true vrai
truth la vérité
to **try** essayer
to **turn off (out)** éteindre
to **turn round** se retourner
to **turn towards** se tourner vers
twice deux fois
twin le jumeau, la jumelle

U

ugly laid
umbrella le parapluie
unbearable insupportable
under sous
to **understand** comprendre
to **undress** se déshabiller
unfortunately malheureusement
unhappy malheureux/malheureuse
unknown inconnu(e)
unwell souffrant(e), malade
until jusqu'à (ce que)
up: to come up monter
up: to get up se lever
upstairs en haut
to **use** employer, se servir de, utiliser
useful utile
useless inutile
as **usual** comme d'habitude
usually généralement, d'habitude
to **utter a cry** pousser un cri

V

in vain en vain
vegetable le légume
very bien, fort, très
very much beaucoup
to **visit** (*person*) faire (rendre) visite; (*country, town etc.*) visiter
visitor le visiteur
voice la voix

W

to wait attendre
waiter le garçon
waitress la serveuse
to **wake up** se réveiller
to **walk** marcher, se promener
a **walkman** (*head phones*), un baladeur
wall le mur
wallet le portefeuille
to **wander** errer
to **want** désirer, vouloir
war la guerre
warm: to be warm (*person*) avoir chaud; (*weather*) faire chaud
to **warm oneself** se réchauffer
to **wash** (se) laver
washing: to do the washing (*clothes*), faire la lessive
washing: to do the washing-up faire (laver) la vaisselle
wasp la guêpe
to **waste (time)** perdre (son temps)
watch la montre
to **watch** regarder
water l'eau (f)
wave (*sea*) la vague
to **wave** (*an object*) agiter; (*to someone*) faire signe à
way la façon, la manière
way (=*path*) le chemin
weak faible
wealthy riche
to **wear** porter
weary las(se)
weather le temps
week la semaine
to **weep** pleurer
well bien
well: to be well aller bien
well-known célèbre, bien connu
wet humide, mouillé

what (*adj.*) quel
what: what! comment!
when lorsque, quand
where où
whether si
while pendant que
whilst (*contrast*) tandis que
to **whisper** chuchoter, murmurer
to **whistle** siffler
whole entier, tout
why pourquoi
wide large
widow la veuve
widower le veuf
wife la femme
wild sauvage
to **win** gagner
windy: to be windy faire du vent
wine le vin
in **winter** en hiver
to **wipe** essuyer
wise prudent, sage
to **wish** désirer, vouloir
with avec
without sans
to **wonder** se demander
wonderful merveilleux
wood le bois
word le mot, la parole (*spoken*)
work le travail
to **work** travailler
workman–woman, un ouvrier; une ouvrière
world le monde
worried inquiet, inquiète
to **worry,** s'inquiéter
worse pire (*adj.*); pis (*adv.*)
worth: to be worth valoir
to **wound** blesser
to **write** écrire
wrong: to be wrong avoir tort, se tromper

Y

year l'an (m), l'année (f)
yesterday hier
yet (*still*) encore, déjà; (*however*) cependant
young jeune

INDEX

(RP=Role Play; VT=Vocabulary Topic)